P

OKANAGAN UNIV/COLLEGE LIBRARY

02361327

D1177935

Petit Ho

PS 8505 .A7

Du même auteur

• **Romans**
La Guerre, yes sir!, Éditions du Jour, 1968
Floralie, où es-tu?, Éditions du Jour, 1969
Il est par là, le soleil, Éditions du Jour, 1970
Le Deux-millième Étage, Éditions du Jour, 1973
Le Jardin des délices, Éditions de La Presse, 1975
Il n'y a pas de pays sans grand-père, Éditions internationales Alain Stanké, 1977
Les fleurs vivent-elles ailleurs que sur la terre?, Éditions internationales Alain Stanké, 1980
La Dame qui avait des chaînes aux chevilles, Éditions internationales Alain Stanké, 1981
De l'amour dans la ferraille, Éditions internationales Alain Stanké, 1984
L'Ours et le Kangourou, Éditions internationales Alain Stanké, 1986
Un chameau en Jordanie, Éditions internationales Alain Stanké, 1988
L'Homme dans le placard, Éditions internationales Alain Stanké, 1991
Fin, Éditions internationales Alain Stanké, 1992

• **Théâtre**
La Guerre, yes sir!, Éditions du Jour, 1970
Floralie, Éditions du Jour, 1973
La Céleste Bicyclette, Éditions internationales Alain Stanké, 1980
Le Cirque noir, Éditions internationales Alain Stanké, 1982

• **Albums photographiques**
Québec, à l'été 1950, Éditions Libre Expression, 1982
Canada, Éditions Libre Expression et Art Global, 1986

• **Contes**
Jolis Deuils, Éditions du Jour, 1964
Les Enfants du bonhomme dans la lune, Éditions internationales Alain Stanké, 1979
Les Voyageurs de l'arc-en-ciel, Éditions internationales Alain Stanké, 1980
Ne faites pas mal à l'avenir, Éditions Paulines, 1984
Le Chandail de hockey, Livres Toundra, 1984
La Fleur et Autres Personnages, Éditions Paulines, 1985
Prières d'un enfant très très sage, Éditions internationales Alain Stanké, 1988
L'Eau de Polgoksa, Éditions Paulines, 1990
Le Canot dans les nuages, Éditions Paulines, 1991
Un champion, Livres Toundra, 1991
Canada, je t'aime, Livres Toundra, 1991
Une bonne et heureuse année, Livres Toundra, 1991
Le Martien de Noël, Québec/Amérique, 1991

ROCH CARRIER

OKANAGAN UNIVERSITY COLLEGE
LIBRARY
BRITISH COLUMBIA

PETIT HOMME TORNADE

roman

Stanké

Données de catalogage avant publication (Canada)

Carrier, Roch, 1937-

    Petit Homme Tornade

    ISBN 2-7604-0511-7

    I. Titre.

PS8505.A77P47 1996   C843'.54   C95-941858-X
PS9505.A77P47 1996
PQ3919.2.C37P47 1996

L'illustration de la page couverture est d'Olivier Lasser d'après une gravure ancienne.
Couverture: Olivier Lasser
Mise en pages: Andréa Joseph

© Les éditions internationales Alain Stanké, 1996

Les éditions internationales Alain Stanké bénéficient du soutien financier du Conseil des Arts du Canada pour leur programme de publication.

Tous droits de traduction et d'adaptation réservés; toute reproduction d'un extrait quelconque de ce livre par quelque procédé que ce soit, et notamment par photocopie ou microfilm, strictement interdite sans l'autorisation écrite de l'éditeur.

ISBN 2-7604-0511-7

Dépôt légal: premier trimestre 1996

IMPRIMÉ AU QUÉBEC (CANADA)

1

Quand on n'y est pas né, il faut être égaré pour se trouver dans ce hameau de l'Arizona. Le long de l'unique rue, des séquoias lèvent leurs bras épineux vers un ciel où se reflète le sol gris. Les clôtures de bois délabrées s'efforcent de ne pas s'affaisser. Six ou sept bicoques sont tapissées d'anciens panneaux publicitaires rouillés. Tout autour, des carcasses de voitures abandonnées. Derrière, jusqu'à l'horizon, le désert. Pourtant, le voyageur découvre l'endroit avec un plaisir étonné. Rien, sur la carte, n'indiquait qu'il pourra déguster une bière glacée sous ce soleil qui fera fondre le toit de sa voiture. Et il est soulagé de pouvoir enfin remplir son réservoir d'essence. Une longue route l'attend dans cette région inhabitée.

Au nord, des fleuves évaporés, des vents acharnés et le passage insistant de millions d'années ont façonné des châteaux fous, des cathédrales extravagantes qui ont inspiré au voyageur une ferveur religieuse. Ici, la terre est usée, fatiguée, pauvre. Même les cactus ont l'air malheureux.

Le poste de traite fait office de bureau de poste, de restaurant, de poste d'essence, d'épicerie, de boutique d'antiquités ; on y vend aussi des magazines, des livres, des vidéocassettes érotiques, de l'alcool, des bottes, des outils. Qui est-ce qui les achète ? Le voyageur n'a pas aperçu une seule habitation à la ronde. Des pistes transversales serpentent parmi les buissons et vont se perdre dans le désert où rien ne semble avoir été bâti. Cette région n'est peuplée que de cactus. Pourtant, quelques clients sont assemblés et leur humeur est plutôt enjouée. Ils se taquinent comme on se taquine dans les villages où l'on se connaît comme frères et sœurs, où l'on se répète jour après jour les mêmes blagues dont on rit année après année. Les visages sont cuits et ravinés. Le soleil, le vent et le temps accomplissent sur eux le même travail que sur la terre.

Le voyageur essuie son front brûlant, où il s'étonne de ne trouver aucune sueur. L'air est sec. Il boit avec délices. La boisson froide dans sa main et dans sa gorge lui donne le désir de s'attarder ici plutôt que de poursuivre, sous un ciel bouillant, la route d'asphalte amolli qui colle aux pneus.

— Prends tout ce que tu veux, jeune homme ! Je te le donne. Ici, tout ce que tu vois est à moi.

Quel est ce personnage très grand aux longs cheveux blancs ? Il a l'air d'un vieux prince déchu misérablement habillé, les gestes et les paroles d'un homme ivre. Les flâneurs le guettent ; ils ont sur les lèvres un sourire près d'éclater en gros rire.

Le vieil homme qui semble avoir trop bu pose sur le comptoir une brassée de produits qu'il enserrait dans son bras unique :

— Tout ça m'appartient, grommelle-t-il. Je peux donner tout ça.

Bien que son dos soit voûté, ses épaules sont celles d'un homme qui pourra encore longtemps porter le fardeau de la vie. Sa chevelure lui confère une majesté que contredit son comportement. Le vieil Indien s'avance vers le voyageur :

— Prends ce que je te donne, étranger.

Le voyageur se sent mal à l'aise. Les habitants suivent attentivement le spectacle. Les distractions ne sont sans doute pas fréquentes dans le désert. Peut-être est-ce leur théâtre ? Ils portent tous un revolver. Contre qui veulent-ils se protéger dans ce territoire vide ? Qui veulent-ils tuer ?

— Ce pain est à moi et je te le donne, étranger. Ce magasin est à moi. Ce village est à moi. Ce territoire m'appartient.

Le voyageur boit plus vite qu'il ne voudrait car il sent qu'il vaudrait mieux partir. Dans l'ombre que jette sur ces visages le large rebord des chapeaux brille un sourire moqueur sur des dents jaunies par le tabac.

— Mais oui, tu as raison, dit la caissière. Maintenant, Charlie Longsong, tu vas remettre en place tout ce que tu as pris. Oui, là, sur les tablettes.

Le vieil Indien obéit. Le voyageur se dit que le corps de cet homme est rempli d'une force animale endormie. Avec des petits pas hésitants, à la façon des enfants qui se rebellent et obéissent en même temps, il reporte les articles là où il les a pris. Les flâneurs n'aiment pas voir un homme obéir à une femme. En même temps, ils ont du plaisir à voir ce vieil Indien se soumettre comme un chien bien élevé.

— Charlie Longsong, peux-tu te rappeler le jour où tu as vu du savon pour la dernière fois ?

— Charlie Longsong, quand tu vas être un cadavre, tu vas sentir meilleur que vivant !

Le voyageur est irrité par ce dont il est témoin. Il déteste cette torture par la taquinerie qu'on pratique dans les villages trop paisibles. Il s'impatiente en ramassant sa monnaie.

— Charlie Longsong est un peu fou, explique la caissière. Il a un peu perdu l'esprit quand ils ont tué son père. C'est l'histoire qui s'est toujours racontée. Je serais moi-même probablement devenue folle si j'avais vu mon propre père tué devant mes propres yeux. On n'a jamais attrapé les coupables... Ça fait bien longtemps.

Le voyageur se dit qu'il ne reviendra jamais dans cet endroit de la planète. Il en oubliera le nom. En fait, il ne le sait même pas. Il est pressé de partir. Il faut remplir son réservoir. Il recule son véhicule près de la pompe à essence. Elle est toute rouillée. C'est un vestige. La caissière s'amène.

— La prochaine ville est loin ? demande le voyageur.

— Tout dépend de ce que vous appelez loin... Il faut la trouver. C'est le Gouvernement qui construit les routes. Il construit les routes comme il fait ses formulaires d'impôt. C'est pas simple.

— Il y a un endroit convenable pour dormir dans les environs ?

— Tout dépend de ce qu'on appelle convenable.

Le vieil Indien aux cheveux blancs surgit entre les pompes :

— Prends toute l'essence que tu veux ; je te la donne.

— Charlie Longsong, tu penses pas que c'est l'heure de retourner dans ton trou ? dit la caissière impatientée.

— N'êtes-vous pas un peu dure avec le vieil homme ? dit le voyageur.

— C'est un vieux fou. On l'endure depuis un siècle. Il y a une limite à la patience. Chaque fois qu'il aperçoit un étranger, il recommence son numéro. Est-ce ma faute si son père a été tué ? Est-ce que je sais, moi, si quelqu'un a volé la terre de son père ? Mon père n'était même pas au monde. La vie est assez compliquée. Est-ce qu'il faudrait en plus s'occuper du passé ? Lui, Charlie Longsong, ne s'aperçoit pas du présent. Son cerveau est dans le passé comme un poisson dans un bocal. C'est sa folie. Il passe ses nuits caché derrière ses cactus à guetter les assassins de son père. Il est convaincu qu'ils vont revenir. Est-ce que c'est une vie, ça ?... Le motel le plus proche s'appelle le motel *Universel*. Le nom est écrit en néon rouge. Tous ceux qui sont perdus dans la région se retrouvent au motel *Universel*.

Le vieil Indien a traversé la route et il s'engage dans le désert qui s'étend jusqu'à une lointaine muraille bleue comme une haute vague de la mer.

2

Au motel *Universel*, le voyageur signe sa fiche.
— Mon Dieu que vous écrivez mal! s'exclame la tenancière. Vous devez être instruit. Vous prendrez la chambre 13, au bout, à gauche. Il n'y a que les gens instruits qui acceptent de prendre la chambre 13. L'instruction guérit la superstition. Je sais pas si j'accepterais moi-même de passer une nuit dans la chambre 13.

Robert Martin referme sa porte. Il allume la lumière. L'odeur contraignante du tabac se mêle à celle de l'humidité et aux émanations âcres des produits de nettoyage. Les murs sont jaunes. La moquette rouge est parsemée de cicatrices de brûlures de cigarettes. Dans ce désert, voilà au moins un toit au-dessus de sa tête et une porte qui se verrouille. Il pose ses sacs. De petits insectes un peu graisseux cèdent leur place.

Il était content d'entreprendre ce voyage, mais voici que sa douleur lancinante le rejoint. Dans le passé, il était agréable de voyager avec sa femme, et ensuite, le soir, d'évoquer les bons moments de la journée. Aujourd'hui, il est seul dans ce détestable motel. Elle n'est plus là pour relater l'itinéraire de la journée en sirotant un apéritif bien froid. Elle revendique la maison, la voiture. Il n'aurait pas dû téléphoner à son avocat... Il la déteste désormais plus que n'importe qui. Il a rêvé pourtant de n'aimer qu'elle toute sa vie. Elle veut le détrousser comme un pirate, le faire condamner à la potence. Il est trop seul. Il a été trop bête pour s'acheter quelque chose à boire au poste de traite... Si elle avait été avec lui, elle aurait essayé de parler au vieil Indien déjà un peu parti pour le paradis. Elle est curieuse de tout. Elle a, pour aborder les gens, une aisance qu'il n'a pas. Elle a usurpé les enfants, le chalet au bord du lac, le bateau... Que va-t-il lui rester ? Où va-t-il dormir ? Où va-t-il travailler ?

— Elle veut me dépiauter, cette sorcière.

Pendant encore combien de temps pourra-t-il fuir ? Ne va-t-elle pas profiter de son absence pour finir de le ruiner ? Ne va-t-elle pas l'accuser d'avoir abandonné ses enfants ? C'est pour vérifier cette éventualité qu'il a parlé à son avocat. Cette conversation l'a troublé. Il a envie de remonter vers le nord, de retourner au Canada. L'Arizona ne le protège pas. Il a fui, mais il n'a plus aucun plaisir à faire ce voyage. Elle a kidnappé ses enfants. Que va-t-elle leur raconter à son sujet ? Ses enfants l'aiment. Ils le réclament certainement. Il s'esquive. Même s'il était resté près de l'enfer conjugal, à Montréal, il ne pourrait les voir. Il voulait vivre avec elle, peut-être avoir un autre enfant, puis attendre l'arrivée des petits-enfants que, paraît-il, on aime mieux que ses enfants. Il se voyait avec une grosse barbe blanche, vieux comme un ancêtre, parmi eux tous. Que s'est-il passé ? En une seule journée, cette femme est devenue un tremblement de terre, un typhon, un boa constricteur, un bourreau, un bandit.

Robert Martin a tout perdu. Des amis lui ont suggéré de mettre une distance entre lui et les faits. Alors, il est parti. À son retour, il verra plus clair. Pour le moment, dans la chambre 13 du motel *Universel*, il pleure parce qu'il voudrait être avec sa femme et ses enfants. Partout dans son corps, il éprouve une douleur comme si son âme était couverte de blessures. Il doit sortir de cette chambre.

Pas de salle à manger. Il ne trouve qu'un comptoir où, assis sur leur tabouret, de gros hommes endormis sont occupés à bâfrer. L'assiette qu'on lance sous son nez est monumentale. Dans cette région, rien n'est petit. On est silencieux comme des moines. Aucune femme sauf la serveuse. Chacun est occupé à chevaucher de vastes pensées. On ne boit pas d'alcool mais on a l'air ivre. Robert Martin est ivre, lui aussi. De tristesse. Mais s'il était resté à Montréal, il serait encore plus malheureux. Pleurer quand on quitte est moins souffrant que de pleurer en restant. Il retournera. Pour l'instant, il a mal comme s'il avait été tabassé par des voyous. Il a été assailli en pleine lumière par la personne qu'il aimait le plus. Des inconnus n'auraient pas été aussi féroces.

Mieux vaudrait aller dormir que de tourner et retourner encore cette moulinette qui moud et remoud sans cesse les mêmes pensées. Éclairés par l'enseigne lumineuse du motel *Universel*, les cactus semblent phosphorescents. La nuit est un beau désert bleu et lisse où scintillent des centaines de cailloux.

Après avoir griffonné quelques notes dans un carnet et inscrit des repères sur sa carte, Robert Martin entre dans son lit avec précaution. Bien des gens y ont dormi avant lui. Les couvertures sont imprégnées de l'odeur de leur fatigue et de leurs cauchemars. Le matelas est cabossé des mouvements de leurs insomnies. Avant lui, bien des gens s'y sont, comme lui, allongés tôt pour s'évader du jour interminable.

Puisqu'elle a décidé de faire de lui un homme libre, il doit assumer sa liberté. Sa femme lui prend tout, sauf sa liberté. Elle le veut libre mais ruiné. Non, il ne doit pas recommencer à écouter ce disque. Chaque fois qu'il pense à ce divorce, son cerveau n'est plus qu'une motte de pâte pétrie de souffrance.

Partir au hasard, Robert Martin n'avait jamais fait cela auparavant. Avec elle, il fallait toujours un plan. Un plan pour la journée, un plan pour l'heure, un plan pour l'année, un plan pour la vie. Ah! ce qu'il est bon de ne pas être entravé par un plan à suivre! Il faudra d'abord laisser se fatiguer la douleur. Ensuite, tout sera possible. Il faudra aussi mater le vertige de se retrouver libre, sans elle, comme lorsqu'il était un adolescent... Ses enfants reviendront à lui. Elle a voulu les tenir en otages. Ils s'évaderont vers leur père... Plus jamais de plan! Les canyons et les fabuleux rochers beaux comme des cathédrales de rêve, ces fantastiques palais de l'Arizona ont-ils été construits selon un plan? Non, tout s'est fait comme se font et se défont les vagues de la mer, comme se fait et se défait une vie. La mer et la vie n'ont pas de plan. Ah! qu'il est difficile de dormir quand on est libre.

Ce voyage lui redonnera force. La puissance qui a modelé le roc, l'espace où se reflète la lumière, le vent qui a effacé l'histoire vont se réverbérer sur lui; ils vont l'imprégner, le nourrir.

Durant son voyage, l'historien a souvent pensé à ses compatriotes canadiens-français qui, par centaines de milliers, ont fui la misère de leur terre ingrate du nord. Fascinés par les États-Unis où le rêve se transformait en fortune, hypnotisés par leur espoir, ils ont suivi les anciens sentiers, ils en ont inventé de nouveaux. Au Colorado, dans les montagnes, au bout d'une route en zigzag pour laquelle sa voiture était beaucoup trop large, Robert Martin a visité l'humble musée d'un village dépeuplé. Dans un vieux cahier d'écolier où on avait pieusement inscrit les procès-verbaux des réunions du conseil du hameau, il a lu avec émotion, à la première page, le rapport de la première transaction enregistrée à cet endroit. Un fermier avait acheté d'un commerçant cinquante-neuf têtes de bétail et une charrue. Le fermier avait signé son nom : Joseph Dubois. Un nom canadien-français.

Qu'il serait intéressant de suivre, du Canada au Colorado, ce fermier qui, après avoir erré de ferme en ferme, d'État en État, a décidé de faire son nid dans cette vallée perdue au creux de montagnes. Les sentiers accidentés épuisaient les chevaux et cassaient les roues des chariots. Les plus hardis rêveurs s'épuisaient à creuser la terre, espérant y trouver l'or à la pelle. La première maison que ces aventuriers bâtissaient servait à abriter les filles du bordel. On arrivait en ces lieux de partout au monde. Les mineurs étaient russes, polonais, italiens, australiens. Comment étaient-ils parvenus en cette région inconnue ? Comment Joseph Dubois a-t-il abouti dans ce hameau ?

L'historien Robert Martin n'a rien publié depuis quelques années. Ne serait-il pas passionnant de marcher dans les traces de ce Dubois ? Ne serait-il pas exaltant, pour un homme de notre époque fatiguée, de marcher dans les pas d'un homme qui vécut dangereusement il y a plus de cent vingt-cinq ans ? Que fuyait-il ? De qui tentait-il de s'éloigner ? Que laissait-il derrière lui ? Quelle était sa souffrance ?

Le fermier Dubois représente toute une époque. Les expéditions, les grands déplacements, les ruées épiques, l'immigration, les caravanes... Tous ces généreux mouvements, comme des navettes sur les métiers, tissaient la grande tapisserie américaine. Robert Martin devrait raconter cette histoire. Rassemblant les miettes de cette vie inconnue, il pourrait peut-être oublier un peu la sienne et son chagrin.

Il a presque déjà un plan dans sa tête. Il s'endort.

3

À la mort de son père, Petit Homme Tornade ne s'appelait pas encore Charlie Longsong. Il ne voulait pas retourner avec les autres sur la *Mesa*. Il attendait sous le ciel clair, tapi derrière une touffe de sauge. La chaleur du jour imprégnée dans le gravillon aride cuisait ses jambes piquées par les épines des calaments ras qui brillaient dans la clarté nocturne. Peu à peu, les yeux de l'enfant s'étaient scellés malgré lui. Alors, ses jambes s'étaient recroquevillées contre sa poitrine. Seul, il avait peur dans cette nuit d'où surgissent les cauchemars. La main sur sa carabine, Petit Homme Tornade avait fini par s'endormir.

Parfois son père venait visiter son rêve, monté sur la jument noire qui était disparue avec lui. Il lui faisait signe de s'approcher. Il tendait sa grosse main vers lui. Petit Homme Tornade la saisissait et son père le soulevait comme s'il n'avait été qu'une brindille pour le laisser retomber sur le dos de la jument. Alors, ils s'élançaient pour une belle chevauchée. Les sabots de la jument étaient silencieux. Les cailloux ne sonnaient pas :

— Tout cela est à toi, Petit Homme Tornade ; je te le donne parce que c'était à moi.

Les lèvres de son père laissaient échapper les mots sans bouger. Ses paroles étaient les mêmes que dans le temps où ils étaient toujours ensemble. Sur la jument noire avec son père, l'enfant se sentait comme s'ils avaient plané sur le dos d'un gros oiseau noir au-dessus du désert. Jamais de sa vie Petit Homme Tornade n'était allé aussi loin. Parfois, il avait l'impression qu'il avait dépassé les frontières de son Arizona.

Ce que Petit Homme Tornade n'aimait pas, c'était revenir de ces randonnées. Son père le repoussait pour qu'il glisse du cheval et il disparaissait si vite que Petit Homme Tornade avait peur qu'il ne revienne jamais. Alors, il se relevait et cherchait sa carabine. Les ronces bruissaient à cause du passage des lièvres qui sortaient à la belle étoile. Ici, une souris griffait un caillou. Au loin, un coyote proclamait sa faim. Parfois, il faisait si noir que l'enfant ne voyait pas mieux que s'il avait eu les yeux fermés.

Au retour du soleil, Petit Homme Tornade marchait pour lire les traces dans la terre grise. Il pouvait relever le trajet fin des lézards, les éclairs sinueux des serpents, les pas craintifs des souris, les empreintes prudentes d'un coyote qui s'était arrêté pour renifler dans l'air l'odeur de sa victime. Jamais il n'apercevait ce qu'il souhaitait voir : la marque des sabots d'une jument. Il aurait aimé s'asseoir près d'elle, penser à son père et attendre son retour. Il essayait de n'être pas triste. Il se répétait que son père reviendrait le visiter.

À l'approche de l'automne, le vent irritait les corbeaux, les chauves-souris et soulevait des nuages de poussière froide qui s'enroulaient autour de lui. Petit Homme Tornade décida de se bâtir un abri car il ne voulait pas retourner avec les autres sur la *Mesa*. Il se souvenait de l'enseignement de son père. Il assembla un tas de gros cailloux et, les posant l'un sur l'autre, il construisit un muret. Selon que le vent attaquait d'un côté ou de l'autre, il s'étendait contre la pierre, enroulé dans sa couverture de laine. Comme il espérait toujours la visite de son père, il craignait le retour de ceux qui l'avaient attaqué. Il tenait sa carabine contre lui sous la couverture. Petit Homme Tornade avait gardé l'arme de son père. Ceux qui étaient venus, des étrangers, des *Bohanas*, avaient voulu s'en emparer. C'était le nom que son père donnait aux Blancs parce qu'il ne les aimait pas. Petit Homme Tornade avait caché le fusil dans un nid de ronces, tout près du trou qu'habitait le serpent. Il avait prié le serpent de le garder.

Juste avant l'hiver, Petit Homme Tornade dut retourner avec les autres sur la *Mesa*. Un oncle était venu habiter avec sa mère, ses frères et ses sœurs. Personne n'aimait l'oncle. Il était amusant pourtant, avec ses histoires drôles, quand leur père vivait. Maintenant, l'oncle ne racontait plus d'histoires et il battait les enfants. Si leur mère essayait de les protéger, même d'un seul mot, il la battait comme si elle avait été un enfant. La maison était petite ; lorsque l'oncle se mettait en colère, personne ne pouvait échapper à sa main dure comme un bâton. Rien de cela ne serait arrivé quand son père vivait. Il n'aurait pas laissé l'oncle faire cela.

Quand l'orage était passé, Petit Homme Tornade allait sur le plus haut point du plateau de la *Mesa* et il contemplait la terre au bas de la colonne rocheuse. Elle était plate et s'étendait jusqu'au cercle de l'horizon montagneux. Il s'attardait surtout à regarder le morceau de terre qu'il connaissait le mieux, son morceau de terre où son père était tombé pour ne plus se relever.

Un jour, il décida de s'enfuir de la *Mesa*. Il retrouva sa carabine bien à l'abri sous des cailloux, près du trou du serpent. Il dut attendre que le serpent sorte pour la reprendre. Ceux qui étaient venus attaquer son père avaient mis le feu à sa cabane. Tout avait brûlé, excepté quelques troncs noircis. Petit Homme Tornade n'avait pas osé toucher à ces débris. Il ne voulait pas finir de briser sa maison. Même en ruine, c'était sa maison. Peut-être un jour son père viendrait-il réparer les dommages ? Peut-être tout redeviendrait-il comme auparavant ? Peut-être l'oncle cesserait-il de battre ses frères, ses sœurs et sa mère et recommencerait-il à raconter des histoires drôles ?

Assez loin de là, on pouvait s'y rendre à pied, il y avait le hameau où tout le monde ressemblait aux *Bohanas* qui étaient venus faire la guerre à son père. Il décida de se risquer seul dans ce territoire étranger où il était allé quelques fois avec son père. Aux aguets, sur la pointe des pieds, il entra dans le poste de traite. Toutes sortes de boîtes colorées s'empilaient sur les tablettes. Il ne se souvenait pas d'avoir vu toutes ces choses quand il était venu avec son père. Il ne se souvenait pas d'avoir senti tous ces parfums. Il vit aussi toutes sortes de bouteilles et il reconnut celle que son père avait l'habitude de boire. Il remarqua des vêtements avec des couleurs étonnantes. Et là, se trouvait la crème glacée. Son père lui en avait déjà acheté. C'était frais et délicieux dans la bouche. L'enfant aurait voulu connaître les paroles que son père savait dire quand il avait besoin d'acheter quelque chose mais qu'il était sans argent.

L'un des flâneurs le vit désirer la crème glacée et comprit qu'il n'avait pas un sou pour payer.

— Chante-nous une chanson et je t'offre une crème glacée de la couleur que tu voudras.

Petit Homme Tornade darda son regard dans celui du *Bohana* et sut qu'il n'était pas un homme bon, mais il voulait cette crème glacée rouge qu'il avait mangée quand son père l'accompagnait. Alors il se planta au milieu du poste de traite et il chanta comme on chantait dans sa maison sur la *Mesa*, quand son père y était encore avec les frères, les sœurs, sa mère, les cousins, les tantes et même l'oncle qui n'aurait jamais osé alors battre Petit Homme Tornade, ni ses frères, ni ses sœurs, ni sa mère. Il chanta. Avec la musique, les souvenirs venaient se mêler à sa chanson que tout à coup il murmura avec des larmes sur les joues. Tout le monde lui jeta un peu de monnaie. Il paya. Sa crème glacée était aussi savoureuse que la fois où, monté sur la jument noire, serré dans les bras de son père, il avait éprouvé un bonheur si grand qu'il lui semblait qu'il durerait toujours comme l'éternité des dieux.

Quand il sortit du poste de traite, il entendit crier :

— Charlie Longsong, tu reviendras chanter pour nous !

L'enfant n'avait jamais entendu ce nom-là.

— Charlie Longsong, elle était belle ta chanson.

— Charlie Longsong, elle était belle mais un peu trop longue !

— Charlie Longsong, on n'a pas compris les mots de ta chanson.

— Reviens demain, Charlie Longsong !

Personne ne l'appela plus autrement. Il retourna au poste de traite. Il chanta encore. Il rendit des services. Il courut ici et là pour transmettre un message. Il remplissait les réservoirs à la pompe à essence. Il nettoyait les pare-brise. Il se rendait utile. On le payait un peu. Il était surtout un étonnant chasseur. Là où personne n'avait rien aperçu, Charlie abattait des lièvres, des porcs-épics. Il savait cuire cette chair tendre comme on le faisait à la maison sur la *Mesa*. Parfois, il atteignait une antilope ou un faon. C'était il y a longtemps. Les antilopes n'avaient pas encore été toutes abattues. Souvent, on lui demandait de chanter. Il comprenait désormais que c'était pour se moquer de lui. Quand on se moquait de lui, cela faisait aussi mal à son âme que s'il pensait à son père qui n'était plus avec lui ou à l'oncle qui battait ses frères, ses sœurs et sa mère. Petit Homme Tornade savait qu'un jour il deviendrait assez fort pour se défendre. Il n'était plus retourné à la *Mesa*. Il n'avait pas revu sa mère ni ses frères ni ses sœurs. Personne n'était venu le chercher. Il remonterait à la *Mesa* quand il serait fort.

Charlie Longsong devint un long adolescent. Ses jambes étaient rapides. Les biceps de ses bras étaient durs comme la pierre. Depuis qu'il n'était plus un enfant, son père ne revenait plus le visiter aussi souvent sur sa jument noire. Petit Homme Tornade s'installa dans la cahute incendiée. Il rassembla les débris calcinés, il ajouta des rangs de cailloux, il récupéra un peu de bois de construction au hameau, des morceaux de tôle ondulée, du carton. Tous ces matériaux gauchement amalgamés formaient un abri contre le soleil trop violent, contre les vents trop vifs et contre tout ce qui peut surgir de la nuit. Ce serait son *hogan*.

Petit Homme Tornade atteignit dix-huit ans. À cet âge, les nuits sont longues si on ne dort pas car on essaie de comprendre les mystères du monde. Assis devant sa cabane, sa carabine près de lui, il passait de longues journées à attendre. Rien n'arrivait d'autre que ces vertigineuses colonnes de sable, roulées par le vent, qui tourbillonnaient comme des âmes perdues. Il se demandait si un homme peut passer toute sa vie à attendre.

Un jour, ceux qui avaient assailli son père reviendraient pour l'attaquer. Petit Homme Tornade était grand maintenant, il était fort. Il était un très adroit tireur. Qu'ils s'amènent, ces bandits ! Il leur tirerait une balle dans le cœur. Il les regarderait se traîner dans le désert, blessés, saignant. Il leur ferait payer la mort de son père, son chagrin d'enfant et les souffrances de sa mère, de ses frères et de ses sœurs. Ceux qui étaient venus pour s'emparer de la terre de son père avaient-ils parlé de pétrole ? Il n'était pas sûr de se souvenir correctement. Son père lui avait-il déjà parlé de pétrole ? Il était si petit. Ces événements étaient survenus il y a si longtemps. Comment aurait-il pu se rappeler tout ce qui s'était passé, tout ce qui s'était dit quand il n'était encore qu'un Petit Homme Tornade incapable même de se moucher ?

4

« Venu du Canada, par quels détours Joseph Dubois avait-il abouti au milieu des montagnes inaccessibles du Colorado ? » se répétait Robert Martin. « Le fermier Dubois est probablement parti d'une campagne de la province de Québec. Pourquoi s'est-il dirigé vers le Colorado ? Il a fait comme des milliers d'autres aventuriers venus des continents étrangers. Y aurait-il une voix qui circule comme un vent sur le monde pour chuchoter aux désespérés d'aller là où leur vie sera meilleure ? » se demande l'historien. Quelle recherche à entreprendre ! Quel moyen privilégié de s'immiscer dans l'âme de l'Amérique, de s'infiltrer comme un microbe curieux dans les fibres profondes du tissu américain ! Quelle épopée ! Raconter l'histoire du fermier Dubois raviverait la fabuleuse légende de millions de Canadiens français émigrés aux États-Unis. S'il publiait l'histoire du fermier Dubois, Robert Martin reprendrait dignement sa place à la tribune des historiens de la nation. Robert Martin n'a pas signé un livre ni même un article important depuis plusieurs années. Son doyen, à l'université, lui a d'ailleurs reproché son silence intellectuel quand il lui a refusé une promotion. Le temps passe vite... Il n'y a pas si longtemps, Robert Martin n'était-il pas ce « jeune loup blanc de l'histoire » ? Ses crocs aiguisés écorchaient les vieux qui écrivaient l'histoire comme des livres pieux. Pourquoi le fermier avait-il quitté sa province de Québec ? S'était-il enfui à cause d'une histoire d'amour ?

Depuis quelques heures, Robert Martin n'a pas pensé à son malheur, ni à ses enfants qu'il lui est interdit de visiter, ni à sa maison qu'il a perdue, ni à son grand amour ravagé par la haine comme un jardin par les chardons. « Merci, fermier Dubois ! » Ce projet attendait l'historien. Bien des mystères se cachent derrière les événements d'une vie. Se pourrait-il que, dans le cycle de son existence, une force inconnue ait décidé que Robert Martin devait tout perdre pour redevenir un jeune historien et entreprendre le projet le plus important de sa carrière ?

Au petit déjeuner, englués dans le silence, les clients semblent déjà hypnotisés par le désert, dans lequel, bientôt, ils vont foncer, dans un mouvement qui ressemblera à de l'immobilité. Robert Martin ramasse ses effets. Adieu, motel *Universel* ! Dotée d'une douche qui sent l'urine et d'un poste de télévision rempli de chanteurs qui nasillent et de commerciaux criards, cette bicoque est tout de même plus confortable que ce qu'a dû connaître le fermier Dubois dans ses errances. Il doit avoir souvent dormi à la belle étoile sous le ciel, sous la pluie, sous la neige, sous la terrible grêle de l'Arizona, dans les tempêtes de sable, les ouragans. La souffrance revient à l'âme de Robert Martin : pourquoi sa femme est-elle soudain devenue si furieuse ?

Devant le motel perdu, assis contre un palmier géant, le vieil Indien aux cheveux blancs semble l'attendre. Il agite son bras unique :

— Hier, à la pompe à essence, j'ai remarqué votre plaque étrangère. Québec... 33 Grande Allée, Québec, Canada.

— Qu'est-ce que vous avez dit ? s'étonne Robert Martin.

— Me prenez-vous avec vous jusqu'à la *Mesa*? Quand mon père vivait, il fallait toute une journée à pied. Je vais vous montrer le village sur la *Mesa*.

Robert Martin hésite. Sans doute le vieil Indien dort-il dans ses vêtements depuis plusieurs jours. Son odeur n'est pas celle d'une rose. Il est couvert de sable et d'aiguilles sèches. Et quels embêtements amène-t-il? Pourquoi a-t-il suivi Robert Martin jusqu'au motel *Universel*? Le vieil Indien est un chasseur; Robert Martin ne veut pas devenir son gibier.

— Trente-trois Grande Allée, Québec, Canada.

L'historien est renversé d'entendre cette adresse dans la bouche d'un Indien de l'Arizona mais il a d'autres préoccupations. «Le fermier Dubois, raisonne-t-il, achète du bétail. C'est donc qu'il se range, après une vie de voyages et d'aventures. S'il se range, c'est qu'il veut probablement fonder une famille. Pour fonder une famille, il lui faut une femme. Pour avoir une femme, il faut d'abord la trouver. À cette époque, dans cette ville qui avait été bâtie en un jour au-dessus de la mine, il n'y avait pas de femmes. C'était une ville d'hommes qui erraient sur le continent, le sac au dos et le fusil à la main. Ils ne s'arrêtaient que lorsque leur sac était rempli d'or ou bien lorsqu'ils tombaient, frappés d'une balle ou d'un coup de couteau. Il n'y avait de femmes qu'au bordel. C'était la plus imposante maison de la ville. La chapelle était plus petite. Le fermier Dubois se serait-il amouraché de l'une de ces filles? Fatiguée de ses longues nuits de labeur, devenant grosse, l'une de ces filles aurait-elle accepté l'invitation de Dubois à se transformer en fermière pour s'occuper des dindons, des poules et des veaux?

— Trente-trois Grande Allée, Québec, Canada, répète le vieil Indien.

L'historien tourne la clef de contact :

— Très bien, montez.

— Je vais vous montrer mon village sur la *Mesa*.

L'haleine du vieil Indien sent aussi fort qu'un baril de whisky.

22

— Il y avait un vieux missionnaire autrefois. Il s'arrêtait ici de temps en temps. Il doit être mort depuis longtemps. Quand j'étais un gamin, il était vieux comme je le suis aujourd'hui. Il me disait que personne n'est seul dans le monde. Il parlait d'un ange qui me gardait. Mon père me protégeait.

Robert Martin est impatienté d'avoir laissé monter ce passager qu'il ne désirait pas.

— Nous sommes dans la bonne direction ? demande-t-il.

— Vous aimeriez mieux que je ne sois pas avec vous.

Le vieil Indien laisse s'installer un grand sourire dans son visage dont la peau est sillonnée comme le sol du désert.

— Je suis désolé.

La route est droite. La terre est plate. Les cactus ont l'air de soldats qui salueraient un général invisible. Au bout du désert, les rochers projettent sur l'horizon des cathédrales d'ombre fantastiques. Le ciel est sans nuages. Parfois, un corbeau noir y plane. Tout semble immobile. «Cette région est fascinante parce que son immobilité n'est jamais la même», songe Robert Martin. Il a lu que le désert est animé d'une vie abondante et secrète.

— Comment faites-vous pour vivre dans un désert ?

Le vieil Indien réfléchit puis sourit comme s'il avait choisi de ne pas répondre.

— Arrêtez, dit-il, je vais le demander à un cactus.

Robert Martin est amusé. Ce vieil Indien n'est pas bête. Sa ruse a réussi; le *Bohana* ne lui demandera pas de descendre de la voiture. Et le voyage continue sur la route rectiligne, sans paroles. On a l'impression que la voiture n'avance pas, que la Terre ne tourne pas, que le temps ne passe pas, que sur cette immense planète les humains sont trop petits, que sur cette vieille planète, les humains sont trop jeunes. Robert Martin voudrait être rendu déjà ailleurs.

— Vous voyez la colonne ? annonce le vieil Indien en montrant du doigt. C'est là. Au sommet, c'est la *Mesa*.

Sous le soleil que l'on sent comme le souffle chaud de la braise quand on met une bûche dans la cheminée, la voiture s'engage dans une route étroite, rocailleuse, tout en courbes, qui rampe le long d'une falaise. Elle enjambe des crevasses, s'accroche à des éperons, se suspend au-dessus du gouffre, escalade les aspérités, monte, monte encore et atteint le plateau sur lequel est construit un village indien. Robert Martin comprend pourquoi cela s'appelle une *mesa*: c'est plat comme une table. Il sait que *mesa* est le mot espagnol pour traduire le mot *table*. Deux ou trois sentiers sinueux sont bordés de maisonnettes de pierre. Robert Martin juge que ce sont plutôt des cabanes. La voiture ne peut avancer plus loin. Il faut marcher.

— Blanche Larivière, 33 Grande Allée, Québec, Canada, récite Charlie Longsong.

— Qu'est-ce que vous dites ?

5

Pendant des années, Charlie Longsong a négligé de se souvenir de tout cela. Depuis hier, il ne pense qu'à ces jours-là de son passé. Beaucoup de saisons ont défilé depuis. Avec le temps, toutes les traces s'effacent sur le sable. Mais depuis qu'il a aperçu au poste de traite cette voiture portant une plaque d'immatriculation du Québec, il ne songe plus qu'à Blanche Larivière. « 33 Grande Allée, Québec, Canada. » Il se sent fébrile comme s'il l'avait vue descendre elle-même de la voiture.

Quand il est retourné vers son *hogan*, hier, Charlie Longsong avait l'impression que Blanche Larivière marchait avec lui. Il entendait le frou-frou de sa robe invisible. Mais seuls les pieds de Charlie Longsong crissaient sur le gravier et broyaient des plantes séchées.

Derrière une touffe de sauge, il a aperçu un coucou coureur. Cet oiseau ne se montre pas souvent. Charlie Longsong a ralenti. L'animal était très occupé. Ce que Charlie Longsong voyait, Blanche Larivière ne l'avait jamais vu. Le coucou coureur s'attaquait à un serpent. L'oiseau n'utilise pas ses ailes. Au lieu de voler, il préfère courir sur ses longues jambes. Il n'agite les ailes que pour effaroucher sa proie. Il les secoue puis il danse, se trémousse. Blanche Larivière dansait aussi. À cause des ailes qui battaient et de ses pattes qui trépignaient, le pauvre serpent ne savait plus à qui il avait affaire. Il n'osait plus bouger. C'était le temps de frapper. Le coucou coureur a commencé à le poignarder à coups de bec. Il frappait avec acharnement la tête du serpent. Le long corps se tordait. Lentement, le serpent s'est enroulé de façon à amener sa tête sous son corps pour la protéger. Blanche Larivière aurait aimé observer cela. C'était la guerre. Blanche Larivière avait connu la guerre…

Le coucou coureur a saisi la tête du serpent sous son corps enroulé et, la serrant dans son bec, il a entrepris de secouer l'animal de gauche à droite pour le casser. Le serpent s'enroulait, se déroulait puis, engourdi, il n'a plus bougé. Le coucou coureur, devenu frénétique à cause de sa victoire, toujours serrant le serpent à la gorge, fouettait le sol avec le long corps inerte. Comme si Blanche Larivière l'avait accompagné, Charlie Longsong a expliqué :

— L'oiseau attendrit sa viande.

Charlie Longsong ne bougeait pas, afin de garder les cailloux muets. Quand il jugea son repas prêt, le coucou coureur s'apaisa, contempla sa victime avec un air triomphant, puis entreprit de l'ingurgiter. Charlie Longsong se garda de bouger avant que l'animal eût terminé son repas. Il réfléchit :

— Les animaux meurent sans se plaindre.

Ah! Blanche Larivière aurait aimé voir ce combat. Elle croyait que le désert est un endroit où il n'y a rien. « Où est la rue Gît-le-cœur ? » Elle lui avait appris à prononcer ces mots de sa langue française. Il ne lui était pas facile d'émettre ces sons étrangers. Elle se moquait de lui :

— On dirait que tu as les lèvres cuites par le désert.

Elle le prévenait :

— Un jour, tu seras perdu dans la ville de Paris et, si tu ne sais pas demander : « Où est la rue Gît-le-cœur ? », tu ne pourras plus me trouver.

Un soir, à cause du vin rouge peut-être, il ne se souvenait plus sur quelle rive de la rivière il était passé. Il avait oublié de quel côté était située la rue Gît-le-cœur. Il avait cherché. Il avait essayé de lire les cartes à l'entrée du métro. Jamais il ne s'était perdu dans le désert. Il savait toujours où le soleil était suspendu. Il pouvait toujours apercevoir la muraille bleue des montagnes et reconnaître le toucher familier du vent. Comment retrouver la rue Gît-le-cœur, la rue de Blanche Larivière ? Dans cette ville, toutes les rues se ressemblaient, se croisaient, s'entremêlaient. Des milliers de personnes s'y pressaient, mais aucune ne comprenait sa langue. Désespéré, il avait osé dire en français : « Où est la rue Gît-le-cœur ? » Les sons étaient sortis de sa bouche parfaitement formés puisque la personne avait indiqué du doigt la direction qu'il cherchait. Il avait raconté sa mésaventure à Blanche Larivière. Elle avait taquiné son Indien qui ne pouvait s'égarer dans le désert, mais qui s'était perdu à deux pas de la rue Gît-le-cœur.

Tous ces souvenirs sont remontés à la mémoire de Charlie Longsong. Il n'a pas dormi de la nuit. Trop plein de son passé, son vieux corps fébrile n'avait plus de place pour le sommeil. Le printemps de sa vie revenait illuminer l'automne de son âge. Sa mémoire s'est parée de souvenirs comme les broussailles s'animent et débordent de fleurs au printemps. « Que de choses on oublie ! » s'est-il dit.

À son retour de la guerre, Charlie Longsong dut creuser pour rentrer dans les débris de son *hogan* enfoui sous le sable. Blanche Larivière ne quittait pas ses rêves. Il se disait qu'elle reviendrait le voir. Il lui montrerait sa terre et comment chasser le coyote. Il la convaincrait de demeurer avec lui. Il était allé se montrer aux gens de la *Mesa*, dans son uniforme de l'armée américaine. Ceux qui ne connaissaient que le roc de la *Mesa* et le gravier du désert ne pouvaient pas comprendre ce qu'il avait vécu. Il raconta comment un obus lui avait arraché un bras comme un loup de feu. Les hommes riaient tristement : « Un homme qui n'a plus qu'un seul bras est-il encore un homme ? » Les femmes blaguaient : « Avec un seul bras, un homme peut-il vraiment prouver à une femme qu'il est un homme ? » Charlie Longsong, l'ancien Petit Homme Tornade, était patient. Il démontra aux hommes qu'avec une seule main il pouvait encore tirer sur un caillou lancé au vol. Quant aux femmes, elles se seraient tues si elles l'avaient vu marcher main dans la main avec Blanche Larivière. Pendant longtemps, Charlie Longsong ne remonta plus à la *Mesa*. Ainsi qu'il avait appris à le faire en Angleterre, il piocha une tranchée autour de sa cabane. Ainsi, personne ne pourrait l'attaquer.

Blanche Larivière lui avait parlé de sa ville de Québec au Canada. Il lui avait décrit son Arizona avec les arbustes de sauge et les *saguaros*, ces cactus dans lesquels les pics creusent des trous où des oiseaux minuscules viennent nicher avec leur famille. Il avait raconté comment des fleurs brillantes décorent les cactus au printemps. Elle lui avait raconté comment la neige s'étend pendant de longs mois sur les champs du Québec et comment un fleuve plus long que le Colorado s'y change en glace durant l'hiver. Elle lui avait expliqué que le froid, certains jours dans sa ville de Québec, brûle comme du feu. Dans ce froid, un homme peut aussi geler comme de l'eau. Elle lui avait rapporté l'histoire d'un homme qui aimait une femme. Il travaillait au loin dans une forêt où l'on abattait des sapins géants. Après plusieurs mois de séparation, il décida d'aller voir celle qu'il aimait. C'était durant un hiver terrible. L'amoureux fut encerclé par des tourbillons de neige soulevés par le vent. Il était perdu. Il ne pouvait savoir où il allait ni où il était. Il était mort de froid. Ce n'était pas une mort douloureuse. L'homme s'était endormi en criant le nom de son amour comme un enfant appelle sa mère. Charlie Longsong avait dit à Blanche Larivière qu'il ne voulait pas mourir gelé dans les neiges du Canada. Elle avait répondu qu'elle ne craignait pas le désert.

Charlie Longsong n'avait rien confié de cela à personne. Dans tout l'Arizona, lui seul savait ce qui s'était passé. Il essaya de se convaincre qu'il n'avait pas besoin d'écrire à Blanche Larivière. Il refusait l'humiliation d'aller demander de l'aide à une femme sur la *Mesa* qui savait composer des lettres d'amour. À la fin, il se résolut à confier à la femme du poste de traite qu'il voulait écrire à Blanche Larivière à qui il pensait nuit et jour. Il voulait lui assurer qu'il la sentait tout près comme si elle l'avait accompagné dans ses promenades. Il voulait lui faire savoir qu'il n'avait plus besoin de rêver parce que la pensée d'elle était plus belle qu'un beau rêve.

Dans ce temps-là, il avait encore des cauchemars. Sa mémoire tout à coup explosait de souvenirs de guerre. Blanche Larivière, comme lui, était venue d'Amérique. Comme lui, elle avait traversé l'océan. Comme lui, elle avait rencontré la guerre. Comme lui, elle était retournée dans son pays. Il pensait à elle sans cesse. Avait-il besoin d'écrire ? Pour voyager, la pensée n'a pas besoin d'une enveloppe ni d'un timbre. Elle aussi pensait à lui. Il le savait. Il lui parlait et elle le sentait. Elle lui parlait et il l'entendait. Il espéra longtemps trouver une lettre d'elle au poste de traite. Quand une lettre arrivait pour lui, c'était un chèque du Gouvernement, une compensation payée en échange de son bras perdu à la guerre. Si Blanche Larivière lui avait écrit, il n'aurait pas pu lire plusieurs pages tout seul ; il aurait dû demander de l'aide à la femme au poste de traite. Pensant à cet inconvénient, il préférait que Blanche Larivière ne lui écrivît pas.

Dans son désert, Charlie Longsong n'était pas vraiment seul car Blanche Larivière lui tenait la main comme elle la lui avait tenue, rue Gît-le-cœur, à Paris.

6

Robert Martin est haut juché. Charlie Longsong l'a fait grimper sur le toit de la maison la plus élevée. Les autres n'ont qu'un étage. Celle-ci en a deux. Au bas de la *Mesa*, la grise plaine désertique s'étend jusqu'à l'horizon.

— Ma terre est par là, indique Charlie Longsong. Ils ont voulu l'enlever à mon père. C'est comme dépiauter un lièvre vivant. L'homme se débat. Mon père s'est battu. Moi, j'avais encore mes dents de bébé. Je me suis débattu comme mon père. Il a tiré. Moi aussi, j'ai tiré. J'avais encore des mains de fillette. J'ai tiré. Ce jour-là, j'ai perdu mon père. C'était la nuit. Ceux qui voulaient notre terre étaient des *Bohanas*, des Blancs, des Blancs comme toi. Ces gens-là sortent seulement la nuit. J'ai pensé qu'il fallait courir jusqu'à la *Mesa* pour demander de l'aide. Ensuite, j'ai pensé qu'il me faudrait bien du temps pour m'y rendre. Si mon père restait tout ce temps couché seul dans le désert, les chacals seraient attirés par son sang. Alors, je suis revenu sur mes pas. Mon père n'était pas où je l'avais laissé. J'ai pleuré. J'ai cherché. Même si la nuit était noire comme l'âme des *Bohanas* qui avaient voulu prendre la terre de mon père, je voyais clair comme en plein jour. Je voyais la moindre brindille qui avait été écrasée par un pied. La gorge bourrée de toute ma peine d'enfant, je criais, je l'appelais. J'étais assuré qu'il allait me répondre. Je savais qu'un père n'abandonne pas son fils seul dans le désert. Moi, j'avais voulu l'aider. Je n'étais qu'un enfant. J'ai tiré. C'est injuste qu'un enfant doive tirer de la carabine. Je savais rien d'autre que de jouer avec mon petit cheval de bois. Je savais que mon père reviendrait. Il est revenu me visiter dans mes rêves. Un homme ne meurt pas... Cette terre-là est à moi et je le dis à toute l'Arizona même si je sais que l'Arizona ne m'écoute pas... Tiens, avale une gorgée.

Charlie Longsong a sorti un flasque de sous sa veste de denim.

— Je ne veux pas d'alcool, répond sèchement Robert Martin.

Son devoir de Blanc bien intentionné n'est-il pas de faire la leçon à ce pauvre Indien pour l'empêcher de sombrer dans l'autodestruction par l'alcool ?

Charlie Longsong déguste une très longue gorgée de whisky :

— Tout ce que je t'ai raconté, je l'ai dit à Blanche Larivière, rue Gît-le-cœur, à Paris. La guerre finie, elle est retournée dans son pays : « 33 Grande Allée, Québec, Canada »... Après un bout de temps, j'ai oublié Blanche Larivière... Un homme oublie tout. Un homme oublie le jour de sa naissance, le jour le plus important. Un homme oublie aussi les jours de l'amour. Oui, monsieur, j'ai aimé une *Bohana*, j'ai aimé Blanche Larivière, rue Gît-le-cœur, à Paris. Oui, monsieur, j'ai aimé Blanche Larivière, 33 Grande Allée, Québec, Canada. Quand j'ai vu hier, au poste de traite, le nom *Québec* sur la plaque de ta voiture, ma mémoire est ressuscitée comme le Jésus du missionnaire... Tiens, bois une gorgée.

Pendant ce court voyage qui l'a conduit du motel *Universel* à la *Mesa* avec cet Indien assis à côté de lui, Robert Martin a ressenti un troublant malaise. Dans les courbes, ses mains serraient le volant d'une façon inhabituelle. Ce voyageur lui faisait un effet spécial. Bien sûr, son odeur était repoussante. Le vieil homme est un peu fou comme on peut le devenir à cet âge. Il dérive comme un vieux bateau sur le fleuve de ses souvenirs. Si Robert Martin est honnête, il doit s'avouer avoir ressenti cette irritation parce qu'il est un Blanc et que Charlie Longsong est un Indien. Assis dans la voiture, ils étaient deux personnes, c'est-à-dire deux molécules du tissu humain de la planète qui sans doute frémissaient toutes deux parce qu'elles étaient chargées de la mémoire des siècles. Homme éduqué, Robert Martin a éprouvé la même réaction immémoriale que le chien près d'un chat. Dans sa voiture où étaient rassemblées toutes les inventions du progrès des humains, Robert Martin a réagi comme au temps où l'homme était un singe parmi les singes. Pourtant, cet Indien n'est qu'un vieil homme touchant, pitoyable, emporté par le désordre de ses souvenirs.

La foule est grimpée sur les toits plats des maisons basses entourant la place publique. Robert Martin est le seul Blanc. Les fillettes sont pimpantes avec leurs souliers neufs qui luisent et leurs robes aux couleurs vives. Les garçons ne se sont pas habillés pour la fête et ils se chamaillent. Les mères tiennent leurs bébés endormis. Les pères boivent de la bière. Les vieux sont enveloppés dans des couvertures. En bas, sur la place publique, un va-et-vient fébrile annonce la fête. Étranger parmi une foule d'Indiens, juché sur un toit, sans sa femme, sans ses enfants, Robert Martin éprouve toute la douleur de sa blessure et il se sent seul comme il ne l'a jamais été. Le désert se déploie jusqu'à l'horizon. Sa vie, comme cet espace, a été vidée de tout ce qu'il aimait.

En route pour le Colorado, le fermier Dubois a dû lui aussi se sentir abandonné de tous. Traversant l'Amérique à cheval sur son rêve, il a dû, dans son errance, rencontrer des Indiens. Certains l'ont probablement guidé parmi les sentiers dont ils avaient marqué le continent. Les a-t-il combattus ? L'ont-ils attaqué ? Les a-t-il attaqués ? Certains soirs d'hiver ou d'orage, a-t-il dû leur demander l'hospitalité ? Le fermier Dubois aurait-il aimé une jeune Indienne au clair de lune ?

Au fond du chagrin de Robert Martin, la vie reprend. Ce fermier inconnu, ce Dubois, est un personnage d'épopée. Robert Martin prouvera à son doyen que sa flamme d'historien n'est pas à jamais éteinte. Il consacrera son prochain livre au fermier Dubois, l'expatrié inconnu et exemplaire. Son prochain livre dérangera toutes ces sommeillantes grenouilles savantes qui se prennent pour des bœufs puissants. Pendant qu'elles coassaient, il se taisait. Son silence n'aura pas été inutile. Il attendait la bonne occasion. Il l'obtiendra, cette promotion. Il leur montrera ce qu'il sait faire ! Il écrira l'histoire comme on raconte une belle histoire, sans trahir la science.

Venu de la place publique, un chant scandé par des voix profondes se propage comme un vent qui gronde. Tous les regards se tournent vers le centre de la place d'où des têtes émergent du sol.

(Plus tard, quand Robert Martin aura la curiosité de lire à ce sujet, il apprendra que ces Indiens croient que leurs ancêtres étaient issus du monde souterrain. Les gens qu'il voit surgir du sol sortent d'une *kiva*, une chambre circulaire souterraine où, pendant plusieurs jours, ils ont accompli des rituels immémoriaux afin que la pluie vienne abreuver le maïs qui nourrira la tribu. Des aînés, qui savent comprendre le silence du ciel et parler à ceux qui vivent de l'autre côté de la nuit, ont versé de l'eau symbolique sur des pierres cueillies aux quatre points cardinaux. Ils ont fumé des feuilles magiques. La fumée épaisse a rempli la *kiva* et tout ce qu'elle a touché est doté désormais d'un pouvoir bénéfique. Par de longues danses et des formules sacrées répétées inlassablement, ils ont consacré du sable blanc, noir et rouge qui sera répandu sur la terre afin de la fertiliser pour la prochaine récolte. Il apprendra aussi qu'avant la cérémonie les hommes de la tribu ont capturé des serpents aux quatre coins de leur domaine et que les serpents ont aussi participé aux rites secrets de la *kiva*.)

Pour l'instant, Robert Martin observe les personnages costumés qui sortent de terre comme une moisson touffue et multicolore. Ils s'amènent sur la place publique en chantant un air répétitif rythmé par les coups de tambour auxquels obéit la danse. Leurs visages sont peints pour imiter le faciès des animaux. Les danseurs sont de tous âges. Dans le défilé se mêlent la légèreté de la jeunesse et la lourdeur des années accumulées. Scandant le rythme, les pieds, d'une même cadence, frappent le sol et soulèvent la poussière. Des grelots attachés aux chevilles marquent le mouvement. Certaines voix sont basses. Certaines sont stridentes. Ensemble, les voix, les grelots, les tambours et les battements de pieds forment un chœur qui semble chanter dans les entrailles de la terre. En file, parés de leurs masques d'aigles, de corbeaux, d'antilopes ou de coyotes, les danseurs se suivent deux à deux. Les uns imitent l'animal qui court, les autres, l'animal qui vole. Ils forment un cercle au milieu de la place, puis un autre. Les danseurs du premier cercle tournent dans un sens, ceux du deuxième cercle dans le sens contraire. Puis les cercles se défont et se refont dans un mélange de plumes et de rubans colorés.

En grappes sur les toits, les familles frappent des mains. L'intensité des regards convainc Robert Martin que ces Indiens voient quelque chose qu'il ne voit pas. Cela dure interminablement. Les mêmes mouvements. Le même chant. Sur les toits, tous les corps sont immobiles, excepté les mains qui accompagnent le rythme des tambours. Les âmes sont avec les âmes de ceux qui dansent.

L'historien se sent comme au bord d'une haute falaise. Il est saisi d'une sorte de vertige. Il se recule de quelques pas. Il se sent hypnotisé. Cela continue. Les danseurs ne veulent plus s'arrêter. Ils dansent comme on nage pour éviter la noyade. Leurs pieds semblent ne plus toucher le sol. On dirait qu'ils dansent sur la poussière. Leur énergie ne s'épuise pas. Le soleil cuit. Ses rayons enflamment les robes colorées et les colliers de plumes. Et on danse encore longtemps. Peu à peu, l'incantation dont il voudrait comprendre les paroles devient grave comme un tonnerre qui gronde dans un ciel pesant.

Des hommes apportent de hautes jarres qu'ils renversent au milieu de la place. Elles étaient remplies de serpents qui se déroulent et s'enroulent, se démêlent et se mêlent sous la brûlante lumière. Sans ralentir leurs mouvements, sans retenir leur chant, les danseurs s'approchent de la foule des serpents, en cueillent un, chacun à son tour, et, toujours marquant le rythme, forment des cercles qui tournent l'un contre l'autre. L'on danse et l'on danse et les serpents s'agitent au bout des bras tendus. Les tambours et les voix se font encore plus insistants. Tout à coup, chacun porte à sa bouche la tête de son serpent et la serre entre ses dents. Prise au piège, la petite tête venimeuse se démène et fouette le danseur. L'on danse et l'on danse sans fin autour de la place. Les serpents gigotent entre les dents serrées. L'on danse et l'on danse comme si l'on cherchait à tomber d'épuisement.

(Robert Martin voudra en savoir plus. Quand il lira à ce sujet, il lui sera dévoilé qu'après la cérémonie les serpents seront libérés et s'en iront aux quatre points cardinaux porter aux dieux les messages de la tribu qui a bien besoin d'eau pour le maïs et les puits. Et l'on espère que bientôt de gros nuages noirs vont s'avancer au-dessus du désert.)

Robert Martin ne soupçonne encore rien de tout cela. Se retournant parce qu'on l'a touché à l'épaule, il aperçoit Charlie Longsong, un serpent entre les dents. Ses jambes flageolent. Son cœur s'arrête. Sa gorge se noue. Il n'a jamais vu un serpent de si près. Son visage brûle. Il se sent pâlir. Le toit sous ses pieds bouge comme le pont d'un bateau. Va-t-il s'évanouir? Il ne veut pas cela. Charlie Longsong retire le serpent de sa bouche et le laisse enserrer son bras :

— Monsieur le serpent va porter mon message à Blanche Larivière, 33 Grande Allée, Québec, Canada.

7

Les souvenirs de Charlie Longsong s'étaient effacés de sa mémoire comme la jeunesse de son corps. Ils l'avaient quitté avec le jeune homme qu'il avait été. Les souvenirs de la jeunesse se sont mêlés à la poussière du désert et ils ont été emportés par le vent. Mais il suffit d'une pluie sur le désert et les petits lis blancs surgissent du sol où ils se cachaient pour fuir la sécheresse. Il a suffi que surgisse une voiture avec une plaque d'immatriculation du Québec pour qu'il retrouve les images de son passé.

Charlie Longsong n'avait conservé qu'un seul souvenir. C'était avant qu'il devienne un homme. Il n'avait pas oublié l'inquiétude de son père. D'autres adultes à qui il parlait avaient l'air inquiet aussi. Petit Homme Tornade ne pouvait comprendre pourquoi. Les adultes se parlaient avec cette manière qu'ils ont de se dire des secrets que les enfants ne doivent pas connaître. Le soir, son père, longtemps, fixait l'horizon, très loin, et Petit Homme Tornade ne voyait rien venir. Il remarqua que son père ne laissait plus sa carabine près de la porte mais la prenait avec lui dans son grabat. Son

36

père lui avait répété deux ou trois fois, comme s'il oubliait ce qu'il disait :

— Si tu vois s'approcher quelqu'un, tiens-toi prêt à m'apporter ma carabine si je ne l'ai pas dans ma main.

Un soir, les *Bohanas* sont venus. Petit Homme Tornade les a aperçus avant son père qui était courbé sur le maïs. Pour atteindre l'humidité, il faut planter très creux et alors on aperçoit ces petits rongeurs affamés qui creusent des tunnels pour aller manger ce qui pousse. Petit Homme Tornade, avec sa fronde, faisait le guet. Le soleil se couchait. À cette heure, les rongeurs osent sortir car le soleil ne les brûle pas. Il était très habile avec sa fronde. Il manquait rarement sa cible. Les rats roulaient sur le dos quand il les atteignait à la tête. Dans le soleil couchant, il a vu s'avancer cinq hommes. Subitement, il a compris pourquoi son père lui avait demandé de se tenir prêt à apporter sa carabine. Les *Bohanas* s'avançaient et dans leur dos le soleil faisait une grande blessure dans le ciel d'où coulait beaucoup de sang. Alors, il a crié à son père :

— Ils arrivent !

Son père a levé la tête. Il les a attendus. Ils étaient cinq. Ils marchaient l'un derrière l'autre comme une bête à dix pattes. Voilà ce dont Charlie Longsong se souvenait. Voilà comment sa mémoire a dessiné les faits. Ils sont inscrits comme ces signes laissés par les ancêtres sur la paroi de la falaise du côté du ruisseau. C'était son seul souvenir. Il avait même oublié la guerre de l'autre côté de la mer malgré sa main perdue qui le faisait souffrir. Voilà comment étaient les choses avant qu'il aperçoive cette voiture venue du Québec. C'était un souvenir aussi grand que le désert. C'était un souvenir aussi vaste que la nuit. Petit Homme Tornade s'était élancé vers le *hogan* et il avait vite attrapé la carabine de son père. Dehors, il s'en souviendra toujours, la grosse blessure saignante du soleil s'était refermée. La nuit était noire comme le fond du cœur d'un *Bohana*. Cette nuit-là, ce qui était arrivé était arrivé. Et cela était aussi important que le jour de sa naissance.

Hier, il a vu cette voiture venue du pays de Blanche
Larivière. Ensuite, il n'a pu dormir. Il ne pensait plus qu'au
temps de sa jeunesse et à tout ce qui était arrivé avec Blanche
Larivière, rue Gît-le-cœur à Paris. Il avait oublié cela.
D'année en année, il avait dérivé loin de cette époque. La
rue Gît-le-cœur était si loin de l'Arizona. Pourtant, tout cela
était enfoui dans son âme.

Les souvenirs de jeunesse faisaient frissonner sa vieille
peau cuite. Il était fébrile. Petit Homme Tornade venait de se
réveiller dans le corps ridé d'un vieillard. Alors, pour trouver
l'apaisement, le vieil homme a bu du bourbon. Il se sentait
assez fort pour traverser l'Arizona, les États-Unis et le Canada
pour retrouver Blanche Larivière. Il aurait aussi voulu pouvoir dormir, oublier tout cela, mais ses souvenirs ne voulaient
plus être que des souvenirs. Le jeune homme réveillé voulait
vivre ce que se rappelait le vieil homme. Le jeune homme et
le vieil homme étaient maintenant ivres tous les deux. Le
vieux Charlie Longsong pleurait parce qu'il n'avait plus que
sa mémoire. Petit Homme Tornade pleurait parce qu'il ne
voulait pas devenir vieux. Ensemble, ils criaient aux étoiles :

— Blanche Larivière !

Très tôt, à l'aube, le soleil a percé les paupières de l'Indien
endormi contre son *hogan*. Il s'est relevé. Il devait quitter son
désert et retrouver Blanche Larivière. Charlie Longsong avait
entendu que le voyageur venu du Québec était allé dormir au
motel *Universel*. Il trouverait cette voiture et se ferait conduire à Québec, Canada.

Beaucoup d'autres souvenirs ont inondé le présent. Il y a
si longtemps, des soldats étaient venus annoncer au poste de
traite qu'une guerre allait éclater de l'autre côté de la mer.
L'armée des États-Unis avait besoin de jeunes hommes forts,
capables de se battre et habiles à tirer. « Écrivez votre nom
sur le pointillé au bas de ce formulaire si vous n'avez pas peur
de vous battre », disaient les soldats. Charlie Longsong obser-
vait les jeunes *Bohanas* qui signaient le formulaire. Il n'osait

pas s'avancer parmi eux, mais il voulait aller se battre comme eux. Soudainement, les mots sautèrent de sa bouche :

— Je peux tirer sur un caillou lancé en l'air !

— On a besoin de toi ! répondit un des hommes en uniforme.

Charlie Longsong n'avait pas pensé à cela depuis si longtemps. Il s'est rappelé ses pieds qui souffraient dans ses bottines. Il devait garder ses chaussures propres et brillantes même s'il marchait dans la boue. Il s'est revu, dormant, pendant un voyage interminable en autobus qui l'avait conduit dans un groupe d'au moins mille hommes. Quand ils marchaient, ils devaient tous lever le même pied en même temps. Ils devaient tous porter la carabine sur la même épaule. Voilà ce qu'il fallait apprendre pour devenir soldat.

Ensuite, ils sont montés dans un bateau géant. Il n'avait jamais encore vu de bateau. Et ils sont partis en mer durant plusieurs jours. C'était comme monter un cheval gros comme une montagne qui ferait des enjambées à vous faire monter le cœur dans la gorge. Heureusement, on pouvait jouer aux cartes. Charlie ne connaissait pas ces jeux au début du voyage. Il observa, il apprit. Il n'osait jouer. Heureusement qu'il y avait du rhum à boire. Cela, disait-on, accroche le cœur. C'est vrai. Le sien s'engourdissait. Certains jouaient de la musique. D'autres répétaient la même chanson cent fois par jour. Personne n'aimait ce bateau. Les lits étaient disposés comme les rayonnages au poste de traite. Il n'y avait pas d'autres Indiens comme lui. Où se cachaient donc les Noirs qu'il avait aperçus sur le pont ? Le premier jour, ses compagnons ne voulaient pas se coucher à côté d'un Indien. Quelqu'un lui dit que la place d'un Indien est dans une réserve. Un autre lui demanda s'il avait apporté son arc et ses flèches. Chaque fois, il y avait beaucoup de rires. Il y en eut encore plus quand on lui dit :

— L'Indien, vas-tu nous montrer comment scalper un nazi ?

Charlie Longsong s'est approché de celui-là. Sa peau blanche est devenue verte quand il a aperçu le couteau dans sa main. Charlie l'a empoigné par les cheveux et lui a glissé la lame de son couteau sur la pomme d'Adam.

Le sergent a crié un ordre. Tous les *Bohanas* se sont mis au garde-à-vous, même celui qui avait le couteau sur la gorge. Charlie n'a pas lâché prise.

— Garde-à-vous ! Vous vous chicanez entre Américains, reprocha le sergent. Savez-vous qu'il y a une guerre ? Nous allons nous battre contre l'ennemi. Pas entre nous.

Charlie obéit lentement.

— Savez-vous que l'ennemi est tout autour de notre bateau ?

Comme les autres, il a compris plus tard que la mer était infestée de bombes flottantes et de sous-marins allemands. À ce moment-là, aucun des soldats ne soupçonnait le danger. Ils flottaient dans leur bateau comme ils avaient flotté dans le ventre de leur mère, sans savoir ce qui les attendait à la sortie. Ils jouaient aux cartes. Ils chantaient. Ils dormaient. De temps à autre, ils recevaient une tasse de rhum. Durant des heures, ils restaient allongés sur leur lit, rêvant à leur petite ville. Charlie Longsong était capable, en ce lieu sombre, de se rappeler la chaleur du soleil sur sa peau et l'air parfumé de sauge. Il apercevait là, un cactus ; ici, des pistes de rat ; au fond, les montagnes bleues ; à droite, les feuilles d'un yucca et plus loin, un *cholla* sauteur avec ses doigts dodus et poilus.

Il n'avait pas songé à cela depuis si longtemps. Cette guerre qu'il a faite semble aussi loin dans le passé que les histoires des ancêtres que racontaient les Anciens de la *Mesa*. Charlie Longsong était tombé dans le grand trou noir du temps passé.

La peau de Blanche Larivière était blanche comme du lait. Il s'en souvient encore très bien : à l'hôpital, quand il a ouvert les yeux, il ne savait où il était. Pendant il ne sait combien de temps, il a été endormi, comme mort. Il ne savait pas ce qui lui était arrivé. La douleur lui brûlait un bras. Il avait si mal. Il a crié comme un chien qui souffre. Une jeune femme au visage blanc s'est penchée sur lui. Elle a souri doucement comme si elle n'avait pas entendu ses cris.

8

La cérémonie est terminée. Le vieil Indien veut présenter Robert Martin à toute la tribu. À chaque rencontre, Charlie Longsong fait une démonstration de sa connaissance de la langue française, puis il demande à Robert Martin de confirmer sa maîtrise de la langue de ce pays où, dans sa jeunesse, il est allé faire la guerre. Il annonce à la ronde qu'il s'en va au nord, avec cet étanger qui le conduira au 33 Grande Allée, Québec, Canada. Au début, Robert Martin proteste mollement. Il explique qu'il ne remontera pas tout de suite au Canada, qu'il se propose d'explorer l'Arizona, puis le Nouveau-Mexique et probablement la Californie. Sans doute reviendra-t-il par ici.

— Je pourrais alors vous prendre...

Il ne craint pas de mentir.

— J'irai au Nouveau-Mexique avec toi ! Tu verras, tu vas apprendre à aimer mon bourbon...

Robert Martin ne veut ni de cet Indien ni de personne. Il a besoin de sa solitude. Il n'a aucune obligation envers ce vieil homme. Plus il reste avec lui, plus Charlie Longsong est sûr de faire le voyage. Il décide que c'est assez.

— À bientôt, monsieur Longsong ! Je serai de retour dans trois semaines... Merci pour la fête. Quelle danse !

Il se dirige vers sa voiture. Le vieil Indien le rejoint et saisit de son unique main son épaule en suppliant.

— Amène-moi au 33 Grande Allée, Québec, Canada.

— Je ne peux pas ! s'impatiente Robert Martin. Je ne me dirige pas vers le Canada.

— Amène-moi avec toi !

De son unique bras, le vieil Indien ceinture Robert Martin. Quelle puissance ! L'intellectuel s'inquiète. Comment cela va-t-il finir ? Le vieil homme le serre très fort. Il est ivre. Il est en colère. Robert Martin est le seul Blanc sur la *Mesa*.

— Non, affirme-t-il sur un ton qu'il croit autoritaire. Je ne vous amène pas au Canada parce que vous n'avez pas de passeport. Il faut un passeport.

— Si je reste, tu restes.

Le vieil homme resserre son étreinte. Robert Martin n'ose pas se débattre. Il a trop peur. Peur d'être faible. Peur parce qu'il est seul.

— Appelez la police !

Il ne peut reprendre ces paroles ridicules qui lui ont échappé dans sa terreur. Les badauds s'esclaffent. Il a agi comme un bon petit Blanc bien éduqué qui a confiance en sa police. Il a honte. Il voit toutes ces dents qui brillent dans les sourires moqueurs.

— Je veux trouver Blanche Larivière....

— Quand je reviendrai par ici, je vous conduirai là où vous voulez aller...

— Tu reviendras pas. Il n'y a jamais une autre fois.

Les curieux suivent avec un amusement déchaîné cette altercation avec un *Bohana*.

— Je ne peux pas l'emmener avec moi. Faites-lui comprendre ça, implore l'historien haletant. Les États-Unis sont un pays libre. Je peux prendre qui je veux dans ma voiture. Et je ne veux pas le prendre ! Je ne veux pas ramasser tous les vieux ivrognes qui traînent le long des routes. Qu'est-ce qu'il ferait au Canada ? Est-ce qu'il pourrait vivre avec de la neige jusque sous les aisselles ? Blanche Larivière est probablement au cimetière depuis longtemps. Il m'étrangle. Au secours !

Dans une riante bousculade, les hommes arrachent l'historien du bras d'acier de Charlie Longsong. Robert Martin se précipite vers sa voiture. Le vieil Indien supplie :

— Je veux voir Blanche Larivière...

Pourquoi ses parents l'ont-ils fait intellectuel et gringalet ? En Amérique, les poings d'un homme doivent être durs. Pourquoi faut-il que les bons moments se gâtent ? Son amour... son mariage... Assister à cette danse cérémoniale, sur le toit d'une maison, seul Blanc parmi une foule indienne, avec cette famille qui chantait la complainte insistante dont les mots s'étendaient comme un vent lourd sur le ciel bleu : cela a été un privilège unique. Il y a des siècles, sans doute, en cet endroit, des Indiens dansaient de la même manière, martelant la terre et les tambours au même rythme. Les mots de leur incantation sans fin étaient sans doute l'écho, par-delà les siècles, des paroles des premiers habitants du continent américain. S'il avait vécu il y a mille ans, Robert Martin aurait sans doute vu les mêmes costumes chatoyants avec franges, plumes, rubans et fourrure qui suggèrent les formes de l'ours, du corbeau, de l'aigle, du coyote. Et tous ces serpents... Un Blanc ne peut pas comprendre. Surtout pas lui ; il a une peur maladive des êtres rampants. Le rite auquel il a assisté témoigne du temps où l'homme n'avait pas encore divorcé avec la nature. Le serpent ne pouvait alors pas être l'ennemi. Quelle journée extraordinaire ! C'était comme s'il avait vécu une journée à l'époque de Fernand Cortez. Il doit ce moment privilégié à Charlie Longsong. « Merci, vieux Charlie ! » Mais c'est aussi Charlie Longsong qui lui a gâché cette journée exceptionnelle. Chaque fois qu'il voudra se souvenir de cette danse du serpent en Arizona surgira la mémoire amère de ce vieil Indien, sur la *Mesa*, accroché à lui.

Charlie Longsong a-t-il vraiment connu cet amour extra-ordinaire ? Si tel est le cas, Robert Martin n'a pas été assez généreux pour lui permettre de le terminer. Longtemps, le vieil homme appellera encore sa bien-aimée. Quand il repensera à cela, il le sait, Robert Martin sera toujours mal à l'aise, un peu coupable. Comment a-t-il pu ne pas aider quelqu'un qui veut aimer ? Depuis la fin de son amour, déteste-t-il l'amour ? Il a été mesquin. Il n'a pas voulu permettre à un destin de s'accomplir. Il a agi comme ces rentiers prudents qui ne laissent rien déranger leur routine. Il n'a pas de quoi être fier de lui. Pouvait-il agir autrement ? Il est lui-même un homme blessé. Il n'a plus sa femme, ni ses enfants, ni sa maison, ni son chalet, ni son bateau... Il est un homme amputé de son amour.

Tout cela s'agite dans sa tête alors qu'il remonte vers le Colorado. Il a décidé de retourner vers cette vallée, au milieu des montagnes, là où il a découvert le cahier qui contenait la signature du fermier Dubois. Il veut le relire au complet, le photocopier. Pourquoi cet aventurier a-t-il choisi de labourer la terre au lieu de creuser sous les montagnes pour y trouver la richesse ? Que de mystères dans une vie humaine !

Quand on conduit sa voiture pendant deux jours, seul dans une région où les habitants semblent n'être pas encore arrivés, on a le temps de songer. Voici une station d'essence au milieu de quelques bicoques placardées d'affiches commerciales. En face, on vend des fruits. Robert Martin a faim, a soif ; il a surtout envie de parler à quelqu'un. Là, une boutique de bric-à-brac. On y a amassé tout ce qu'auraient jeté les habitants de la région s'il y en avait. Dans un coin, quelques centaines de livres, en tas, gris de poussière. N'y aurait-il pas là quelque chose sur l'Arizona ? Sur le Colorado ? Sur les Indiens ? Même s'il n'a pas voulu laisser monter dans sa voiture ce vieil Indien ivre, Robert Martin a du respect pour la culture des premiers peuples qui ont habité l'Amérique. Il sait qu'il a manqué de courage. Les historiens ne sont pas des gens courageux. Ils n'aiment s'aventurer que dans le passé, où tout a déjà eu lieu. Robert Martin est torturé par son propre chagrin. Le vieil Indien criait le nom d'une femme comme s'il avait souffert depuis un siècle. En plus de son chagrin,

Robert Martin ne pouvait pas supporter celui de Charlie Longsong.

Il sort avec un plein sac de vieux livres qui racontent le passé de l'Ouest avec les cow-boys, les Indiens, les bandits, les mines, les *saloons*: toute cette culture que doit avoir fréquentée le fermier Dubois.

Depuis deux ou trois ans, Robert Martin a perdu l'appétit pour la lecture. En ouvrant un livre, il a toujours l'impression de l'avoir déjà lu. Il a perdu le goût de découvrir. Son doyen avait raison : sa carrière est devenue stérile. Les vieux bouquins qu'il vient de jeter sur la banquette sentent le remugle.

Les cailloux scintillent sous le soleil. L'asphalte est si chaud que les pneus semblent fondre. Un motel apparaît. Une piscine au bord de la route poussiéreuse, derrière une clôture. L'eau sera bonne quand il s'y plongera. Peut-être une jolie voyageuse s'est-elle aussi égarée dans le désert? Il a ses vieux livres sur l'Ouest... S'il n'avait pas tant de chagrin, ce serait un rêve : des palmiers, une piscine, des bouquins. Il tourne le volant vers le motel.

Robert Martin nage un peu dans l'eau trop bleue, il va s'acheter un vin blanc de Californie et il ouvre un de ses vieux livres jaunis qu'il feuillette sans lire jusqu'au moment où ses yeux repèrent les mots *Canadiens français*. Il s'arrête. Il lit. La vallée du Rio de las Animas perdidas – cela veut dire : la vallée du fleuve des Âmes perdues – était une terre très riche. Des Canadiens français y étaient venus chasser le castor. Leur débouché commercial était l'industrie du chapeau haut de forme en Angleterre. Trop chassée, l'espèce a disparu. Alors les Canadiens français se sont faits importateurs de whisky. On le diluait. On le vendait à prix fort aux Indiens qui payaient en fourrure. Dans ce temps-là, on disait que les montagnes du Colorado brillaient parce qu'elles étaient faites d'or. Elles contenaient aussi de l'argent, du charbon, de tout... Les aventuriers sont accourus de partout : du Canada, de l'Italie, de la Russie, de la France, de Chine. Pour faire passer le chemin de fer, on a entrepris de creuser une tablette dans la falaise de granit rouge. Pour briser le roc, dynamiter et creuser, les travailleurs étaient suspendus par des câbles, à des centaines de mètres parfois au-dessus de la rivière dans la gorge. Les Chinois étaient responsables de la dynamite. Généralement, on ne les aimait pas. Une fois, un groupe bruyant allait lyncher un pauvre Chinois qui marchait paisiblement dans la rue. Un brave gaillard s'interposa, brandissant son revolver : «Si vous exterminez mon Chinois, qui est-ce qui va laver ma chemise ?» s'inquiétait-il. À cette époque, les Chinois tenaient des buanderies. Un soir, dans un *saloon*, on avait forcé un Chinois à s'étendre sur le plancher. Une danseuse avait donné son spectacle sur son dos. On s'amusait rudement. Entrer sur son cheval au cabaret et boire un verre sans quitter sa monture n'était pas une fantaisie rare... Une autre fois, on trouva, près de son *claim*, le squelette d'un chercheur d'or sans doute assassiné par un confrère jaloux. Des farceurs ont invité le squelette au *saloon* et lui ont fait boire un coup. Les mœurs de ces hommes rudes n'étaient pas très délicates. Un fameux missionnaire évangéliste avait l'habitude d'entrer en tempête au *saloon*; il sortait son revolver et obligeait les clients, les filles, les ivrognes, les tueurs à s'agenouiller pour une prière. Quand tous avaient demandé pardon à Dieu, il rengainait et s'en allait poursuivre sa mission évangélique dans un autre tripot. Dubois, avant d'être fermier, a-t-il été chercheur d'or, contrebandier, cow-boy, bandit, dynamiteur ?...

La grosse boule rouge du soleil roule au bout du désert. La terre est devenue une page sombre où les caractères sont imprimés noir sur noir. Robert Martin continue de lire et de boire du vin blanc.

Il ouvre un autre livre. Tourne les pages. Geronimo. Un guerrier indien. Les plus endurcis des soldats américains blêmissaient, dit l'auteur, quand ils entendaient son nom. Pourtant, ironise-t-il, son nom signifiait «celui qui bâille». À l'époque de Geronimo, le fermier Dubois courait l'aventure. C'étaient des temps troubles. Après la guerre civile, le Gouvernement entreprit de limiter le déplacement des Indiens. On les enfermait dans des réserves. Le Gouvernement les forçait à abandonner le nomadisme pour les convertir à l'agriculture et au christianisme. Geronimo était le plus grand des chefs rebelles. Mal nourris, humiliés, affamés, nostalgiques de leurs terres et de leur liberté sans fin, ses frères apaches suivirent Geronimo dans sa colère. La terre d'Arizona devint rouge de tout le sang versé. Les troupes déchaînées de Geronimo attaquaient les convois et les campements militaires. Jamais l'Arizona n'avait été balayée d'un ouragan si cruel. Le fermier Dubois a-t-il été témoin de ces faits ? En aurait-il souffert ? À la fin, le grand Geronimo dut courber l'échine devant les Blancs. Ils le condamnèrent aux travaux forcés. Il se convertit bientôt au christianisme et se fit fermier. Malheureusement, avec des Blancs, il apprit à jouer aux cartes. Il devint un joueur si passionné que l'Église l'expulsa. Son vice avait été jugé incurable. Exilé en Oklahoma, Geronimo subsistait en vendant des photographies de lui-même dans les fêtes populaires. Le grand Geronimo ressemblait enfin à ce que les Blancs avaient voulu faire de lui. Sur une photographie, celui qui avait été un grand guerrier indien est assis au volant d'une voiture de l'époque, vêtu d'un costume européen comme un touriste. La signature du photographe intrigue l'historien. Dooboy : ce nom cacherait-il un Dubois déguisé ? Beaucoup de Canadiens français ont modifié leur nom aux États-Unis. Dubois photographe, est-ce possible ? L'historien veut tellement trouver son personnage qu'il l'imagine partout.

Même s'il était condamné à errer au jour le jour sur les sentiers américains, Dubois avait le privilège unique de traverser une époque où un homme pouvait conquérir sa liberté de vivre comme un païen au lieu d'être corseté par les convenances d'une société organisée comme une chaîne de production.

Robert Martin referme son livre. Est-ce le vin blanc ? Sont-ce les anecdotes de ces temps sauvages ? Il se sent éméché. Il regarde le ciel. « Où est la Grande Ourse ? » Il cherche, ne se souvient plus. « On peut imaginer que chaque étoile est une lettre et que ces lettres forment des mots, mais qui peut lire ces messages que Dieu nous a écrits ? » Même s'il n'est plus croyant, il flaire l'éternité dans le ciel et elle le fait frissonner. Un peu à cause du vin, un peu à cause des histoires qu'il a lues, un peu à cause du vertige devant la nuit, il éprouve de la tendresse envers ce en quoi il a cru dans son enfance.

Tout ne se termine pas parce que sa femme l'a abandonné. Écrire la biographie du fermier Dubois l'aidera à traverser le passage pénible de son divorce. Le récit d'une vie dans un siècle de violente colonisation manifestera sa renaissance intellectuelle. Son doyen va en échapper son dentier dans sa soupe ! Robert Martin ne peut plus lire. Ses yeux brûlent ses paupières. Il va manger et dormir. Il est si seul. Il voudrait être chez lui.

Que se passe-t-il là-bas, au Canada, à cette heure ? Il rentre dans sa chambre et compose au téléphone le numéro de son avocat :

— Votre ex-épouse craint que vous vous cachiez aux États-Unis pour fuir vos obligations de père et d'époux. Elle veut entreprendre une demande d'extradition.

Robert Martin ne dit rien. Il regrette d'être trop civilisé pour donner un grand coup de poing dans le mur verdâtre qui en a reçu bien d'autres.

9

Charlie Longsong a du feu dans les yeux. Il n'a pu empêcher la voiture venue du Québec de quitter sans lui. Là-bas, elle descend vers la plaine, enveloppée dans la poussière qu'elle soulève. Il hurle. Retenu par dix hommes, il se débat. Il rue comme un cheval sauvage. Son bras unique est fort comme les deux bras d'un jeune homme. Son corps est raide comme un tremble des collines vertes au loin. Il s'escrime comme s'il avait cinq bras. Il lance des cris dans une langue étrangère :

— Blanche Larivière !

Chaque cri semble lui arracher le cœur. Le vieil homme a le visage plein de larmes. Son chagrin est plein de colère.

— Où est-ce qu'il prend toute sa force ? s'interroge l'un des hommes qui le retiennent. Il est aussi vieux que le père de mon grand-père.

La voiture de Robert Martin s'est engagée entre les dunes et le vent a dispersé le nuage de poussière soulevée. Vaincu, Charlie Longsong baisse la tête et ferme les yeux.

— Lâchez-le !

— Laissez-le pleurer toutes les larmes de sa peine.

Les hommes desserrent leur emprise. Ils se reculent. Charlie Longsong est libre. L'air égaré, il regarde tout autour. Que voit-il que les autres ne voient pas ? Levant les yeux vers le ciel, il s'écrie :

— Blanche Larivière, je te parle. M'entends-tu ?

Les hommes, les femmes assemblés se demandent : « À qui parle-t-il ? »

— Blanche Larivière, où est la rue Gît-le-cœur ?

Prononce-t-il des mots magiques ? Les paroles d'une incantation secrète ? Des jurons diaboliques comme en prononcent les *Bohanas* ? Jette-t-il un sort à la *Mesa* ? Les chiens s'agitent et aboient aux cris de Charlie Longsong.

Le *Bohana* venu du nord a bien fait de disparaître. Il n'aurait jamais dû se pointer sur ce territoire. Rien n'arrive de bon la journée où un Indien rencontre un *Bohana*.

À la fin de la guerre, Charlie Longsong est apparu sur la *Mesa* pour montrer son uniforme militaire. Il se vantait de savoir des mots d'une langue étrangère. Il était fier. On se moquait de lui.

— Une femme, une femme étrangère m'a appris ces mots.

Alors, on riait encore plus :

— Les femmes d'ici ne veulent pas de toi, alors il faut que tu apprennes une langue spéciale pour parler aux femmes *bohanas* ?

C'était il y a bien longtemps. Les vieux comme Charlie Longsong se souviennent-ils ? Il n'en reste pas beaucoup. On était content que Charlie Longsong ne soit pas mort à la guerre. Les Indiens ont toujours su comment ne pas mourir à la guerre. Un homme qui revient de l'autre côté de la mer peut bien raconter ce qu'il veut à ceux qui n'y sont pas allés. On avait le droit d'être incrédule. On ne voulut pas croire que Charlie Longsong ait eu une femme blanche dans les Vieux Pays d'où sont venus tous les malheurs.

Pendant longtemps, il ne retourna pas à la *Mesa*. Il se terra dans son désert. Il n'a plus jamais raconté comment la guerre lui avait mangé un bras. Il n'a plus jamais mentionné le nom de cette femme qui lui avait enseigné les mots de cette langue étrangère. À la *Mesa*, cette histoire s'envola avec les saisons. Les vieux l'oublièrent. Les jeunes ne sont pas intéressés par le passé.

Ce matin, plusieurs se demandent si Charlie Longsong n'a pas été piqué par le serpent de la démence. Les hommes se reculent lentement et l'abandonnent au milieu de la *plaza*. Il ne voit pas que, tout autour, juchée sur les toits comme si la danse n'avait pas été interrompue, la foule s'est regroupée pour observer sa peine. Il est étendu comme s'il était endormi. Serait-il mort ? Certains le craignent. Un Ancien se rappelle :

— Dans sa jeunesse, il est allé se battre à la guerre. Il est revenu vivant. Cet Indien sait comment rester en vie.

Un autre se souvient :

— Petit Homme Tornade a gardé la terre de son père comme un jeune aigle garde son nid.

Un homme tranquillement sage assure :

— Même rendu au dernier arpent de sa marche sur la Terre, un homme est encore capable de devenir fou à cause d'une femme.

Le vieil Indien n'entend pas ces commentaires. Il bouge un peu au centre de la *plaza*. Il va se relever. Il s'assied. Sous sa veste, il cherche son flacon. Il dévisse cérémonieusement le bouchon. Il boit. Après s'être essuyé les lèvres du revers de sa manche, il laisse tomber le flacon sur le gravier, il se lève et, comme s'il n'était pas ivre, il s'en va au chemin qui descend vers le désert. La ligne d'horizon, très loin devant, ondule. La terre grise tourne autour de la *Mesa* comme une grosse roue. Le vieil homme vacille sur ses jambes et s'écroule sans qu'on le voie, sans s'en apercevoir lui-même. Il roule le long du talus aride où quelques touffes d'arbustes argentés ont poussé.

À cause du whisky et à cause de son chagrin, il dort. Longtemps, il dormira. Tout à coup, dans la nuit, une ombre bouge. Elle l'a réveillé. Il ouvre les yeux. Il scrute l'obscurité intense. Le vent souffle vers lui. Il ne porte pas de bruit.

L'ombre est silencieuse. Elle est rapide. Elle grandit contre le ciel. Elle s'approche. C'est un cheval. Il tremble. Quelqu'un à cheval s'avance. Il écoute. Les sabots sont silencieux. Charlie Longsong reconnaît cette bête qui passe dans la nuit comme un nuage au ciel. C'est la jument de son père. La belle bête noire. Il reconnaît la façon qu'a son père de se tenir si droit que rien ne pourrait le courber. Un enfant est assis sur la bête, agrippé à son père. Charlie Longsong ne peut se tromper : c'est Petit Homme Tornade. C'est Charlie Longsong quand il était un enfant. Il voudrait bien se lever, mais son corps est si lourd. Il est pesant comme si des racines le retenaient au sol. Il ne peut pas remuer. La jument noire s'immobilise près de lui. Petit Homme Tornade se laisse glisser le long de son flanc et il se penche sur le vieux Charlie Longsong écrasé dans le désert :

— Où t'en vas-tu, Charlie Longsong ? demande l'enfant.

— Je vais voir Blanche Larivière, 33 Grande Allée, Québec, Canada.

L'enfant saisit la main de Charlie Longsong et l'aide à se remettre sur ses pieds. Il est aussi fort qu'un homme. Son père est aussi silencieux que la nuit sur le désert.

Tout à coup, la lumière est si vive qu'elle lui crève les yeux malgré ses paupières fermées. Il a soif comme s'il allait mourir. Où est-il ? Où est son *hogan* ? Où est sa terre ? Son père ne l'a-t-il pas ramené à dos de cheval ? Où est passé Petit Homme Tornade ?

Plusieurs heures plus tard, fatigué, assoiffé, ivre encore à cause de ce qu'il a bu, à cause de sa longue marche sous le soleil, il arrive au poste de traite et y réclame de l'eau. La patronne s'amuse : il n'est pas fréquent que Charlie Longsong veuille boire de l'eau.

10

La femme de Robert Martin prétend qu'il s'est enfui comme un criminel. «L'échec d'un mariage n'est pas un crime», pense-t-il. Elle menace de réclamer son extradition. Il est un honnête homme. Il ne refuse pas de payer ce qu'il doit. Dans la démocratie moderne, l'homme ne jouit plus que d'un seul droit : celui de payer une pension alimentaire à sa femme. Il n'a pas l'intention de négliger l'exercice de ce droit fondamental. Si elle exige qu'on le force à rentrer au Canada, il pourrait se transformer en hors-la-loi comme les célèbres Frank et Jessie James qui dévalisaient les banques et détroussaient les passagers des trains à travers la Californie, le Nevada, le Kentucky, le Missouri, l'Arkansas et le Nouveau-Mexique. Un historien peut devenir méchant et féroce. Pourtant, c'est sa femme, sa trop jolie coiffeuse, qui ressemble aux bandits. Après l'avoir dévalisé de son amour et de ses biens, elle l'a jeté hors du train de la vie conjugale.

Robert Martin a décidé de s'arrêter quelques jours dans la vallée du Colorado, où le fermier Dubois a acheté son troupeau. Il va étudier le terrain pour y relever des pistes du fermier. Tout ce qu'il possède, c'est du temps. Il lit l'histoire de Frank et Jessie James dans cet ancien hôtel où logeaient les patrons des mines, les ingénieurs, les trafiquants, les bandits, les entrepreneurs, les artistes, les filles de plaisir, toute cette faune attirée par les villes écloses dans la fièvre des fortunes rapides. Dans sa chambre, des balles ont troué la tôle gravée d'entrelacs qui recouvre le plafond. Comme un vrai chasseur, l'historien tournera autour de son sujet pour l'encercler. Suivre les James à travers les États-Unis, du sud au nord et de l'est à l'ouest, lui permettra de mieux connaître l'espace dans lequel se mouvait le fermier Dubois. En ces temps où les veines des montagnes éclataient tant elles étaient chargées de richesses, les rumeurs de fortunes rapides et miraculeuses composaient une musique que percevaient les aventuriers de Russie, de Chine et de Scandinavie. On peut être sûr que le fermier Dubois n'était pas intéressé que par ses vaches et ses taureaux. Comment a-t-il réussi à amasser la somme nécessaire pour acheter et payer comptant – ainsi qu'il est rapporté – cinquante-neuf têtes de bétail ? A-t-il dormi dans cet hôtel où de belles filles grasses, blanches et décolletées dansaient autour du piano qui est encore à la même place aujourd'hui, mais silencieux derrière un cordon de velours ?

Robert Martin rêve. Il doit rêver pour comprendre le fermier Dubois. Un aventurier n'est pas un homme d'action ; c'est avant tout un rêveur. L'historien doit réinventer le rêve du fermier Dubois, sans quoi il ne pourra pas retrouver son âme. Il se terre pendant des heures dans sa lecture. Peut-on ne pas regretter de n'avoir pas vécu à cette époque où le continent de l'Amérique palpitait comme un cœur au matin de la création du monde ? Il a beau rêver, il sait qu'il n'a jamais été et qu'il ne sera jamais qu'un tourneur de pages.

Parce qu'il est si peu aventurier, il a fui l'Indien qui aurait pu le guider dans les sentiers d'une Amérique invisible aux Blancs. Lui, l'historien, a refusé d'écouter Charlie Longsong par qui le passé voulait se raconter à lui. Il s'est sauvé comme ces touristes, dans les pays exotiques, qui sont importunés par les autochtones. Il se sent peu fier de lui-même. Robert Martin est un pauvre homme seul, un client bizarre dans un ancien hôtel échoué sur les rives du temps présent. Il ne sort pas de sa chambre, il reste enfermé avec des livres éparpillés que la femme de ménage n'ose pas toucher tant ils sont vieux. Elle en a ouvert un, les pages se sont répandues sur le plancher.

Robert Martin n'est pas un aventurier. Il est mesquin, peureux, égoïste. Il est tout ce que lui reproche sa femme. En plus, il est aussi raciste que n'importe qui. Voilà pourquoi il a refusé de laisser monter Charlie Longsong dans sa voiture. Il n'était pas intéressé par l'histoire de cet Indien. La rue Gît-le-cœur à Paris n'a pas besoin d'un Indien de l'Arizona. La rue Gît-le-cœur à Paris est le territoire de Robert Martin. Quand il était libre et jeune, Robert Martin a été heureux sur cette rue. Il était irrité de voir cet Indien envahir son territoire.

Il y avait aussi autre chose : une blessure qui n'a jamais guéri, une douleur minime, profonde, lancinante. À l'époque où l'historien enthousiaste multipliait articles, conférences et volumes pour enrichir son *curriculum vitæ* et impressionner son doyen à l'université, il avait consacré une dizaine de semaines à la rédaction d'une conférence pour la présenter dans l'ouest du Canada. Était-il en Saskatchewan ou au Manitoba ? Il ne se souvient que de la prairie carrelée par les champs. Vue de l'avion, elle semblait une nappe à carreaux tendue sur la table de géants. Il avait accumulé beaucoup d'information au sujet de Hi-nu, le Dieu-Tonnerre bienfaisant des Iroquois, auquel il est bon d'offrir du tabac à fumer pour le remercier d'avoir détruit les monstres qui empoisonnent l'eau. Il avait situé Hi-nu dans la mythologie iroquoise, au-dessus de son frère le Vent-d'ouest-qui-donne-la-pluie et de son autre frère le Vent-du-nord-qui-distribue-les-calamités comme le gel sur le maïs et la glace sur les rivières. Hi-nu règne aussi sur Écho, ce dieu qui répète de colline en colline le cri de guerre des Iroquois : «*Goweh !*»

Marchant dans la ville, Robert Martin repassait dans sa tête sa conférence. Le lendemain à l'université, il voulait la livrer sans notes. Trop souvent, il avait été condamné à écouter de pénibles lectures faites par des gens qui ne parlaient qu'à eux-mêmes. À pas relâchés, dans cette ville où il n'y avait rien à regarder et où l'ennui tout autour ne pouvait le distraire, il récitait son texte et répétait les gestes nécessaires pour souligner les phrases importantes. Il pleuvait doucement. Son imperméable tout neuf avait encore la raideur des vêtements suspendus sur les cintres des magasins.

— Oh! avez-vous vu le bel imperméable qu'il a, le monsieur?

Arraché à sa répétition solitaire, Robert Martin se vit entouré de quatre Indiens rieurs qui sentaient l'alcool. Leurs cheveux longs dégoulinaient de pluie. Leurs vêtements étaient trempés.

— Il a payé très cher, le monsieur...

— C'est du bon tissu imperméable...

Les gros doigts des quatre Indiens palpaient le tissu.

— C'est de l'importation. Ça doit venir de Londres...

— Le monsieur a payé plus cher que mon chèque du Bien-être social!

— S'il vous plaît, protesta Robert Martin, ennuyé, laissez-moi travailler.

— Oh! le monsieur travaille.

— Le monsieur marche dans la rue et il appelle ça travailler.

— Peut-être que nous aussi on travaille parce qu'on marche dans la rue.

— Mais le monsieur porte un bel imperméable et les pauvres Indiens sont trempés.

Robert Martin rentra à l'hôtel sans son imperméable. Il déposa une plainte à la police. Dans sa chambre, il s'était allongé sur son lit, ses yeux s'étaient remplis de larmes. Avoir perdu son imperméable, c'était irritant. Avoir été volé, c'était ennuyeux. Il s'était senti impuissant, c'était frustrant. À quoi servait de regretter de n'avoir pas la force de Superman? Il pleurait parce qu'il se sentait trahi. Depuis des mois, il s'était appliqué à comprendre les arcanes de cette grande culture qui se traduisait dans une mythologie aussi envoûtante que les plus grandes mythologies du monde. Et voici qu'il venait d'être dépouillé par de misérables pirates de rues, descendants délinquants des âmes nobles qui ont créé de grandes légendes pour expliquer l'Univers. Peu de temps après, il annula sa conférence et rentra chez lui, le cœur gros.

Est-ce à cause de ces voyous d'une petite ville de l'ouest du Canada qu'il a été incapable d'accueillir le vieux Charlie Longsong ? A-t-il voulu se venger ? A-t-il eu peur de lui ? Est-il raciste ? Robert Martin sait qu'il est un homme ordinaire. Comme les hommes ordinaires, il craint l'imprévu et les étrangers.

11

Charlie Longsong n'ose plus répéter le nom de Blanche Larivière. Tout cela n'a été qu'un songe. Il croyait que des souvenirs flottaient dans sa mémoire. Ce n'étaient que les songes d'un homme qui avance seul dans le sentier de la vieillesse. Sa vie est une tente faite de songes. Il cueille des fèves parmi les feuilles fines d'un *mesquite*. Toute sa vie n'est qu'un songe. Quand il marche dans son désert ou quand il coupe un cactus pour puiser une tasse d'eau dans son tronc, peut-être n'est-il lui-même qu'un songe de ses ancêtres ?

Cette guerre, là-bas, il y a si longtemps, était un mauvais songe qui est passé en lui arrachant un bras. Les récits des ancêtres qui ont bâti villes et villages sur ce territoire, qui commerçaient et qui connaissaient les secrets du jour et de la nuit ne sont-ils aussi que songes ? L'enfance où il suivait son père et l'aidait dans ses travaux n'est-elle qu'un songe ?

À son retour de la guerre, dans les ruines de son *hogan* qu'il redressait, il se déchirait la gorge à crier le nom de Blanche Larivière. N'était-elle qu'un rêve ? Il avait vu trop d'éclairs, trop d'explosions, trop de corps abîmés, trop de maisons éventrées par le feu, trop de machines déchirées, trop d'hommes en pleurs. Son bras manquant lui faisait mal ; une bête invisible le mordait sans jamais lâcher prise. Il avait vu trop de jours semblables aux cauchemars de la nuit.

Afin d'oublier tout cela, il répétait le nom de Blanche Larivière. Son nom ressemblait à la paix. Elle était apparue dans la paix. Quand il disait son nom et les mots étrangers qu'elle lui avait appris, la bête acharnée à mordre son bras s'endormait comme lorsqu'il buvait du bourbon. Les mots de vieilles chansons d'Angleterre dansaient dans sa mémoire quand il devenait un peu ivre. Alors il chantait et, les larmes aux yeux, il attendait le retour de son père qui veillait, il le savait, au fond de la nuit sur sa belle jument noire aux sabots silencieux.

Parfois, Charlie Longsong criait le nom de Blanche Larivière comme s'il eût voulu que sa plainte fendît le ciel étoilé. La nuit restait immuablement silencieuse. Charlie Longsong, qui avait combattu à la guerre, redevenait un petit Indien terrifié qui se prosternait devant ses dieux dans l'immensité de leur silence.

C'était bien longtemps avant la guerre. Il était tout petit. Son père avait appris à Petit Homme Tornade la cérémonie des éclairs. Durant l'été, les dieux du ciel font la fête. Quand on fait la fête, on boit, on brise, on casse, on fracasse, on se bagarre, on cogne et on se fait cogner. Les dieux fêtent comme les hommes. Quand les dieux se bagarrent, ils s'assomment et fracassent le ciel. Alors les étincelles jaillissent et tombent sur la Terre. Quand ils se ruent l'un sur l'autre, un bruit sourd roule lourdement dans les échos. Quand ils déchirent le ciel comme une chemise, la pluie tombe en rivières ou bien la grêle crépite sur le sol. Les pauvres habitants sur la Terre ne savent pas ce qui se passe au ciel. Seul le missionnaire est assez fou, disait son père, pour prétendre le savoir. Personne n'est jamais allé au ciel.

Parce qu'on ne peut pas savoir, les ancêtres ont pris l'habitude de faire une offrande aux dieux quand ils se chamaillent. Quand on ne comprend pas, on ne peut avoir tort si on fait une offrande à ceux que l'on craint.

Parfois, le ciel noir éclatait comme une fenêtre qui se brise et les dieux tiraient des coups de feu. À ces moments-là, sous le tonnerre, entre les éclairs qui sifflaient et dardaient le sol, les gens de sa tribu suivaient la coutume de sortir pour leur présenter des offrandes.

Charlie Longsong se souvient. Son père vivait encore. La voix des dieux coléreux grondait dans la tempête. Les éclairs fouettaient le désert. Petit Homme Tornade avançait entre les éclairs, imperturbable. Sans peur il marchait entre les cactus. Plus haut que la pluie, plus haut que la grêle, les dieux l'observaient. Il leur apportait un bol rempli de maïs pour les apaiser.

Un autre jour, il s'en souviendra même après sa mort, l'air était noir comme de la suie. Le tonnerre rugissait. Les éclairs claquaient comme si toutes les tempêtes du monde s'étaient disputées. Ce n'étaient pas les dieux qui étaient en colère mais les hommes qui détruisaient ce que les dieux avaient créé. Ce jour-là, le soldat Charlie Longsong pensa, entre les éclairs, faire une offrande mais, il s'en souvient, il avait trop peur. Jeune homme fiévreux dans son uniforme trempé, Petit Homme Tornade s'était égaré dans une violence que ni les dieux ni les Indiens ne savent produire. Ce jour-là, il n'avait pas de maïs à offrir. Il n'avait que sa carabine et ses grenades à sa ceinture et ses balles dans une poche sur sa cuisse. Il n'avait rien pour apaiser les dieux. Il n'avait rien pour apaiser les *Bohanas* qui lançaient ce désordre enflammé au-dessus de sa tête d'Indien. Tout ce qu'il pouvait, c'était d'ajouter du feu à cet incendie qui rendait le fer aussi fragile que la peau des hommes et qui le faisait saigner.

Pourquoi Charlie Longsong avait-il quitté la paix de son Arizona? Il avait obéi à la loi des *Bohanas*. Souvent, Petit Homme Tornade avait écouté l'histoire des guerres de sa tribu contre les *Bohanas*. Depuis longtemps, les Indiens ne font plus la guerre. Ils ont oublié comment on se bat. Petit Homme Tornade voulait apprendre. Alors, il est allé du côté des *Bohanas*. Il a appris à se battre comme eux. Il a appris à marcher comme ils marchent quand ils vont à la guerre.

Là, Charlie Longsong n'était pas seul. Ils étaient des milliers de jeunes hommes entassés dans des barges. Ils étaient blancs, ils étaient noirs. Il remarqua quelques frères indiens. Tous détournaient le regard. Étaient-ils honteux de participer à la guerre des *Bohanas*? Les vagues cognaient les parois. L'eau retombait sur eux comme une pluie d'hiver. Son estomac cherchait à sortir par sa bouche comme une marmotte de son terrier. On leur avait dit que la côte de la Normandie était toute proche. Pourtant cette traversée semblait plus interminable que le voyage d'Amérique vers l'Europe. Il avait froid. Il était malade. Comme les autres, il vomissait. Il était soûl de cette mer qui lui donnait le tournis. La barge avait-elle dérivé? S'était-on égaré en pleine mer? On avait les pieds qui trempaient dans l'eau. Les vagues sans cesse assaillaient l'acier. Ces bourrades projetaient les soldats les uns sur les autres. Les casques d'acier serraient la tête et amplifiaient les bruits. Tout à coup, le ciel a commencé à déverser du feu. L'ordre fut crié de ne pas bouger, de rester assis, de ne pas tirer, de courber l'échine, de se laisser secouer par la mer qui était furieuse comme si elle avait participé à la guerre. Le ciel du matin était en feu. Toutes les étoiles semblaient avoir explosé en même temps. Tout à coup, il n'y avait plus eu de lumière. Ce fut la nuit en plein jour. Une épaisse fumée sombre s'était mélangée au brouillard et l'air était devenu une boue noire. Leur barge heurta le fond. Les soldats roulèrent l'un sur l'autre dans l'eau accumulée. La passerelle fut abaissée. Il fallait courir vers la falaise. La mer les étreignait. Sentir le sol solide sous leurs bottes raviva leur désir de ne pas mourir. Vivre! Vivre!

Dans la fumée obscure transpercée d'éclairs, il fallait avancer. Ne pas s'arrêter. La mer vous bousculait encore. Vous trouviez votre passage parmi des chars d'assaut éventrés ou noyés, des péniches chiffonnées parmi les vagues teintées de sang. Des carabines flottaient encore à côté d'hommes déchiquetés qui criaient tout autour de lui. Charlie Longsong était silencieux. Sa carabine au bout de ses deux bras levés, dans l'eau qui lui montait jusqu'au cou, il se dirigeait vers la falaise de Normandie bombardée de flèches de feu. Il en apercevait la base sous le nuage noir. Petit Homme Tornade ne fit pas d'offrande pour apaiser les dieux. Comment pouvait-il être encore vivant ?

Les recruteurs de l'armée lui avaient promis qu'il verrait les Vieux Pays de l'autre côté de la mer et qu'on lui donnerait un fusil très puissant. Petit Homme Tornade n'était pas intéressé à voir les Vieux Pays de l'autre côté de la mer. Trop de mal pour les Indiens était venu de ces pays-là. Un fusil puissant : voilà ce qu'il voulait. Sous le tonnerre et les éclairs, au lieu de tenir au bout de ses bras levés un plat de maïs pour apaiser les dieux, il serrait son arme. Le brave Petit Homme Tornade avait appris un principe guerrier des *Bohanas* : « Ta carabine, elle est comme ta femme. Tu vas vivre avec elle. Si tu meurs, elle sera à ton côté. Caresse-la. Cajole-la. Ne laisse personne d'autre la toucher. C'est ta femme. Tu n'en as qu'une seule. » Ainsi parlait le sergent.

Petit Homme Tornade avait grandi au pays des canyons et des *mesas*. On le désigna pour grimper. On l'encouragea à ne pas oublier sa manière indienne. Rendu à la falaise, encore vivant, il trouva la corde qui pendait où elle devait pendre. Il fit glisser sa carabine dans son dos, ses mains saisirent la corde et il entreprit l'escalade. Par la force de ses mains et de ses bras aux muscles frémissants, avec son cœur qui battait fort tant il était chargé de peur, il se hissa, ne voyant plus ni le sol ni le sommet. Il toussait. La fumée lui brûlait les yeux. Il se sentait comme un insecte qu'une botte va écraser.

En haut, l'ennemi attendait. Des grenades se mirent à voler comme des guêpes quand on menace leur nid. Elles passaient près de lui. Elles explosaient au-dessus, au-dessous. Subitement, un coup de faux géante a sifflé au-dessus de sa tête. Les destroyers, à l'arrière, tiraient pour nettoyer le sommet. Les corps des ennemis tombaient comme des fruits mûrs. L'un d'eux, un instant, s'agrippa à son cou, puis ses mains lâchèrent et il dégringola en criant.

Au sommet de la falaise, dans les broussailles, des corps éventrés s'étaient vidés là où ils s'étaient écroulés. Il y avait plus de cadavres que de sol. On devait souvent marcher sur ces soldats qui parfois n'étaient pas tout à fait morts. Un peu plus loin, une maison avait été détruite par un obus. Il n'en restait qu'une porte dont le rideau de dentelle flottait au vent. Les éclairs des obus vous égratignaient les yeux. Les explosions vous défonçaient les tympans et vous bousculaient. Petit Homme Tornade pleurait et courait entre les cratères boueux. Le grand chef de l'Angleterre avait prophétisé : « Des larmes, du travail, du sang. » Le grand chef savait l'avenir. Pourquoi Petit Homme Tornade était-il là ? Attaquait-il ? Fuyait-il ? Un lit de cuivre projeté au milieu d'un champ ressemblait à un squelette brillant. Ailleurs, un soldat mort était plié sur la culasse de son canon. Devant, des flammes claquaient comme des drapeaux rouges au-dessus du noir brouillard. C'était un village en feu.

La boue était rouge de sang. Là, un soldat gisait sur le dos, sans tête, avec une grenade dans chaque main. Charlie Longsong se hâtait dans du feu qui grésillait sous l'herbe. Où allait-il ? Pourquoi avait-il quitté son désert ? Ici, personne ne demanderait une chanson à Charlie Longsong. Une chanson ? Mais il les avait toutes oubliées. Il ne se souvenait plus de rien.

Tout à coup, une grosse bulle de feu l'a enveloppé, puis elle a crevé. Sa carabine lui a été arrachée. Il l'a regardée voler dans les airs en tournoyant. Il a vu sa main encore serrée sur sa carabine et son bras et sa carabine exploser, haut, en l'air. Ensuite, il a vu son désert de l'Arizona où tout était paisible entre les cactus.

Il y avait si longtemps que Charlie Longsong n'avait pas pensé à tout cela. Il avait oublié qu'il avait déjà eu deux bras comme un homme. La voiture de l'étranger est passée et elle a soulevé les souvenirs comme la poussière du chemin.

12

« Où est la rue Gît-le-cœur ? » Robert Martin répète la rengaine du vieil Indien. « Où est la rue Gît-le-cœur ? » Il se souvient.

Agenouillée, l'artiste dessinait à la craie des fleurs sur le trottoir. Au coin de son dessin, un petit panier. Les passants s'arrêtaient et y déposaient un franc. Elle ne cessait jamais de travailler. Elle ajoutait sans cesse des couleurs, des pétales, des feuilles, d'autres fleurs. Les passants qui s'attardaient voyaient le jardin se transformer comme durant une saison fertile. Ses fleurs étaient vivantes. Elles étaient belles comme les fleurs encore inconnues d'une jungle magique. L'artiste était postée au coin de la rue Gît-le-cœur à Paris.

Robert Martin était étudiant à cette époque. Quand il se rendait à l'université, il passait par là. Il avait quelques fois déposé un franc dans le panier. Quelques fois, il s'était attendri devant les fleurs qui naissaient et s'épanouissaient sous la craie.

Robert Martin avait remarqué le joli visage et ses yeux noirs. Elle était toujours seule. Comme d'autres artistes de la rue, elle n'avait pas un assistant pour veiller sur le panier à contribution. Elle n'était pas pâle comme les Françaises ; elle devait être étrangère.

— Dessinez-vous des fleurs de votre pays ? se risqua-t-il à lui demander.

— Non, je dessine des fleurs qui sont dans ma tête.

— De quel pays êtes-vous ? demanda un autre flâneur.

— Du Brésil.

— Si votre pays ne produisait pas les fleurs les plus belles au monde, mademoiselle, vous ne pourriez pas en inventer de si jolies avec votre craie.

Robert Martin fut jaloux de ce beau parleur aux cheveux blancs. Pourquoi ces vieillards sans désir savent-ils si bien dire aux femmes ce qu'elles aiment entendre alors que les jeunes hommes, devant les femmes qu'ils désirent, se découvrent muets comme à la porte d'un cimetière ? Le vieil homme s'en alla après avoir fait sonner quelques francs dans le panier. Robert Martin resta seul avec l'artiste. Il aurait voulu lui dire quelque chose. Il n'osait pas. La fleur qu'elle dessinait ressemblait à un oiseau aux ailes ouvertes qui n'allait pas voler longtemps car ses ailes, sous la craie, se sont métamorphosées en pétales d'une fleur si fabuleuse que Dieu devait l'avoir créée quelque part, songea-t-il. Pour se donner contenance, il jeta une poignée de francs dans le panier même s'il n'avait pas les moyens d'être si généreux. Au tintement des pièces de monnaie, elle leva les yeux. Il devait dire quelque chose :

— Il y a une région en France où l'on trouve beaucoup de fleurs.

Elle baissa la tête et continua de dessiner.

— C'est en Provence.

— Je ne connais pas la Provence.

— Vous n'avez jamais vu les champs de lavande, de tournesols ?

— Je ne suis jamais allée en Provence.

— Quelle coïncidence ! Je pars demain pour la Provence. Je vous invite à venir avec moi. Je ne roule pas en Mercedes. J'ai une petite deux-chevaux racée. C'est plus rapide qu'une bicyclette. Je pourrais vous prendre demain à huit heures.

Robert Martin fut surpris de ce qu'il disait. Il n'avait pas prévu ce voyage. Il ne possédait pas une deux-chevaux. Elle le dévisagea sans étonnement et répondit avec son joli accent :

— Je vous avais remarqué. Il n'y a personne qui regarde mes fleurs comme vous. Je savais que vous alliez me parler.

Elle reprit son dessin. Il y a des moments où il faut savoir être hardi. Un jeune homme doit parfois faire un saut dans l'inconnu :

— Où est-ce que je vous prends ? risqua-t-il.

— Ici, dit-elle simplement, rue Gît-le-cœur. J'aurai peu de bagages mais j'apporte toujours mes craies avec moi.

Robert Martin n'avait plus qu'à terminer son essai pour son professeur puis à trouver à emprunter une voiture et un peu d'argent. Tous ses amis semblaient avoir fui Paris. Le lendemain, il se dirigea vers la rue Gît-le-cœur au guidon d'un scooter, une Vespa un peu rouillée et très bosselée. L'attendrait-elle ? Non, elle n'y serait pas. Elle aurait changé d'idée. Quand on a toutes ces fleurs qui débordent de sa tête, comment se souvenir d'un rendez-vous ? Elle n'irait pas avec lui. Il resterait à Paris. Ça ne vaut pas la peine d'aller en Provence si c'est pour y être seul.

Elle l'attendait au coin de la rue Gît-le-cœur, avec son sac, prête à partir pour le pays de la lavande et des tamaris. Il entama une explication ; elle devait savoir pourquoi il ne pouvait pas utiliser sa voiture. Elle ne voulut pas écouter :

— Partons. Ce sera mieux en Provence.

Ils suivirent des routes isolées dans les campagnes. Ils visitèrent des églises dont l'ancienne simplicité bouleversa leurs cœurs. Ils dormirent dans le foin des granges et à la belle étoile. Tout à coup, l'air n'était plus le même. Ils perçurent un parfum de fruits mêlé à l'odeur de la mer.

— Il y a un soupçon de thym, dit Gabriella.

C'était son nom.

— Je dirais plutôt du romarin...

Ils décidèrent d'aller vers un point sur la carte dont la poésie du nom les attirait. La route étroite comme un sentier rongeait le flanc de la montagne. Ils commencèrent à monter.

La vallée était couverte de tournesols. La pente était escarpée. Ils montaient vers le ciel. Le scooter manquait de force, hoquetait, s'étranglait. À la fin, ils durent le pousser jusqu'en haut où les attendait, au bout d'un verger d'abricotiers, un hameau autour d'un vieux manoir.

— Nous voici au paradis, dit-elle.

— Regarde, là, il y a les vignes du bon Dieu.

— Ici, je n'aurai pas besoin de dessiner des fleurs...

Ils dormirent dans une chambre dont les murs avaient l'épaisseur de ceux d'une forteresse. La fenêtre trop étroite encadrait le beau ciel bleu de la Provence. Les pas montant et descendant l'escalier depuis le Moyen Âge avaient creusé la pierre des marches. La lumière ruisselait sur le hameau. Les chèvres bêlaient. Quand ils parlaient, les habitants faisaient de la musique avec leurs mots. Les cigales stridulaient comme si cette saison avait été leur dernière.

Ils flânèrent en Provence pendant plusieurs jours. Ils circulèrent entre des collines où les oliviers aux branches tordues semblaient souffrir de rhumatisme. Ils ralentissaient pour contempler des vallées où le seul fait de regarder les vignes les rendait un peu ivres. Parfois, le long d'une route, ils s'arrêtaient à l'ombre d'un cyprès tout simplement pour jouir du bonheur de respirer. L'air portait des parfums de raisin, de melon, d'abricot, de pêche. Ailleurs, la lavande peignait les prés en violet.

Trop tôt, ce fut le temps du retour à Paris. Ils avaient trouvé le bonheur, mais il fallait tout de même faire quelques travaux scolaires s'ils voulaient obtenir le renouvellement de leur bourse d'études. Quand Robert Martin arrêta son scooter au coin de la rue Gît-le-cœur, il savait qu'il ne quitterait plus jamais Gabriella. Elle lui dit :

— Ma piaule est petite, mais elle sera trop grande si j'y suis seule.

Robert Martin a réuni tant de souvenirs de la rue Gît-le-cœur. Parce qu'il y a aimé, il est devenu un homme. Il y a aussi appris que l'amour est une saison qui passe comme les autres.

L'autre jour, dans le désert de l'Arizona, quand il a entendu le vieil Indien prononcer le nom de cette rue, il a ressenti un pincement au cœur.

13

Du Colorado, l'historien remonte vers le Kansas. Devant lui s'ouvrent les plaines infinies où se dressent quelques chênes. Cette opulente terre est l'une des plus fertiles du monde, a-t-il lu dans un dépliant touristique. Le sol est composé des sédiments de la mer qui le couvrait voilà des millions d'années. Le blé qui y balance ses gentilles vagues a été importé ici par des immigrants mennonites. Ils trouvèrent ici leur Terre promise. S'ils ont pu semer ce blé qu'ils avaient apporté d'Europe, c'est parce que le Gouvernement a chassé les Indiens de ces terres.

L'esprit est libre quand le réservoir est plein d'essence. L'historien roule très vite sur l'autoroute qui traverse l'espace de la mer asséchée. L'histoire est invisible et les souvenirs ne se lisent pas dans les mouvements du blé. Quant à la souffrance des Indiens, la terre généreuse ne semble pas s'en souvenir. Robert Martin laisse glisser son regard sur les fermes tranquilles qui défilent. La terre refuse de raconter ce qu'elle connaît.

Le voyage en Provence avec Gabriella est un souvenir qu'il s'est efforcé d'oublier. Il s'est appliqué à effacer ces jours de soleil, de fleurs et de cigales comme s'il ne les avait jamais vécus. Sa femme, son ex-femme, la trop jolie coiffeuse, détestait ce voyage en Provence. Elle ne lui permettait pas de l'avoir fait. Elle ne lui pardonnait pas d'avoir joui de ce bonheur d'être jeune dans un pays qui vous donne tout sans rien vous demander. Dès qu'il eût révélé ce périple à la trop jolie coiffeuse, elle commença à détester Gabriella et peut-être à le haïr lui aussi. Pendant les inévitables querelles, sa femme, son ex-femme, lançait :

— Comment pourrais-je croire quelqu'un qui ramasse les filles sur le trottoir ?

À l'époque où il publiait encore beaucoup d'articles et de livres, Robert Martin fut invité à un congrès d'historiens à Montpellier, en France. N'était-ce pas une belle occasion de présenter la Provence à sa trop jolie coiffeuse ? Elle se rebiffa :

— Je ne veux pas faire le voyage avec cette Brésilienne entre nous.

Aujourd'hui, libre, écorché, malheureux, Robert Martin savoure encore le goût de la féconde Provence qu'il a traversée en homme libre puisqu'il était amoureux. Son rêve comme la réalité s'appelait Gabriella. Elle habitait rue Gît-le-cœur, à Paris.

Il s'arrête pour se dégourdir les jambes. Il devrait résister à son envie de téléphoner à son avocat. Il le sait, une mauvaise nouvelle l'attend sans doute pour bondir sur lui. Il vaudrait mieux ne pas savoir. Pourquoi ne peut-il pas tout simplement fuir ? La fuite est souvent sagesse ; il a déjà lu un gros bouquin à ce sujet. Au contraire, il est attiré par la guerre que lui livre sa femme. Il ne peut s'échapper. Il téléphone à son avocat. Il écoute. Il s'étonne. Il est ébahi. Il courbe le dos comme s'il pleuvait des briques. Il concède :

— Je n'aurais jamais pensé qu'elle me ferait ça.

Il raccroche. Sa femme, son ex-femme réclame une garantie écrite que le montant total de l'assurance-vie de son ex-mari lui sera intégralement versé après sa mort. Elle réclame en plus la totale propriété du lot familial au cimetière.

Robert Martin pourrait pleurer, mais il ne veut pas consentir à cette douleur-là. Il refuse de penser à ce nouvel ennui. Il redémarre. Il s'évertue plutôt à se souvenir de ce qu'il a lu hier dans son motel. Se succèdent, dans leur immobilité, les plaines ravinées du Kansas, les interminables plaines, les fascinantes plaines, les fermes, leurs bâtiments regroupés pour se protéger de la brise et les villes étriquées dont les toits semblent flotter sur le blé.

— Gabriella, qu'es-tu devenue? Te souviens-tu de la rue Gît-le-cœur?

Sa femme, son ex-femme n'acceptait pas que Robert Martin ait vécu avant qu'il la rencontre. Elle aurait souhaité qu'il soit venu au monde le jour où ils se sont connus... Mieux vaut penser à autre chose... À ce livre qu'il va bientôt mettre en chantier. Il est heureux de sentir vibrer en lui de nouveau sa passion pour l'histoire. Depuis quelques années, l'histoire le laissait indifférent. Tant de choses le laissaient indifférent. La trop jolie coiffeuse lui reprochait souvent son manque d'enthousiasme. Robert Martin avait perdu le sens du désir. Un de ses vieux maîtres qui s'en était aperçu lui avait dit :

— Le jour où vous ouvrirez vos dossiers sans que votre cœur s'agite comme celui de l'enfant devant l'arbre de Noël, ce jour-là, il sera temps de quitter l'histoire.

Grâce au fermier Dubois, il retrouve la fougue de sa jeunesse. La passion de découvrir lui est revenue. Le passé palpite autour de lui. Il va le faire revivre d'une manière qui va renouveler la perception de l'avenir. Les Canadiens français ont oublié que leurs ancêtres exilés donnaient des noms français aux montagnes, aux vallées, aux rivières, aux torrents et aux villes des États-Unis. Ils ne savent plus que leurs pères ouvraient des sentiers de chasse et des réseaux de commerce sur toute la surface de l'Amérique du Nord. Il proposera à son petit peuple sans mémoire un mythe pour inspirer sa vie quotidienne. Ce livre aura du style. On dira :

« Voilà un historien qui écrit avec le souffle de son âme ! » De la rigueur scientifique, oui ! De l'objectivité dans sa recherche, oui ! Un style, mais aussi des phrases qui claquent comme des éclairs au-dessus de l'Arizona.

L'autoroute fend les plaines, et le ciel du Kansas est paisiblement bleu. Le doyen de l'université reproche à Robert Martin de n'être plus l'historien qu'il était. Il revient en force avec le fermier Dubois. Le doyen devra s'excuser de ses subtiles invitations à démissionner. *Le Fermier Dubois à la conquête de l'Amérique sauvage*: il voit déjà son livre à la vitrine des librairies. Des analyses rationnelles, des documents nouveaux et indiscutables, de la recherche innovatrice, oui ! Mais des personnages ! De l'action ! Ce sera écrit comme se déroule un film ! Avec rythme !

Hier, il a acheté un livre défraîchi, *La Piste de l'Oregon*. Ce récit est peuplé de Canadiens français qui portent les noms de Sorel, Labonté, Chatillon, Rouville, Bissonnette, Lerouge. « Ils sont, dit l'auteur, moitié blancs, moitié indiens et moitié diables. » Ils savent imiter le cri des animaux. Ils préfèrent nager dans les rapides plutôt que de se tenir sur le radeau. Chatillon, quand il part en expédition, ne veut pas se séparer de sa *squaw*. La plupart sont de fameux chasseurs de buffles. Ils sont chasseurs de femmes aussi. L'un d'eux ne craint pas d'attaquer un autre convoi pour enlever une immigrante qu'il a remarquée. Et quel nom Robert Martin a-t-il repéré parmi ces aventuriers en quête d'un paradis ? Dubois ! Cela se passait en 1846. Se pourrait-il que ce trappeur qui a guidé l'auteur sur la piste de l'Oregon soit le même qui, ayant pris de l'âge, s'est rangé pour devenir fermier dans le Colorado ? Robert Martin suivra cette veine comme un prospecteur son filon d'or.

14

Charlie Longsong déteste ces larmes qui s'attardent dans les fissures de sa peau aussi sèche que le désert de l'Arizona. Alors, il s'impatiente et, comme s'il se donnait une gifle, il essuie son visage du revers de sa main gauche. Enfant, il n'a jamais pleuré. Même cette nuit où son père a été tué d'une balle, il a gardé les yeux secs. Au lieu de pleurer, il a tiré sur les bandits. Garder les yeux secs malgré le chagrin, suivre son sentier sans peur et préserver son terri-toire : voilà ce que Petit Homme Tornade a su faire. Un Indien doit traverser ses jours sans que personne puisse lire ses pensées ni sa douleur sur son visage. Un vieil Indien doit traverser sa vieillesse aussi impassible qu'un vieux cactus.

Quand la guerre s'est emparée de son bras, il s'est lamenté, il a crié. Sous la tente, beaucoup de soldats étaient enroulés dans des pansements tachés de sang. Plusieurs pleuraient. Le soldat Longsong a gardé les yeux secs malgré le feu sous ses paupières. Depuis le passage de l'étranger en voiture du Québec, Charlie Longsong aurait besoin de sangloter comme un enfant abandonné. Il sait ce que c'est que d'être abandonné. À la mort de son père, il s'est retrouvé seul dans ce grand trou noir de la nuit où on ne cesse de tomber, seul dans le jour brûlant où la lumière fait encore plus peur que l'obscurité. Petit Homme Tornade n'a pas pleurniché. Aujourd'hui, le vieux Charlie Longsong ne peut retenir ses pleurs. Trop de souvenirs remontent à ses yeux. Regardant autour de lui, il n'aperçoit que son passé. Blanche Larivière s'est réveillée dans sa mémoire ensommeillée. Boire du bourbon n'endort pas la douleur dans son âme.

Après l'hôpital, l'alcool engourdissait le loup invisible qui rongeait son bras. Il veut boire encore. Le monde est trop vaste. Le passé est trop lointain. Sa solitude est trop profonde. Sa mémoire est trop pleine. Sa tristesse est trop tenace. Son corps est trop lourd. Sa soif est démesurée. Sa compréhension est trop faible. Il sait trop de choses. Il ignore trop de choses. Sa main tremble. Son cœur tressaute. Il est si loin de tout, si loin de son père disparu, si loin du temps où il était retourné chez sa mère, si loin de la jeunesse qu'il croirait n'en avoir jamais eu. Il se sent même loin de son Arizona où ses pieds font crisser le gravier et craqueter les broussailles séchées. Il se sent même loin du vieil homme qu'il est devenu. Alors, il boit du bourbon et les cailloux du désert deviennent aussi doux que si les semelles de ses vieilles bottes se posaient sur du ciel bleu.

— Blanche Larivière, 33 Grande Allée, Québec, Canada.

Il a tant bu depuis quelques heures. Le ciel se balance comme un abat-jour au bout d'un fil. Le ciel tangue comme lorsqu'une barge emportait le soldat Charlie Longsong vers la falaise où se nichait l'ennemi... Ah! ce bras arraché le fait souffrir comme s'il vivait, loin de lui. Son bras perdu dans la boue d'un pays de l'autre côté de la mer a toujours refusé de mourir.

Là-bas, est-ce un lézard? Le regard de Charlie Longsong est embrouillé. Il a trop vu de jours. Ses yeux sont usés. Le lézard a perçu les pas du vieil homme. Il court à la recherche d'un refuge. C'est un rusé *chuckwalla*. Il vous sent venir de loin. Ne soyez pas distrait car, très vif, il disparaît. Il se dirige vers le rocher qui fait le gros dos au soleil. Aucune viande n'est plus savoureuse, car le *chuckwalla* se nourrit de fleurs fraîches. Charlie Longsong devine exactement où l'animal s'est réfugié. Il ne titube plus. Son pas est prudent, précis, silencieux sur le gravier. Il scrute dans la direction où son ombre est projetée. Il ne pense plus à son chagrin. Il est un chasseur et il va donner la mort. Il se penche doucement. L'animal mérite du respect puisqu'il va mourir. Charlie Longsong connaît ces lézards. Ils se faufilent dans une fissure et se gonflent comme un ballon. Le *chuckwalla* se tient de cette manière, coincé comme une cheville dans un trou. Le chasseur fera comme les Anciens. Il ouvre son canif et il appointe le bout d'une branche sèche. La main gauche ne devrait pas trembler, mais il est devenu si vieux. Il pique une fois, deux fois, trois fois la peau du lézard, qui, troué, se dégonfle. Alors, il est facile de cueillir la petite bête. Elle se rend. Elle n'essaie même pas de fuir. Il la cueille dans la fissure comme une amande dans sa coquille. Il lui fracasse la tête contre la pierre et lui ouvre le ventre d'un coup de lame. Avec des herbes sèches, des ronces, il allume un feu. Il embroche le lézard sur une branche fine qu'il tourne lentement au-dessus de la flamme en regardant le ciel où disparaît le temps.

L'autre nuit, la Lune était haute. C'était l'heure où les songes règnent sur la Terre. Charlie Longsong a vu son père apparaître au bout du désert. Il s'en venait comme approche une tornade. Il l'a attendu. Même si son père était loin, il pouvait entrevoir la forme de son visage malgré l'ombre qui masquait ses traits. Bientôt, la jument noire au galop est venue tout proche de Charlie Longsong. Ses sabots silencieux ne soulevaient pas la poussière. Il se rappelle le souffle chaud des naseaux de l'animal dans son cou. Le vieux Petit Homme Tornade a imploré son père :

— Papa, papa, emmène-moi sur la Grande Allée, à Québec, Canada, pour revoir l'infirmière qui a si bien pris soin de moi.

Son père n'a pas écouté sa demande et il a continué comme un nuage poussé par le vent qui ne s'arrête pas pour un vieil Indien. Il n'a pas tourné la tête pour regarder son fils. Il n'a pas ralenti sa monture pour l'inviter à se promener avec lui. Charlie Longsong se rappelle très bien cette visite. Il ressent encore la tristesse que lui a laissée son père en passant comme un étranger, sans tourner le regard vers lui. Qu'il aimerait voir son père revenir dans la lumière du jour, s'arrêter et descendre s'accroupir près du feu ! Charlie Longsong lui offrirait son lézard.

Son père l'a vu naître avec deux bras comme un homme. Il ne lui a jamais demandé :

— Qu'est-ce que tu as fait de ton bras droit ?

Dans son uniforme de soldat, Petit Homme Tornade était couvert de sang. Il appelait au secours. Il lui semblait qu'un obus explosait chaque fois que battait son cœur. Chaque explosion arrachait son bras qui repoussait pour de nouveau être arraché. Quelle torture ! Son corps n'était qu'une plaie béante. Autour de lui, l'on pleurait, l'on geignait. Cet hôpital improvisé dans une grange était rempli de jeunes hommes comme lui en sang dont les membres avaient été déchiquetés. Ils étaient étendus l'un contre l'autre dans du foin. Leurs membres restants se touchaient. Parfois, ils se donnaient des coups comme pour se venger sur l'autre de leur mal. Des visages blancs venaient se pencher sur lui. Ils se parlaient entre eux. C'étaient des docteurs, des infirmières. Ils donnaient des comprimés à avaler, distribuaient des injections. Leurs uniformes étaient maculés de sang. Un jour, une infirmière est venue nettoyer son visage, puis son cou, puis sa poitrine. Il n'était plus couché dans le foin, mais sur un grabat. Elle a lavé tout son corps. Il l'a laissée faire. Il s'est aperçu qu'il n'avait plus mal. Il n'avait plus son bras droit mais il se trouvait sans douleur comme il était avant la guerre, avant ce jour où il y avait autant d'explosions qu'il y a de marguerites dans les champs d'Angleterre. Il voulait rester dans son lit. Il avait peur de se tenir debout.

Petit Homme Tornade ne connaissait pas beaucoup les femmes. Celles qu'il avait payées en Angleterre n'avaient pas un sourire comme celle-là. Il voulut lui toucher la main, mais il n'avait plus son bras droit. Elle avait remarqué sa tentative de mouvement :

— Vous allez beaucoup mieux, vous! réagit-elle. Je me suis occupée de vous quand vous ne vous aperceviez même pas que j'étais près de vous. Vous ne saviez même pas que vous étiez encore vivant...

Le temps passe et tout s'en va avec lui. Il ne reste que le désert de l'Arizona et les *saguaros* avec leurs bras implorant le ciel. Il ne reste qu'un vieil Indien qui se souvient avec peine de sa jeunesse, qui se souvient si mal... Ses jours ont été emportés comme lorsque le vent de la Santa Anna, en novembre, repousse ailleurs le sable. C'est une idée trop triste pour un vieil homme. Il boit une gorgée de bourbon. Dans le cactus, près du buisson de créosote, il a repéré un nid de colombes. Elles sont intelligentes, les mignonnes. Elles savent protéger leurs œufs. Elles construisent leur nid dans un écrin d'aiguilles, là où elles sont le plus serrées. Cueillir un œuf défendu par toutes ces aiguilles hérissées est un jeu. Petit Homme Tornade s'y est souvent amusé. Son père lui avait enseigné comment faire. A-t-il raconté cela à l'infirmière?

D'abord, il ne parlait pas. Il ne pouvait que hurler. Spasmes. Douleurs. Brûlures. Il souffrait. Un loup triturait le moignon encore accroché à son épaule. Il ne voyait rien. La nuit était rouge. Était-ce du sang? Le feu des explosions ne voulait plus s'éteindre dans ses yeux. Plus tard, il a aperçu l'infirmière. Son tablier était bariolé de sang. Elle était venue l'aider à boire. Encore plus tard, elle lui a dit :

— Si vous voulez que je croie que vous êtes un véritable Indien, vous devez guérir au plus vite et sortir de ce lit.

D'un mouvement brusque, son bras valide repoussa les couvertures et le soldat Longsong se dressa pour s'écrouler.

Cette infirmière n'était pas comme les filles dans les pubs d'Angleterre qui montaient avec les soldats dans les chambres. Une autre fois, en remplaçant son bandage, elle a demandé :

— Où vivez-vous en Amérique?

— Dans le désert, en Arizona.

— En Arizona! répéta-t-elle, étonnée; comme dans les films, avec la poussière, le soleil et les cactus et les canyons?

Elle voulait tout apprendre.

— Mangez-vous des légumes dans le désert?

— Avec un bâton pointu, on creuse un trou d'un pied de profondeur. On enterre au fond quelques grains de maïs. De cette façon, ils profitent de l'humidité qui se cache dans la terre.

— Comment conserve-t-on la nourriture?

— On creuse un trou dans le sol, plus grand qu'un seau. On y dépose le seau. On entoure le seau avec du sable. On trouve de l'eau pour humidifier le sable. Puis on dépose la nourriture dans le seau. Et on recouvre le trou avec des feuilles, de l'herbe, des arbustes. Ou bien, on coupe la viande en lanières et on la laisse sécher sur une branche.

— Qu'est-ce qu'on mange encore?

— Là où il y a de l'eau, on peut trouver le *mesquite*. C'est un arbre qui donne des haricots dorés. Les petites fèves ont un goût sucré. Il y a aussi le yucca. C'est un cactus deux fois plus haut qu'un homme. Au printemps, il se couvre de fleurs blanches. Les missionnaires l'appelaient «le chandelier du Seigneur». Ils trouvaient que les fleurs blanches ressemblaient aux gouttes de cire collées à la chandelle qui brûle. Le yucca donne une banane sucrée. Le désert est sévère mais généreux. Sous une touffe d'innocentes petites fleurs pourpres, on peut trouver une longue racine tendre, juteuse, sucrée. Les dieux ont voulu que les Indiens habitent le désert; alors ils ont déposé de la nourriture partout. Il suffit de la ramasser.

Quand il parlait à l'infirmière, les autres patients criaient au secours comme s'ils allaient mourir. Elle remontait les couvertures sous son menton:

— Voilà ce que c'est que de trop parler. Vous êtes fatigué, il faut vous reposer.

Une fois, elle lui demanda:

— Pourquoi êtes-vous venu faire la guerre?

78

— J'ai suivi les *Bohanas*, les Blancs. Un Indien ne devrait jamais suivre les Blancs... Toi, qui as-tu suivi?

— Je n'ai suivi personne. Je vivais dans ma ville, au Canada, sur le bord d'un grand fleuve. Tout était paisible. Les moineaux et les politiciens piaillaient. Je ne pouvais supporter cette paix. Mes ancêtres sont venus de France. J'ai voulu voir le pays de mes ancêtres. Puis, la guerre a éclaté... Une jeune fille ne peut arrêter la guerre, mais elle peut apaiser la souffrance des guerriers.

Charlie Longsong entend encore sa voix. Elle prononçait les mots comme si elle avait chanté.

Après son retour de la guerre, il se rendit souvent au poste de traite pour faire écrire des lettres à Blanche Larivière. Tant d'années ont passé depuis. La propriétaire était une *Bohana* venue du nord. Elle savait parler aux gens du nord, même si Blanche Larivière vivait encore plus loin que son nord. Elle était bonne, la propriétaire. Elle disait :

— Je ne vais pas refuser de prêter ma main à un jeune homme qui a donné la sienne à la guerre...

Comme si elle avait écrit ses propres lettres, elle assurait que Charlie Longsong pensait toujours à Blanche Larivière, qu'il ne pourrait jamais l'oublier, qu'il voudrait toujours penser à la rue Gît-le-cœur (elle ne savait pas épeler ce nom-là) ; elle affirmait qu'il voyait son visage sourire dans le ciel, qu'il rêvait à elle la nuit comme le jour, qu'il souhaitait tenir sa main pour le reste de leur vie ; elle inventa que la main qu'il avait perdue n'était pas morte car elle rêvait de caresser la joue de Blanche. (Petit Homme Tornade n'aimait pas cette idée mais c'est la propriétaire qui savait écrire.) Elle a écrit plusieurs lettres pour lui.

Il a décidé de retourner au poste de traite. Il a décidé de ne pas attendre. À grandes enjambées, comme un jeune homme qui a toute la force de celui qui ne sait pas encore ce qu'il va devenir, le vieux Charlie Longsong marche vers le hameau. Un souci le préoccupe. Les gens ne sont plus comme ils étaient. On n'aime plus les vieux. On n'aime pas aider.

Depuis quelque temps, une nouvelle caissière règne à son comptoir. Acceptera-t-elle d'écrire une lettre pour lui ? Cette incertitude l'inquiète. Parce qu'il est inquiet, il boit une rasade de bourbon. Il sait ce qu'il veut écrire à Blanche Larivière : « Je pense à vous jour et nuit. Il faut se revoir avant d'être appelés au pays des morts. Vous n'avez pas vu mon désert et je n'ai pas vu votre neige. » Voilà ce qui devra être écrit.

Il entre au poste de traite. La détestable caissière est occupée avec des visiteurs égarés. Des pastèques ventrues sont empilées dans la section des fruits. Il voudrait en soulever deux mais elles sont lourdes cette année, si lourdes. Il n'a que sa main gauche. Finalement, il n'en prend qu'une et l'apporte au couple d'étrangers :

— Tenez, je vous la donne. Tout ce magasin est à moi. Toute cette terre est à moi...

— Oh ! n'est-ce pas charmant ! s'exclame la dame. Est-ce que je peux vous prendre en photo avec nous ? Chéri, replace ton toupet pour la photo. Est-ce que quelqu'un veut nous photographier ? C'est facile. Tout est automatique. Nous n'avions pas encore pris une photo avec un vrai autochtone vivant.

15

Missouri... Illinois... Robert Martin remonte au nord, vers Chicago, Detroit, le Canada, et finalement, à l'est, la province de Québec. Il n'a pas hâte d'arriver. Pourtant, il conduit à vive allure. Il a perdu sa femme. Il ressentira toujours, il le sait, la brûlure de cette séparation. On dit que les amputés éprouvent la douleur dans leur membre absent. Robert Martin souffre, mais il est un homme avec un projet ambitieux. Il racontera l'épopée de l'Amérique telle que l'ont vécue les Canadiens français. Il regrette de n'avoir pas eu le courage de faire monter à son bord cet Indien qu'il a laissé en Arizona. Robert Martin aurait pu voir les paysages, suivre les routes en regardant avec les yeux du vieil Indien dépossédé de tout sauf de la mémoire de ses ancêtres. Peut-être ce vieux pleurnichard ne voulait-il faire qu'une escapade touristique ? Il prétendait connaître quelqu'un à Québec. C'est un vieux truc. Robert Martin n'est pas si naïf...

— Monsieur le doyen, quel livre je vais écrire !

Après les champs plats du Kansas tapissés de lupins, voici les gentilles collines rondes du Missouri. Une brochure touristique lui apprend que les dix mille premiers colons de cet État étaient des Canadiens français. Le fermier Dubois est-il passé par ici ?

Hier, avant de s'endormir, parce qu'il ne voulait plus être préoccupé par son divorce, ni par cette trop jolie coiffeuse qu'il aime encore, qu'il a adorée jusqu'au vertige, parce qu'il ne voulait plus penser à sa solitude sur les routes d'Amérique, Robert Martin s'est absorbé dans un autre livre ancien qu'il s'est procuré à Providence. Des centaines de milliers de Canadiens français exploraient les sentiers de l'Illinois, de l'Indiana, du Wisconsin, de l'Arkansas, de la Californie, du Nouveau-Mexique et de la Louisiane. Ils inventaient les métiers qu'il fallait pour survivre. Un Ruelle découvrit l'or de Sutter Mills, ce qui déclencha la ruée de centaines de milliers d'aventuriers en Californie. À Santa Fe, au Nouveau-Mexique, les premiers commerçants furent des Canadiens français comme Henri Mercure, né à Québec. Le célèbre Frémont, qui conduisit en 1840 une expédition scientifique dans l'ouest des États-Unis, fut guidé par des Canadiens français. Des Canadiens français ont combattu les Mexicains pour consolider la domination des États-Unis sur la Californie. Ménard, un riche Canadien français, se fit construire un château à Gavelston, au Texas. Chabot, qui n'avait pas longtemps fréquenté l'école de son village québécois, est devenu millionnaire après avoir inventé des systèmes hydrauliques. C'est lui qui installa dans la ville de San Francisco son premier système d'approvisionnement en eau. Aubry établit le premier réseau de circulation commerciale entre la Californie et le Nouveau-Mexique. Né à Maskinongé, au Québec, il est mort en 1854, à l'âge de trente ans, tué par l'homme avec qui il avait une chaude discussion au sujet de l'endroit le plus approprié où tracer le futur chemin de fer vers Santa Fe. Exaspéré par ses arguments tenaces, son interlocuteur lui enfonça son couteau en plein cœur. Un autre Canadien français, Nadeau, faisait le transport de l'argent et du plomb en Arizona, au Nevada et en Californie ; il possédait cent mules et une centaine de chariots à hautes roues cerclées d'acier. Aurait-on appelé Provo cette ville de l'Utah si le trappeur Provost, un autre Canadien français, n'avait pas le premier posé ses pièges à cet endroit ?

Ces hommes, sans avoir chaussé les bottes de sept lieues du géant, ont parcouru comme le Petit Poucet du conte de vastes étendues. En passant, ils distribuaient des noms français aux rivières, aux vallées, aux montagnes, aux villes nouvellement surgies. Robert Martin s'est penché ce matin sur ses cartes géographiques pour relever les noms français que ces hommes rudes à la langue belle ont laissés sur leur passage et qui ressemblent à des fleurs précieuses : Nez Percé, Washington ; Fort Défiance, Arizona ; la rivière Purgatoire, Colorado ; le lac Pomme de terre, Missouri ; la rivière Bon Beurre, Missouri ; la rivière Qui Court, Missouri ; Cache à poudre, Colorado ; Plume Rock, Wyoming ; Bruneau Dunes, Oregon ; Bellefontaine, Ohio ; Bonne terre, Missouri ; Crève-cœur, Illinois ; Pigeon, Michigan ; Grand Téton, Montana ; la rivière Marais de Cygne, Kansas ; Terre Haute, Indiana ; Missouri ; les monts Cœur d'Alène, Montana ; Belle Vallée, Ohio ; Pend Oreille, Idaho ; Poteau, Oklahoma ; le lac Malheur, Oregon ; Racine, Wisconsin ; Grande Prairie, Texas ; Des Plaines, Illinois ; Gros Ventre, Wyoming ; Belle Fourche, Dakota du Nord ; Eau Claire, Michigan ; Des Moines, Nouveau-Mexique ; Ledoux, Nouveau-Mexique ; Bouse, Arizona... Ces noms français ont été distribués par des aventuriers fatigués, affamés, égarés et ivres de rêves. Les gens qui les répètent aujourd'hui font écho à ces voix disparues. Ces noms français qui flottent sur la mémoire du temps sont les belles épaves de ces aventures englouties dans l'oubli. Jamais Robert Martin ne saura rapporter ces faits. Il sait que son ignorance est aussi vaste que ce continent. Il n'a pas écrit l'histoire qu'il aurait dû raconter. Tant d'autres noms français ont été jetés sur la terre d'Amérique par ces Canadiens français qui fuyaient leur misère. Ils n'étaient pas des conquérants. Ils n'avaient pas l'ambition de bâtir un empire. Ils passaient. Ils passaient sur ce territoire pour aller vers l'inconnu. Rien ne reste d'eux que ces noms éparpillés sur les cartes et peints sur des panneaux plantés dans tous les recoins de l'Amérique du Nord. Un fascicule d'une société historique proclame que ces Canadiens français ont plus de douze millions de descendants aux États-Unis. L'historien se sent fier comme s'il était leur père. Quelle histoire ! Voilà ce qu'il faut raconter ! Le fermier Dubois sera l'Ulysse de cette épopée américaine ! Que Robert Martin aimerait écrire à son doyen une lettre de démission :

« Monsieur le doyen,

À la suite du succès de mon livre récent, confirmé par la critique tant universitaire que populaire, je vous annonce ma démission du poste de professeur adjoint de votre faculté. La médiocrité que vous avez établie comme norme m'est inacceptable tant moralement que professionnellement. Je ne puis donc rester plus longtemps condamné aux travaux forcés dans votre poulailler où il est mieux vu de caqueter que de penser. »

Robert Martin applique les freins. Emporté par son nouveau projet, il roulait trop vite. Dans le ciel bleu ondulé comme la prairie, une grue, toute seule dans l'espace, agite les ailes comme les bras d'un grand chef d'orchestre. C'est un oiseau du nord. Le Canada est proche.

Qui est-il comparé à ces aventuriers, à ces géants du passé qui s'éclairaient d'une étoile et se nourrissaient comme survivent les bêtes sauvages ? Il n'est qu'un intellectuel, un historien fatigué, un écrivain essoufflé aux idées blêmes, un fonctionnaire pensionné avant même que d'être à la retraite. Le rêve de ces géants du passé inventait un continent et le remplissait des trésors qu'ils partaient découvrir. Qui est-il ? Ses enfants porteront-ils au moins son nom ?

Il n'aurait pas dû téléphoner à son avocat, hier soir. Chaque fois, il sait qu'il va être frappé par une catastrophe. Mais il ne peut s'empêcher de lui parler. Il est fasciné par le nouveau malheur que va annoncer sa voix. Sa femme, son ex-femme, sa trop jolie coiffeuse exige que leurs enfants prennent le nom de leur mère. Motif invoqué : indignité du père.

Pourquoi remonte-t-il vers le Canada ?

Sa voiture est chargée de livres. Sa femme, son ex-femme aimait les livres, mais à condition que leur couverture s'harmonise avec la peinture moderne au mur qui s'agençait avec la couleur des meubles qui répétait celle des tentures. Elle serait désespérée de voir arriver cette cargaison de livres défraîchis, racornis, décousus, débrochés, chiffonnés, pleins de cicatrices, tachés comme de vieux vêtements.

Elle n'aimait pas vraiment les livres. Coiffeuse pour dames, elle n'aimait pas non plus sa vie d'intellectuel. Ses clientes vivaient, croyait-elle, comme des reines. Elle écoutait les récits de leurs voyages dans des pays ensoleillés et leurs aventures dans des boutiques coûteuses. Leurs maris apparaissaient parfois à la télévision locale. Ils étaient des hommes importants. L'argent était comme de l'air autour d'elles. La trop jolie coiffeuse écoutait leurs confidences. Elle ne connaissait que des garçons coiffeurs et ils n'aimaient pas les filles.

Robert Martin la rencontra à un arrêt d'autobus. La rue était glacée. L'air froid râpait les visages. Les joues rouges, elle était vraiment jolie avec son chapeau de fourrure. Le même autobus les a pris. Ils échangèrent des regards mais pas un mot. Le lendemain, il revint un peu plus tôt à l'arrêt d'autobus. Elle s'était aussi présentée un peu plus tôt. Il espérait la revoir. Elle espérait le revoir. Ils se sont dit :

— Le temps est moins froid aujourd'hui.

— Le temps était plus froid hier.

L'autobus est arrivé. Une banquette était libre. Ils se sont assis ensemble. Il a dit :

— Je descends à l'université.

— Vous êtes un étudiant ?

— Non, j'ai terminé mes études.

— Moi aussi.

— Je reviens d'Europe. J'ai étudié à l'Université de Paris.

— J'aimerais bien aller à Paris...

Elle avait bégayé légèrement. Ce jeune homme qui avait étudié en Europe lui pardonnerait-il de n'avoir pas voyagé ni étudié comme lui ? Elle retrouva son assurance pour déclarer :

— Je suis dans l'art de la coiffure esthétique.

— J'enseigne ici. Je descends. Demain aussi, j'ai des cours à la même heure. Je t'inviterai à l'université…

Robert Martin n'aimait pas beaucoup l'université. Il aurait souhaité écrire des livres d'histoire sans avoir à subir l'université. Ses étudiants semblaient avoir abouti en histoire par erreur. Durant d'interminables réunions de département, ses collègues plus âgés se disputaient comme de vieux époux ; il devait les écouter se chamailler pour la place d'une virgule dans un procès-verbal d'une précédente réunion. L'université était une forteresse où la vie réelle ne pénétrait pas.

Bientôt la trop jolie coiffeuse emménagea dans l'appartement de Robert Martin. Pendant qu'il lisait, écrivait des notes ou révisait le manuscrit de son premier livre, elle arrangeait ses boucles devant le miroir. Elle regardait les photographies dans ses magazines de mode. Cela était très bien. La vie de Robert Martin n'était que livres et lecture. Les gens de son entourage, ses collègues lisaient trop. Il était délicieux d'habiter avec quelqu'un qui détournait ses yeux de l'imprimé comme de la misère du monde. Il travaillait avec des gens qui, avant d'éprouver un sentiment, prenaient la peine de consulter tous les écrits sur le sujet depuis Sumer. Sa trop jolie coiffeuse pour dames réagissait comme un oiseau, comme un papillon, comme un ruisseau, comme une feuille dans un peuplier. Robert Martin enviait sa belle ignorance.

Elle avait une manière simple de poser des questions essentielles dont l'aspect naïf cachait une profondeur que n'ont pas les questions futiles avec lesquelles se torturent les esprits coincés par leur savoir. Souvent, il considérait l'histoire avec les yeux de sa trop jolie coiffeuse. Il ne cachait son mérite à personne. Ne disait-il pas alors :

— Elle est l'auteur de mes livres. Je ne suis que son dévoué secrétaire…

Quel imbécile il a été ! Elle a cité ses paroles dans le dossier de leur divorce. Elle réclame ses droits d'auteur, tous les arrérages et l'intérêt composé accumulé.

Peu de temps avant leur mariage, Robert Martin jugea qu'il devait se confesser de son aventure avec Gabriella, la Brésilienne. La trop jolie coiffeuse écouta la description du splendide jardin de craie sur le trottoir ; elle entendit, les lèvres pincées, le récit du premier dialogue avec Gabriella. Quand il entreprit l'histoire de leur départ vers la Provence sur le scooter bosselé, avec la tente et les sacs, elle lui demanda s'il ne s'était pas senti un peu honteux de partir avec une inconnue. Au moment de son récit où il mentionna que le soir tombait et qu'avant le serein il fallait monter la tente, elle commença à feuilleter un magazine ; elle tournait les pages comme si les photos l'avaient irritée. Il peignit les couleurs du soleil couchant. Ce soir-là, l'air des montagnes, les parfums qui émanaient de la terre flottaient dans l'azur et l'air de la mer au loin créait des voiles invisibles sur lesquels se réverbéraient et se multipliaient les splendeurs du ciel de Provence :

— Tu ne m'as jamais donné une nuit comme ça au Canada.

Robert Martin savait qu'il était maladroit. Pourquoi avait-il insisté sur la beauté de cette nuit-là ?

— Tu veux que je devienne jalouse ?

S'il était si bavard, c'est qu'il voulait être sincère. Il aimait sa trop jolie coiffeuse. Quand on aime, on doit tout dire, pensait-il à cette époque. « Là où subsiste un secret entre deux personnes, l'amour ne peut pas fleurir. » C'était une phrase d'un manuel de préparation au mariage qu'il fallait lire à cette époque... Donc, il révéla tout.

À partir de ce moment, il fut interdit de prononcer les mots *Brésil*, *Provence*, *scooter*, *tente*. Voilà comment sa trop jolie coiffeuse fit la guerre à cette Brésilienne qui avait osé passer dans la vie de son homme en une fin d'été de sa jeunesse. Par cette capacité innée des femmes à lire dans l'âme de leur homme, sa trop jolie coiffeuse savait que l'artiste des fleurs de craie habiterait pour toujours la mémoire de Robert Martin et qu'elle ne quitterait jamais ses rêves.

Qu'est devenue Gabriella ? A-t-elle rencontré un fils d'ambassadeur ? A-t-elle rencontré un ouvrier qui l'a emmenée dans une tour de banlieue ? Sait-elle encore créer des fleurs qui auraient pu inspirer Dieu lui-même ? Est-elle devenue une femme grosse entourée de sa portée d'enfants ?

Leurs propres enfants ont grandi. Sa trop jolie coiffeuse s'ennuyait. Elle détestait la vie universitaire :

— Les gens ne vous parlent que si vous ressemblez à une encyclopédie, se plaignait-elle.

Elle n'aimait pas les collègues de son mari ; elle leur reprochait de sentir le papier moisi. Elle méprisait les femmes, surtout, qui étaient fières d'avoir les cheveux en pagaille.

Un soir, dans le but d'amasser des dons en faveur des chats errants victimes de la négligence de leurs maîtres, une galerie d'art organisa une exposition de ses artistes. Entre les œuvres, inspirés par les œuvres, des artistes de la coiffure sculptaient la chevelure de dames riches qui étaient généreuses pour les chats. Sa trop jolie coiffeuse fut choisie pour sculpter la chevelure d'une patronne d'un syndicat d'employés. La patronne syndicale revenait de dîner, elle avait un peu trop bu, elle était un peu trop rieuse, elle avait des désirs brillants dans les yeux. Elle tenait à présenter à la trop jolie coiffeuse celui qui avait dîné avec elle : un charmant jeune homme qui voyageait à travers le monde et en revenait avec des images étonnantes :

— Regardez au mur. Vous voyez cette sculpture naturelle dans le roc ? C'est lui qui l'a photographiée. Il dit que les paysages du Grand Canyon en Arizona sont de la musique figée dans la pierre. Un charmant garçon...

Robert Martin voudrait oublier tout cela. Sa trop jolie coiffeuse est rentrée très tard, à l'aube... À l'aube avancée... Au matin... Elle n'était pas fatiguée. Elle prépara le café du petit déjeuner en chantant. Elle avait apporté avec elle des photographies de rochers, de cactus, du désert.

— J'aimerais voir cela en nature. C'est en Arizona, précisa-t-elle.

Comment pouvait-elle savoir ? Elle confondait l'Australie et l'Italie. Robert Martin voudrait que tout cela ne soit pas arrivé. Il s'est mis en colère. Lui, qui était un homme éduqué, un homme de réflexion, un historien qui cherche discrètement dans le temps passé, hurlait comme une bête prise au piège.

À la fin de la journée, un huissier frappa à la porte de son bureau. Il apportait une requête en divorce. Il était accusé de violence. Oui, il avait crié fort car sa peine était douloureuse. Oui, il pleura violemment.

Et il est parti. Aurait-il pu s'enfuir ailleurs que vers l'Arizona ?

16

Un homme sait qu'il est devenu vieux quand il ne retrouve plus ses objets. L'autre jour, Charlie Longsong a cherché sa carabine pendant des heures. Il craignait de passer la nuit sans son arme. Même celui qui connaît le désert ignore ce qui se cache dans la nuit. Il l'a cherchée partout. Il était si fatigué par l'inquiétude qu'il en avait des sueurs dans le dos. Plusieurs heures plus tard, il a aperçu la carabine à sa place, posée sur les deux clous au mur de son *hogan*, là où il la range toujours.

Il oublie ses mots aussi. Comment s'appelle le tourbillon de vent qui attire dans son remous le sable fin, les herbes sèches, les fétus, les aiguilles, les feuilles tombées des taillis, et qui tourne comme une toupie dans le désert ? Depuis des jours, il cherche le nom de cette colonne de débris légers que le vent serre en un écheveau et fait tourner.

Ce dont il aimerait bien se souvenir, c'est la raison pour laquelle Petit Homme Tornade a un jour quitté son *hogan* et s'est laissé emmener si loin, de l'autre côté de la mer, pour se battre. Ce n'était pas une guerre contre les Indiens. C'était la guerre des *Bohanas* contre les *Bohanas*. Les Blancs voulaient faire disparaître d'autres Blancs. Qu'était-il venu faire là, lui, l'Indien ? Là, rien n'était plus pareil. On portait un uniforme. Il n'avait plus le droit de marcher comme il avait toujours marché. Il n'avait plus le droit de porter sa carabine comme il l'avait toujours portée. La terre était verte partout. Cette verdure vous étourdissait. Et il avait vu la mer, qu'il n'avait jamais vue auparavant. C'était comme si tout le désert s'était changé en eau qui gigote. Quant à la guerre, c'était une énorme tempête noire et rouge. Les dieux des Indiens n'ont jamais été assez méchants pour en déchaîner une semblable. Pourquoi Petit Homme Tornade était-il là ?

Les derniers jours ont été visités par des nuages tranquilles qui sont passés calmement au-dessus de sa terre. Charlie Longsong s'est fait très attentif. Il les a contemplés. Il les a écoutés. Sous la forme de nuages, les ancêtres viennent visiter la génération vivante. La voix des ancêtres lui a dit que, sur le territoire de la lumière, un homme ne peut marcher à l'encontre du temps. Un homme doit porter le fardeau de son âge aussi loin qu'il le peut et avancer au bout de sa vieillesse. Tel est le destin. Là, il trouvera une caverne. L'entrée en est si sombre qu'il hésitera. Là seulement lui sera donné le privilège d'être de tous les temps et de flotter dans le ciel, son âme enveloppée dans un nuage.

Une prière ancienne lui monte aux lèvres :

— *Tunkasila Wakan Tanka, Unci Maka, Tatuye Wiyihpeyata*, Grand-père, Grand Esprit, tu es l'ultime pouvoir créateur de l'Univers. Grand-père, tu as donné la vie à beaucoup d'esprits sur cette Terre et à chacun tu as enseigné une manière de vivre. Je viens du ventre de ma mère, la Terre, et tu m'as donné la vie. Tu m'as donné le cadeau d'apprendre de mes frères ailés et de ceux qui ont deux ou quatre pattes, de ceux qui vivent dans l'eau, comment vivre sur le bon chemin...

Charlie Longsong n'arrive pas à s'endormir. La pluie tambourine sur la tôle ondulée de son *hogan*. Autrefois, il aimait marcher sous la pluie, comme ses ancêtres qui n'avaient même pas besoin de vêtements pour se protéger. Ils étaient assez forts, sous leur peau, pour ne pas sentir le froid. Puis les *Bohanas* sont venus, ils ont apporté des vêtements chauds et les Indiens sont devenus aussi fragiles qu'eux. Par sa porte, Charlie Longsong regarde tomber la pluie et tremble à craindre le froid. La nuit est belle : c'est un grand désert privé d'étoiles. Pour se réchauffer, il boit une gorgée de bourbon.

En cette saison où les *arroyos* se remplissent d'eau, un peu de patience est nécessaire. Le temps passera comme les voitures folles sur la route.

Quelques jours plus tard, le vent en colère cogne sur son toit de tôle. Il ne peut plus dormir ; il se lève. La terre est toute blanche. Il n'a jamais vu de neige ici. Il pense à ce que tout le monde dit : à cause du mal qui a été fait à la Terre, elle est devenue malade. C'est la faute aux *Bohanas* avec leurs voitures, leurs usines et leurs inventions. Les Indiens ne font pas mal à la Terre qui est notre mère. Son désert est couvert de neige comme la terre natale de Blanche Larivière.

Elle n'a pas voulu descendre en Arizona. Elle n'a pas voulu le revoir. Devant le sol qui luit comme un miroir sous le ciel noir, il se rappelle très précisément. Il a fait écrire des lettres au poste de traite. Plusieurs lettres. Il lui disait qu'il voulait se trouver près d'elle. Il lui offrait de monter dans son pays du nord. Elle n'a jamais répondu. Elle n'a pas voulu le revoir. Il a fait écrire d'autres lettres. À son âge, un homme a oublié tant de choses... Mais un homme se souviendra toujours d'avoir été oublié.

Une ombre a bougé. Serait-ce son père sur sa jument noire ? Les sabots de la bête, cette fois, sur la neige, laisseront-ils des empreintes ? La Lune est ronde et claire. La Terre scintille. Petit Homme Tornade se souviendra toujours de ses cavalcades avec son père. La jument noire était fière comme les fiers chevaux des années anciennes, quand les ancêtres traversaient les déserts et les prairies, libres comme le vent. Son père se tenait droit comme celui qui possède la terre reçue des ancêtres pour la transmettre aux descendants. Petit

Homme Tornade se dressait comme l'enfant qui apprend à devenir un homme. Il attendait le moment de gloire où son père lui cédait les rênes. Le cheval lui obéissait comme à un homme.

Les dieux ne mettent pas pour rien des désirs dans l'âme des hommes. Les désirs annoncent ce qui va arriver. Un jour, Charlie Longsong n'en doute pas, son père va venir le prendre sur sa jument noire pour une chevauchée vers le pays des nuages où la vie recommence.

Quelques heures plus tard, il pleut. Son paysage est voilé de morosité. Comme il ne peut rien voir dehors, il regarde dans son âme. Les pensées s'agitent comme l'eau dans les *arroyos*. Il y a longtemps, des étrangers sont venus pour chasser Petit Homme Tornade et son père de cette terre. Quand Petit Homme Tornade a fait feu, ils se sont enfuis comme les *Bohanas* s'enfuient quand les Indiens se défendent. Aujourd'hui, il possède cette terre comme son père l'a possédée. Tout ce qu'il y a sur cette terre est à lui. Alors, il peut donner tout ce qu'il y a sur cette terre car un homme doit partager ce que sa terre lui donne. Au poste de traite, les *Bohanas* ne comprennent pas ça. Ils ne savent pas partager, ils n'ont appris qu'à prendre. Ils rient et leurs visages blancs rougissent quand il leur présente des pastèques, des bouteilles, des laitues, des fruits ou des chemises. Mais il n'a pas de fils. À qui va-t-il léguer sa terre ?

Au contraire de son père, Charlie Longsong n'a pas un fils à asseoir sur son cheval qui le promènerait au bout de sa terre pour le faire rêver devant les horizons, à qui apprendre à distinguer les parfums des plantes en expliquant leur nom, en disant le moment où il faut les cueillir et pour quel usage. Il n'a pas un fils à qui il ferait humer l'odeur des brises et à qui il apprendrait à interpréter les messages des ancêtres qui habitent les nuages. Il n'est pas un père. Charlie Longsong n'aura été qu'un fils. Quand un homme a un fils, attend-il encore que son père l'emporte ? Un vieil homme sans fils est un enfant sans père.

La guerre s'est emparée de son bras. Quelque chose a aussi été arraché de son âme. Il ne sait quoi. Il n'a jamais su. La guerre lui a soustrait une partie de son âme comme elle l'a dépouillé de ces années qui ne reviendront pas. Sans la guerre, que serait-il devenu avec son âme entière et ses deux bras ? Que serait-il devenu sans cette douleur qui ne sommeille jamais et qui n'oublie jamais le bras perdu ? Que serait-il devenu sans cette tristesse qu'il a attrapée au combat ?

Au printemps, les *chollas* sauteurs fleurissent. Ces cactus sont pleins de bras avec des mains à deux ou trois doigts. Quand ils ont fleuri, les doigts tombent au sol. Le vent les pousse en les faisant sauter. Ce segment va finalement s'enraciner plus loin. Là commencera une nouvelle colonie. Son bras tombé de l'autre côté de la mer, son bras égaré, aurait-il commencé une colonie de Petits Hommes Tornade ? Pourquoi ces idées folles ? C'est la neige, c'est la pluie, c'est le silence de Blanche Larivière, c'est l'abandon de ce voyageur venu du Québec qui n'aurait pas dû passer en Arizona... Il boit une gorgée de bourbon comme on prend une profonde respiration.

La pluie a cessé. La lumière s'approchant repousse la nuit. Ce sont les colombes du matin qui vont être contentes ! Elles trouveront à boire juste à côté du cactus où elles nichent plutôt que d'avoir à fendre les vents du ciel jusqu'aux sources cachées dans la montagne. À cette heure, le coyote retourne à la lisière pour trouver gîte et fraîcheur ombragée. Petit Homme Tornade en voyait parfois, fiers et rassasiés, avec encore une proie qui pendait dans leur gueule ; parfois, ils étaient bredouilles, condamnés à lécher la croûte de sel qui se forme au-dessus des trous par où l'eau de pluie s'écoule. Charlie Longsong n'en a pas vu depuis longtemps.

Il y a moins d'animaux maintenant. Autrefois, il suffisait d'attendre le coucher du soleil pour les voir se faufiler entre les cactus et les arbustes. Dans les bonnes années, apercevoir un coyote était un signe qu'il y avait du gibier à chasser. On n'avait qu'à devenir plus silencieux que le coyote, plus souple que lui, on n'avait qu'à flairer par ses narines et on pouvait lui extorquer sa proie ! L'Indien est un bon chasseur quand il a tout appris de l'animal. En plus, il était délicieux de faire rôtir sur le feu une cuisse de coyote. Le temps moderne n'est pas le temps des coyotes...

Charlie Longsong se rappelle... Son père décrivait les béliers de montagne qu'il avait vus au bout du désert. Ce n'étaient pas des moutons paresseux et endormis comme les siens, mais des batailleurs qui sautaient de rocher en rocher et qui s'agressaient de front. Son père décrivait avec de grands gestes les cornes, les grosses cornes enroulées des béliers de montagne. Parfois, dans ce temps-là, l'un de ces béliers s'aventurait dans le désert et il s'égarait. Au lieu de ses herbages habituels, il broutait la sauge et les arbustes salés. Il devenait ivre. Il tournait en rond. Il ne savait plus d'où il était venu. C'était gros comme un jeune cerf. Le bon goût de sa viande était connu. Quand le chasseur s'approchait, le bélier de montagne tentait de sauter, de grimper, d'escalader pour s'enfuir. Il n'y avait pas de rocher, ni de corniche, ni d'aspérité dans le désert. Le bélier retombait ridiculement sur le gravier plat. Les *Bohanas* payaient très cher pour sa laine mais surtout pour les cornes. On les a tant chassés qu'il n'en reste plus.

L'autre jour, à la *Mesa*, les Anciens parlaient de tout ce qui est disparu. Ils racontaient qu'au nord, les *Bohanas* ont tué tellement de bisons que leurs os blanchis par les tempêtes et les hivers ont formé des montagnes effrayantes. C'était dans les prairies du Canada, le pays de Blanche Larivière, cette infirmière qu'il a rencontrée, de l'autre côté de la mer, quand il n'avait plus ses deux bras pour l'embrasser.

Par sa porte ouverte sur la nuit, un vieil homme peut apercevoir tant de choses...

17

Ce divorce lui a donné un choc comparable à celui qu'a provoqué l'astéroïde qui s'est échoué sur le Nouveau-Québec. Robert Martin est enveloppé d'une sombre poussière, semblable à celle soulevée par l'astéroïde qui voila la lumière du jour pendant quelques siècles. Pauvre dinosaure esseulé, Robert Martin se croit menacé d'extinction.

Il essaie de se raisonner. Il a acheté un livre : *Anatomie de l'amour*. L'auteur s'intéresse à l'aspect génétique du comportement amoureux. Selon lui, l'engouement pour quelqu'un est causé par la production, dans le cerveau, d'une substance chimique appelée le phenylethylamine, le PEA. Si l'auteur a raison, on ne devrait pas regretter d'avoir aimé quelqu'un. Comment regretter une réaction chimique dans votre cerveau ? À cause d'une réaction chimique, vous avez cru que vous aviez rencontré un ange du paradis. L'auteur, cependant, n'explique pas le divorce. Serait-ce une autre réaction chimique ?

L'historien est triste. Souvent, une larme glisse dans ses cils même quand il essaie de sourire. Il s'ennuie de ses enfants comme s'ils étaient morts. Il ne croit pas encore que cette catastrophe s'est abattue sur lui. Quand il se réveille le matin, ses yeux découvrent une chambre dont les murs ne lui sont pas encore familiers. Les rideaux ne lui sont pas encore devenus indifférents ; il les déteste.

À son retour au Québec, il est allé se loger dans le quartier étudiant, près d'Outremont. Entrant dans cette chambre, il a l'impression d'entrer dans un cercueil. Il y passe aussi peu de temps que possible. Il ne peut pas lire. Devant son livre ouvert, le souvenir de tout ce qu'il a perdu revient le torturer. Alors, il s'enfuit n'importe où, écrasé par le poids de tout ce qu'il n'a plus. Il a pensé que cette chambre d'étudiant, dans un sous-sol bourgeois, serait un cocon d'où l'homme abandonné sortirait métamorphosé en homme libre, avec de grandes ailes de papillon.

Des livres sont empilés à côté de son lit. Chaque fois qu'il se lève, il jure contre cet encombrement. Il ne consulte même plus ses notes avant d'aller donner ses cours à l'université. La biographie du fermier Dubois lui semble encore une excitante aventure pour un historien, mais il ne se sent pas prêt à l'entreprendre. Il doit d'abord guérir son chagrin.

Après son cours, un soir, l'une de ses étudiantes demande à lui parler de son essai.

— Allons à mon bureau.

Il n'a plus sa clef. Où l'a-t-il laissée ? Dans laquelle de ses poches ? Sur sa table, à l'intérieur ?

— Bien sûr, tu trouveras pas ta clef parce que tu as plutôt envie de boire une bonne bière brune au bistrot.

Il n'aime pas qu'une étudiante le tutoie.

— La clef est ici. Dans la serrure.

Ce n'est pas sa porte, mais celle du bureau d'un collègue. Cette étudiante le dérange. Elle l'a sans doute remarqué. Elle n'est pas jeune comme les autres. Il n'irait pas au bistrot avec l'une de ces adolescentes qui ont à peine délaissé leur ourson pour chasser le diplôme.

— J'ai seulement besoin d'un conseil pratique. J'ai trop d'idées. Le sujet que j'ai choisi est l'évolution de la femme depuis 1850. Les idées filent dans ma tête comme les voitures sur le pont Jacques-Cartier.

Robert Martin et son étudiante marchent vers le bistrot. Bien sûr, elle n'a plus la jeunesse des autres. Elle a passablement de chair sur les os. Elle a des rides autour des yeux. Elle marche comme si elle était en retard à un rendez-vous. Et elle s'habille de couleurs qui proclament : « Au diable l'automne, moi je dis que c'est le printemps ! »

— Au lieu de bière, dit-elle, t'aimerais pas mieux une bouteille de beaujolais nouveau ?

— Je crois plutôt que je vais prendre une eau minérale.

— N'aie pas peur. J'essaie pas d'obtenir une meilleure note pour mon essai... Je vais te dire pourquoi je suis tes cours d'histoire. C'est très simple. J'ai pas fréquenté l'école longtemps. Maintenant je rattrape le temps perdu. On peut faire ce qu'on veut. Il suffit d'avoir de la patience. J'ai voulu commencer par l'histoire. C'est moins compliqué que la chimie... Dis-moi comment faire pour ne plus avoir les idées entortillées comme des nouilles dans une casserole.

Robert Martin parle. Elle écoute. Puis soudain :

— Très bien, coupe-t-elle. J'ai eu assez de conseils. Je risque de ressembler à celles qui voyagent avec des valises trop chargées... Je veux pouvoir me rappeler tous tes conseils... On boit du vin ensemble... Parce qu'on boit du vin ensemble, je vais te demander quelque chose. Quand tu m'as vue à ton cours, as-tu deviné que je suis une femme seule ?

— J'essaie de ne pas porter de jugement sur l'apparence extérieure de mes étudiants.

— Si t'as pas compris que je suis une femme seule, je me demande comment tu peux penser comprendre les personnes qui vivaient il y a des centaines d'années...

— Je juge mes étudiants à leurs travaux.

— Je suis une veuve. Les enfants étudient aux États-Unis. Mon mari m'a laissé une petite entreprise de transport.

J'étais jamais montée dans un de ses camions. C'était son affaire, pas la mienne. J'avais jamais ouvert un livre de comptes. Je connaissais rien. J'ai fait de mon mieux. Onze ans plus tard, je possède une flotte de cent dix-sept camions qui circulent à travers l'Amérique. Quand les enfants étaient petits, j'aimais découvrir les petites choses en même temps qu'eux. J'ai maintenant envie de découvrir les grandes. Après l'histoire, je vais suivre un cours de droit. Et il y a la musique qui est pour moi une langue étrangère. Je veux apprendre le violon. Toi aussi, tu es seul, je l'ai deviné.

Tout en résistant, il évoque le plus discrètement possible sa pénible séparation. Sa tristesse qui a suivi. Son désarroi...

— Je crois qu'il nous faut une autre bouteille... Garçon !

Il raconte sa fugue vers le Colorado, l'Arizona. Il décrit les fabuleux châteaux géologiques de la vallée des dieux. Il mentionne sa rencontre avec un vieil Indien qui connaissait la rue Gît-le-cœur à Paris et qui voulait venir avec lui au Québec. Il explique combien il a été bouleversé de lire le nom d'un fermier canadien-français à la première page d'un registre officiel d'une petite ville minière du Colorado.

— Tu as commencé à écrire l'histoire de ce fermier ?

— Non. J'ai encore trop de tristesse dans la tête.

— Je vais te dire quelque chose. Si je te le dis, c'est pas parce que j'ai bu... Bien sûr, le beaujolais nouveau m'aide un peu mais j'ai pensé à ça depuis quelque temps. Tu dois avoir deviné que j'ai pas dormi avec un homme depuis un bon moment. Si tu as pas senti ça, il y a bien des choses que tu vas pas sentir en écrivant ton histoire. Je t'invite à venir dormir avec moi. Et je te rappelle que j'essaie pas d'obtenir une meilleure note pour mon essai. Je suis pas comme ces petites qui sont prêtes à échanger leur virginité pour un A... Je suis riche. Si tu te sens mal à l'aise à cause de ça, c'est normal. Si je t'avais dit que je suis pauvre, tu te sentirais mal à l'aise aussi et ce serait normal. Ensemble, toi et moi, on ne sera plus seuls. Ensemble, la nuit sera moins longue. Ensemble, on aura moins de temps pour penser au passé... Je regarde ton air surpris... Je comprends qu'il y a pas mal de temps qu'on t'a pas dit que t'es attirant comme tout. J'aimerais que tu acceptes mon invitation. À vivre seul, on devient laid.

Quelques semaines plus tard, Robert Martin se découvre installé dans l'immeuble de la compagnie de son étudiante. Sa salle est trop éclairée. Une équipe d'assistants de recherche et de secrétaires vont l'aider dans son projet d'écrire l'histoire du fermier Dubois. L'entreprise de transport s'est associée avec l'historien. Il va aussi étudier comment se sont développés les réseaux de commerce et de transport en Amérique. Le service des projets spéciaux de la compagnie a signé une entente de principe avec une chaîne de télévision ; la biographie du fermier Dubois, le héros inconnu, sera adaptée pour le petit écran.

L'Amérique tourne autour de lui comme un carrousel fou.

— Quand les États-Unis appellent, il faut répondre, assure son étudiante.

Tout cela est trop pour Robert Martin. Tout va trop vite. Plus l'on s'agite autour de lui, plus il devient lent. Alors, il retourne se réfugier dans sa chambre d'étudiant. Dès qu'il a refermé la porte, il veut être ailleurs. Alors, il fourre quelques livres, quelques vêtements dans son sac et il retourne chez son étudiante qu'il a baptisée Miss Camion. Elle lui a demandé hier :

— T'inquiètes-tu d'être aimé par une femme qui rêve de camions quand elle dort ?

Elle affectionne de larges chapeaux qui partent au vent comme des cerfs-volants. Sur sa tête, ils n'ont pas l'air ridicules. Elle aurait pu être l'une de ces femmes dodues de Renoir. Robert Martin l'a remarquée dès la première seconde de son premier cours même si ses yeux alors ne pouvaient voir que sa vie brutalement écroulée.

Hier, elle lui a dit :

— J'ai pensé à ce beau voyage en Provence que tu m'as raconté. Je te souhaite que la Provence ait été aussi belle que tu te rappelles. Je te souhaite aussi que ta Brésilienne sur ton scooter, les cheveux au vent, ait été aussi belle que ses images dans ta mémoire. Quand j'avais l'âge de ta belle amie, tu m'aurais même pas regardée. J'avais un enfant dans les bras et j'étais grosse du deuxième. C'est pas ce qui attire les garçons romantiques ! Mon artiste à moi n'a jamais ouvert un livre. Il avait peur des livres. Il était persuadé que lire rend aveugle. Mais il connaissait par cœur la carte routière des États-Unis. Et il connaissait tous les raccourcis. Mon artiste à moi n'a jamais été ému par la beauté d'une pluie d'étoiles dans le ciel, mais quand il soulevait le capot de son camion, on aurait dit que la Vierge Marie en personne lui apparaissait. Non, je suis pas jalouse de ton beau voyage en Provence. J'ai seulement envie que toi et moi on vive quelque chose de beau aussi. Au printemps, tu vas être fatigué. Tu vas avoir fini ton livre...

— Je n'aurai pas terminé. C'est une longue entreprise. On ne fait pas un livre comme une poule pond un œuf. Je veux faire mon meilleur livre. Il faut du temps. Un livre mûrit comme un fruit. Je ne serai pas libre au printemps.

— Tu vas être fatigué au printemps. On va aller en Provence en même temps que les fleurs. On n'a pas besoin de tente. Je préfère l'hôtel. Je vais t'acheter une moto. Tous les hommes rêvent d'une moto... Tu penses que j'essaie d'acheter ton amitié ? Une personne qui a une blessure à l'âme aussi profonde que la tienne ne se laisse pas acheter. Moi aussi, j'ai mes blessures. Toi et moi, on est seuls, on est blessés. Et je suis riche. Allons en Provence... Si j'étais pauvre, je pourrais pas t'inviter.

Cette femme qui se maquille un peu trop et qui porte des décolletés profonds comme le Grand Canyon organise tout comme un général en campagne. Robert Martin n'aime pas commander et déteste suivre.

18

Auparavant, quand Robert Martin publiait un livre, trois ou quatre historiens rédigeaient quelques mois plus tard des comptes rendus dans leurs bulletins universitaires. Cette fois, il n'a pas écrit une seule ligne mais le fermier Dubois est déjà devenu célèbre. Robert Martin, qui ne sait encore rien de son héros, a été photographié, interviewé dans les journaux; il a défilé à la télévision avec des actrices maigres et échevelées, des artistes victimes du sida, des rockers nationalistes, des politiciens qui dévoilaient leur côté humain. Il a même été invité à prononcer un discours sur le thème «Les géants de notre race» devant les membres de la Confédération séparatiste unifiée. Tous les livres qu'il a écrits dans le passé n'ont jamais suscité autant d'intérêt que cette biographie qu'il n'a pas commencée.

Cette soudaine célébrité incommode son doyen à l'université, dont il a reçu une note lui suggérant la retenue:

«Bien que la publicité soit un élément nécessaire en ce siècle où règne la consommation, elle menace d'endommager l'objectivité et la lenteur artisanale qui sont indispensables à la démarche scientifique, dont le but n'est pas la célébrité mais la vérité, c'est-à-dire la science. Le chercheur véritable doit effectuer ses travaux dans l'ombre parce que c'est dans l'ombre qu'apparaît la lumière. »

Bien sûr, le doyen est jaloux. Robert Martin ne cessera pas de faire la promotion de son projet. D'autre part, il est bien conscient que l'intérêt inattendu pour son livre n'existerait pas sans le service des projets spéciaux de la compagnie que dirige Miss Camion. Grâce à elle, le fermier Dubois est déjà consacré héros national. La Société patriotique a demandé de la documentation sur Dubois, roi du Colorado. Elle se propose « de réhabiliter sa mémoire et de l'honorer » à l'occasion de son défilé annuel. Robert Martin a même été invité à se joindre à l'Académie de littérature provinciale.

Miss Camion est un volcan. Il n'est pas étonnant qu'elle puisse faire rouler ses cent dix-sept camions aux quatre points cardinaux de l'Amérique. Il n'est pas étonnant qu'elle travaille à un projet de restaurants dédiés aux camionneurs qui seront placés aux grands carrefours routiers du Canada, des États-Unis et du Mexique. Cette femme était venue lui demander comment mettre de l'ordre dans ses idées... Cette femme, dont l'énergie pourrait alimenter les turbines électriques du pays, pose parfois la tête sur son épaule et soupire :

— Je suis heureuse de pas t'avoir rencontré plus tôt. Tu aurais voulu que je ressemble à quelqu'un d'autre ; j'aurais voulu te plaire et j'aurais été malheureuse. Aujourd'hui, tu laisses filer Miss Camion comme elle le veut et Miss Camion a toujours envie de revenir à son petit professeur d'histoire qui a un gros pansement autour du cœur parce que sa petite dame l'a quitté.

Voilà comment elle parle, Miss Camion. Le vent se prend dans ses chapeaux que ses deux mains parfois ne réussissent pas à retenir. Elle s'habille de tissus que les abeilles prennent pour un jardin fleuri. Elle a la peau blanche comme le lait mais elle y étend autant de couleurs que Riopelle dans ses tableaux. Les autres dames s'épuisent dans les gymnases pour essayer de maigrir un peu. Miss Camion ne veut rien perdre des vagues soyeuses qui roulent sur son ossature. Après l'amour, comme après un repas, elle déclare :

— C'était si bon que je dois bien avoir gagné un kilo !

Une nuit qu'elle l'avait affectueusement tenu éveillé jusqu'aux lueurs pâles qui se glissaient derrière les rideaux, elle lui reprocha :

— Monsieur le professeur, vous n'avez pas terminé vos devoirs.

Il répondit :

— Je suis mort et je dois donner un cours dans quelques heures. Et tu vas avoir l'air fatiguée à la réunion de ton conseil d'administration.

Elle s'est roulée sur lui, roucoulant :

— Le plus beau maquillage pour une femme, c'est celui que donne une nuit blanche consacrée à l'amour.

Voilà comment parle Miss Camion. Elle est une géante de l'Amérique. Elle lui a dit aussi :

— Toi, tu es perdu dans le passé. Tu essaies pas de me séduire. Tu rêves pas de prendre le contrôle de ma compagnie. Tu me demandes rien. Tu t'es même pas aperçu que je suis assez folle pour tout te donner. Je t'aime comme tu es. Tu te doutes même pas comme t'es fort.

Tout cela est bien difficile à comprendre.

Son ex-femme, la trop jolie coiffeuse, réclame par la voix de son avocat une avance sur les droits d'auteur de la biographie du fermier Dubois. Selon l'avocat, Robert Martin n'en est qu'à demi l'auteur. Sans la requête en divorce de sa femme, Robert Martin n'aurait pas entrepris ce voyage au Colorado où lui est venue l'idée de ce livre. Donc, puisque son ex-femme est à l'origine de son projet, elle a un droit légal à une juste répartition des revenus, soit cinquante pour cent. Elle pourrait réclamer un pourcentage plus élevé, a expliqué l'avocat. Si l'historien a pu développer sa méthodologie de recherche et approfondir son talent, c'est parce que son ex-femme a, durant de longues années, fait preuve d'une compréhension maternelle. Pendant toutes ces années, elle a maintenu autour du travail de l'historien une atmosphère propre à la réflexion en acceptant des responsabilités, des travaux et des préoccupations qui incombaient normalement à l'historien mais dont il a été déchargé par le dévouement de son ex-femme.

Miss Camion a dit :

— Il est grand temps que tu voies un bon avocat : le mien. J'ai déjà téléphoné. Il t'attend.

Robert Martin n'est pas entré depuis longtemps dans un si haut édifice. Les nuages viennent caresser les fenêtres. Il éprouve un léger étourdissement à cause de la dimension du bureau, des œuvres de peintres connus, des sculptures hardies, de la vue panoramique qui s'étale : la ville en bas, le fleuve, les montagnes... Cet avocat plane dans le ciel...

— Vous devez comprendre, explique le grand avocat, que tous les avocats sont des requins. Il existe de petits requins et de gros requins. Pour savoir avec qui vous faites affaire, regardez dans quelle sorte d'aquarium ils habitent.

— À cette hauteur, avance Robert Martin, le coût du loyer doit être imposant...

— Dans quel quartier habitez-vous ? demande l'homme de loi.

— Près d'Outremont.

— Un mètre carré de mon bureau coûte aussi cher que votre appartement tout entier. Parlez-moi de votre affaire. C'est un divorce ? Quel âge avez-vous ?

— Trente-neuf ans.

— Dans votre catégorie d'âge, cinquante-deux pour cent des couples ont divorcé. Vous êtes normal. Nous allons plumer votre femme. Ici, nous gagnons nos causes.

Sorti de là, Robert Martin a besoin d'air. Il a besoin de marcher un peu, au niveau du sol, avec les gens ordinaires qui ne sont pas des parasites de la souffrance d'autrui. Sa trop jolie coiffeuse lui a déclaré une guerre sans merci. Il a décidé de ne pas se défendre. Quand elle lui aura tout pris, peut-être fera-t-elle la paix ?

— Pour oublier tout ça, pensons au fermier Dubois.

À part la mention du nom de Dubois dans *La Piste de l'Oregon*, il n'a repéré aucune nouvelle trace du fermier. Pourtant, il a parcouru en entier l'histoire des mille neuf cent vingt-quatre *miles* de la piste de l'Oregon et celle des trois mille cinq cents *miles* de fleuves, de forêts, de prairies, de montagnes, de torrents, de précipices, de famine, de neige, de glace, de pluie, de déserts, de l'expédition entre Saint Louis, Missouri et Astoria.

Au lieu de s'entêter à chercher Dubois l'inconnu, pourquoi ne suivrait-il pas plutôt William Frederic Cody, le futur Buffalo Bill, qui tua quatre mille deux cent quatre-vingt-un bisons pour nourrir les constructeurs du chemin de fer au Kansas ? Pourquoi ne parlerait-il pas de ces pauvres Jones, Vallée et Leclerc ? Perdus depuis plusieurs mois dans les plaines enneigées de l'Ouest, sous la tempête, affamés, gelés, ils n'ont pas dormi depuis trois jours ; ils ne se sont rien mis sous la dent depuis trois jours. Soudainement, ils voient l'ombre brune des bisons foncer dans la rafale. Jones, Vallée, Leclerc abattent trente-deux bisons, vingt-huit béliers de montagne égarés dans la prairie et une douzaine de cerfs. Ils auront assez de viande pour l'hiver, assez de peaux pour couvrir la cabane qu'ils élèvent et amplement de fourrure pour se vêtir.

Robert Martin pourrait s'attarder à ces convois qui avançaient vers les confins de l'Amérique, avec les charrettes ou les travois chargés de fruits secs, de maïs, de charrues, de fèves, de porcs, d'armes et d'ustensiles, avec les femmes et les enfants. Le soir, les convois forment un cercle. Les uns surveillent les Indiens tapis dans la nuit ; d'autres dansent sur la musique des violons ; d'autres prient. Ces convois sont formés non seulement de fermiers, mais aussi de promoteurs, de hâbleurs, d'escrocs, d'extorqueurs, d'embaumeurs, de vendeurs de cercueils, d'agents d'assurances et d'agents de voyages qui

louent charrettes, wagons, radeaux, canots, brouettes, mules.
L'un de ces agents de voyages invente en 1846 un wagon à
voile qui file à quinze *miles* à l'heure quand le vent est
favorable dans les Prairies. En 1849, un autre agent de voyages
propose aux clients un ballon de mille pieds qui les conduira
de Saint Louis, Missouri, à la Californie en trois jours, pour un
coût de cinquante dollars, vin compris. Dans les convois circulent aussi des prêcheurs dont la voix est souvent couverte
par le hurlement de coyotes ; des missionnaires dont le rôle
est de pacifier les Indiens en leur promettant le royaume des
cieux pendant que les Blancs s'emparent de leur royaume
terrestre. Les assassins sont pendus, dès qu'ils sont jugés, à un
arbre ou au timon relevé d'un wagon s'il n'y a pas d'arbre
autour. Les violeurs sont punis de trente-neuf coups de fouet
pendant trois jours consécutifs. Les convois comprennent
aussi des voyous qui apeurent les Indiens en leur montrant
une fiole dans laquelle, disent-ils, est enfermé le diable qui
répand la vérole ; des colporteurs qui échangent avec les
Indiens une bouilloire de fer-blanc contre un cheval. Avec
les dindes, les poules, les vaches, les chèvres, les chiens, les
oies, les chats, les membres du convoi s'efforcent toujours de
rouler plus vite, plus loin malgré les Indiens qui défendent
leur territoire et qui ont grand besoin de chevaux, d'armes, de
poudre et de nourriture, dont sont chargés wagons et charrettes ; ils progressent malgré le mur noir des moustiques
vrombissants qui vous dévorent, malgré les attaques des ours
grizzlys qui font plus de victimes que les Indiens, malgré le
choléra si violent qu'un homme peut en être attaqué le matin
et se faire enterrer le soir, malgré les fréquentes noyades
lorsque l'on traverse les cours d'eau ou les accidents causés
par les balles égarées que tirent des immigrants maladroits
avec les armes à feu. Les pauvres bêtes qui tirent les wagons
et les charrettes meurent d'épuisement. On les dételle, on
leur retire leurs chaussures de cuir qui protègent leurs sabots
contre les pierres, les aiguilles des cactus, on remplace les
bêtes et on repart. Chacun souhaite que l'on raconte son histoire dans l'avenir. Au *mile* 814 de la piste de l'Oregon, sur

un long rocher qui ressemble à une baleine échouée dans la prairie, les aventuriers écrivent leur nom, peint au goudron ou gravé. Dubois n'a pas pris la peine d'inscrire le sien. Savait-il écrire ? La très grande majorité des Canadiens français étaient illettrés à cette époque. Il faudra chercher encore.

Le fermier Dubois était probablement un homme ordinaire comme le sont les millions de personnes dont on ne parle pas. Pourquoi Robert Martin a-t-il décidé d'écrire la vie d'un homme ordinaire ? La vie d'un homme ordinaire peut-elle être intéressante ? Ne serait-il pas plus passionnant d'écrire un livre sur les microbes répandus en Amérique par les Blancs et qui, plus que la force de leurs armes, ont assuré la conquête de l'Amérique ? Malheureusement, cette contribution importante à la compréhension du passé a déjà été offerte. Un seul principe prévaut : les historiens ne doivent pas visiter le passé comme des nonnes une boutique de fragiles objets pieux.

Pourquoi ne raconterait-il pas tout simplement l'histoire d'un caribou qui, a-t-il appris, de sa naissance à sa mort, parcourt une distance de deux mille sept cents *miles* dans sa toundra ? Il pourrait décrire les paysages traversés, détailler les dangers qui guettent la horde, dépeindre les saisons, reconstituer le trajet de sa migration, établir les lois du groupe...

Pourquoi n'écrirait-il pas plutôt la vie de Duffault, un Canadien français amoureux des chevaux ? Adolescent, il se sépare de sa catholique famille au Québec ; de travaux de ferme en travaux de ferme, il marche vers l'ouest du Canada, apprend la langue anglaise qu'il embellira plus tard quand, après s'être inventé un nouveau nom, il s'inventera une nouvelle existence. Il devient l'historien de sa vie imaginaire ; il se fait aussi le dessinateur de ses aventures imaginées. Will James est célèbre dans les magazines et dans les films. L'homme réel, l'homme qui n'est pas imaginaire, l'inconnu Duffault erre et boit comme un malheureux. Quand Will James meurt, il cède tous ses biens à ce pauvre Duffault. L'histoire de cet homme qui habita le mirage qu'il avait créé n'est-elle pas aussi l'histoire de l'Amérique ?

Pourquoi n'entreprendrait-il pas une biographie de Mme Chadwick, cette jeune fille pauvre de l'Ontario qui, plus tard, dans les grandes villes des États-Unis, devint l'amie intime des riches banquiers en se faisant passer pour la fille d'un milliardaire contemporain ? Elle leur emprunte des milliers de dollars. Les banquiers n'oseront jamais manquer de courtoisie en vérifiant les prétentions ou le crédit de l'enjôleuse crapule. Si vous comptiez parmi ses amis, Mme Chadwick, comme on envoie des fleurs, faisait livrer à votre résidence un piano à queue ou bien elle invitait votre jeune fille, parmi dix-neuf autres jeunes filles d'amis riches, à faire une croisière autour du monde. Cette façon de courir derrière son rêve, n'est-ce pas aussi l'Amérique ? Quand le rêve devient la réalité, cette gigantesque schizophrénie n'est-elle pas l'Amérique hypnotisée par son rêve ?

Vaudrait-il mieux raconter la vie de Pierre Dorion, voyageur, guide, chasseur, coureur de bois, interprète polyglotte, mi-indien ? Avec son père, un Blanc, et sa mère, une Indienne, il a toujours vécu sous la tente, dans diverses tribus qui les accueillaient. Il ne sait pas ce que sont un toit et des murs solides. Un soir, après avoir bu toute la journée avec son père, Pierre Dorion s'engage dans un furieux combat avec lui. Le vieil homme résiste avec toute la force de son expérience de coureur de bois. À la fin, épuisé, il doit se rendre. Selon la coutume indienne du temps, Pierre Dorion tire son couteau et empoigne la chevelure de son père pour le scalper. À cet instant tragique, le père se souvient que son fils est aussi un Blanc. Il s'écrie :

— Mon fils, je t'ai trop bien éduqué ; tu ne vas pas te conduire comme un sauvage !

L'impulsif Pierre Dorion interrompt son geste, range son couteau et essuie sa sueur :

— Excuse-moi, papa.

Puis, il passe à son vieux père la dernière gorgée de whisky.

Plutôt que le fermier Dubois, ne serait-il pas plus intéressant de suivre cette princesse indienne qu'avait mariée un commerçant européen, à Québec? Il la gâte de robes luxueuses, de bijoux et de parfums parisiens. Un automne, le commerçant doit retourner en Angleterre où l'appellent d'urgentes affaires. Il quitte sa princesse indienne en pleurs sur le quai. Il reviendra au printemps. Elle attend pendant tout le long hiver. Le printemps venu, elle descend souvent au quai s'enquérir des bateaux qui s'en viennent. En juin, son bateau revient. L'Indienne prend son nouveau-né dans ses bras et court accueillir son mari. Elle le voit enfin. Il descend la passerelle. Elle l'a reconnu tout de suite même s'il a un peu changé. Il la reconnaît aussi. Elle lève son fils au bout de ses bras. Il agite la main. Il vient. À son bras se tient une Blanche, en robe de mariée. Le commerçant est bon. Il ne chasse pas l'Indienne. Il la prend comme servante. Elle lui donnera quelques autres enfants.

Robert Martin pourrait aussi parler de Jean Beauséjour qui se faisait appeler John Day. Il voyageait un hiver dans les Rocheuses. Un groupe d'Indiens surveillaient l'aventurier solitaire. Ils lui tendent une embuscade. Ils lui prennent ses chevaux, ses provisions, ses armes et même ses vêtements. Ils le battent et l'abandonnent nu dans la neige. Comment réussit-il à survivre sans armes, sans vêtements, sous le vent glacial, entouré de tribus ennemies, dans une région dépourvue de gibier? Un groupe d'aventuriers passent par là, plusieurs mois plus tard, au printemps. Ils le trouvent, amaigri mais vivant. Il est même assez fort pour porter sa part de bagage. Il marche aussi vite que ses nouveaux compagnons. Il joint même sa voix à leurs chansons. Tout à coup, au bas d'une vallée, se profilent une bande d'Indiens. Jonh Day, qui a trop souffert, est sans doute au bout de sa résistance psychologique. En lui se déchaînent toute la peur accumulée durant l'hiver, toute la frayeur de ses nuits, toute la souffrance, toutes les frustrations d'avoir été seul devant l'immense menace blanche. Il tremble comme si son corps allait se déchirer. Il se met à hurler. Il se lance sur ses compagnons. Il est si dangereusement fou qu'il faut l'abattre... Dans ses errances aux États-Unis, le fermier Dubois aurait-il traversé des saisons aussi pénibles?

Avec tous ces héros qui attendent qu'on écrive leur histoire, Robert Martin est égaré en Amérique. Ses souvenirs de lecture tourbillonnent autour de lui comme s'il était dans un canot de bouleau, sur des torrents, ballotté entre deux falaises. Voulant raconter la naissance de l'Amérique, Robert Martin est aussi confus que lorsqu'il discute de l'histoire du commencement du monde... Pourquoi s'est-il intéressé au fermier Dubois ? Que sa femme, son ex-femme prenne cent pour cent des droits d'auteur sur la biographie du fermier Dubois si elle le veut ! Ce ne sera jamais qu'un projet. Au diable son requin d'avocat ! On sort de son bureau avec une idée nauséabonde de la justice. Au diable la compagnie de Miss Camion qui a fait de ce crétin de Dubois un héros comme Davy Crockett ! Au diable Miss Camion ! Il a envie d'être seul et libre. Il n'a pas envie de se trouver en tête-à-tête avec une locomotive amoureuse. Il rentre dans sa chambre d'étudiant.

Un délicieux parfum l'accueille. Un immense bouquet d'azalées est posé sur sa table de travail parmi les livres ouverts et les feuilles de notes. Une carte porte un message :

> « Mon grand amour, j'ai pensé qu'après une rencontre avec ton avocat tu te sentirais un peu bouleversé et aimerais mieux ne pas me voir tout de suite... Je te comprends... Afin que tu ne m'oublies pas, je t'envoie quelques fleurs. Reviens quand tu voudras, quand tu seras prêt... La solitude est mauvaise pour toi. Elle est aussi mauvaise pour moi... »

Robert Martin laisse tomber la carte dans un livre ouvert. On y montre des vêtements ornementés. Les Français, y lit-il, ont enseigné à la tribu huronne comment broder avec des perles de verre. Cet art s'est ensuite répandu parmi les tribus indiennes de l'Amérique.

19

Avec les fleurs ornant les *saguaros*, un nouveau printemps commence sur l'Arizona. Il y a bien neuf ou dix ans que Charlie Longsong n'a pas vu autant de fleurs dans son désert. L'automne dernier, la pluie a duré jusqu'en décembre. Ensuite, le temps a été doux. Quelques nuits seulement, le frimas a blanchi le gravier. En février, la pluie a été abondante encore et les *arroyos* ont débordé. Ensuite, le soleil n'a pas été dérangé par les nuages. Cela explique l'abondance des fleurs. Vers l'ouest, entre la plaine et la montagne, la *bajada* brille de tout ce qui pousse dans son sol rocailleux. Le sol est couvert de minuscules fleurs pourpres et blanches. Des guirlandes de fleurs pendent aux rochers. Les *ocotillos* ont de fins rubans rouges suspendus au bout de leurs branches. Partout la sauge est couverte d'étoiles rouges, très serrées. À la fin de l'après-midi, des fleurs blanches s'ouvrent sur les yuccas. Le soir, des nuages de mites viennent pondre leurs œufs dans le nid des fleurs. En mai, les *chollas* donnent des fruits. Les *paloverdes* s'épanouissent en glorieux bouquets dorés. C'est la fête dans le désert. Les chauves-souris, le soir, viennent se nourrir d'insectes dans les fleurs des agaves. Au loin, un cerf pleure comme un enfant. Il a probablement cueilli les fruits sucrés des *chollas* et son museau est hérissé des épines du cactus.

L'ami de Charlie Longsong, son serpent, est heureux. Depuis bien des années, il partage son *hogan*. Tous les matins, le *cascabel* sort de son abri sous la cabane, rampe à sa manière, de côté, toujours vers le même creux dans le sol, et il se chauffe au soleil. Quand la chaleur devient trop forte, il retourne à son abri. Jamais Charlie Longsong ne l'a vu chasser. Comment se nourrit-il ?

Rien n'est plus beau, le matin, que d'aller visiter ses *saguaros*. Droits comme des soldats tout parés de fleurs, ils célèbrent une victoire. Et les colombes virevoltent autour d'eux.

Voilà ce que Charlie Longsong a rapporté aux gens de la *Mesa*. Ils ont écouté mais ils veulent une histoire du temps de sa jeunesse...

— C'était il y a presque cinquante ans. La guerre était terminée, mais elle éternuait encore. Il y avait des dégâts partout. Et moi, je pensais à une belle infirmière blanche qui avait pris soin de moi. La guerre était terminée et moi, j'avais perdu mon bras.

On l'écoute. Le vieil homme prend plaisir à voir les jeunes découvrir qu'ils ont si peu vécu. Tout à coup, Charlie Longsong aime sa propre vieillesse. Il ne veut pas cesser de raconter.

Il se rappelle un hôtel. Seul un mur restait debout. Le toit, les autres murs avaient été détruits. C'était l'*Hôtel de la Victoire*. Tout le monde trouvait ce nom drôle. Il était écrit sur le mur. Les éclopés avec leurs béquilles, les malades qui n'avaient pas trop de fièvre et ceux qui n'avaient pas été endormis par les médicaments furent transportés dans la ville de Paris pour une grande parade. Beaucoup de maisons étaient éventrées. Les filles portaient de minces robes neuves à fleurs délicates. L'âme des soldats avait vieilli mais leur corps était aussi fou que jeune. Ces robes-là étaient trop légères. La guerre était finie. Les soldats étaient épuisés de haïr. Ils voulaient aimer. Le soldat Longsong avait cette brûlure à son moignon. Il buvait pour endormir le mal. Les filles avaient des robes fines comme la rosée. Les soldats pensaient à ce qu'elles cachaient à peine. La rue était aussi large que toute la *Mesa*. Les gens étaient rassemblés comme pour un jour de danse. Avec des drapeaux et des chansons, la foule défilait avec les soldats, les chars d'assaut, les jeeps, les camions. Plus personne n'avait peur de la guerre. Plus personne n'avait peur de mourir.

Les filles en robe claire montaient dans les jeeps, grimpaient dans les camions. Elles se juchaient sur les ailerons des voitures, elles se perchaient sur les chars. Elles avaient des fleurs dans les cheveux. Partout on agitait des drapeaux. Les soldats essayaient de garder le pas militaire, mais c'était la fête des civils. Ils venaient se mêler aux troupes. Des filles se jetaient dans leurs bras. La foule chantait, pleurait. Des cloches sonnaient. Les gens applaudissaient, dansaient, sautillaient, déroulaient des banderoles. De partout, il pleuvait des fleurs. La guerre n'empêche pas les fleurs de pousser. Des gens célébraient, grimpés sur les toits, sur les voitures, aux lampadaires. Tous avaient des larmes aux yeux. Charlie Longsong marchait avec ceux de son régiment, mais il n'avait qu'un bras à balancer.

Quelqu'un brandissait au bout d'un bâton un uniforme ennemi taché de sang. Un Indien ne pleure pas comme les *Bohanas*, qui sont mous et sensibles, mais le cœur de Petit Homme Tornade cognait fort. Il gardait ses larmes derrière ses yeux. Il aurait voulu être chez lui, dans la paix de son Arizona. Il aurait voulu être avec son père quand il le prenait, enfant, sur sa jument noire. Il aurait voulu n'être pas venu à la guerre. Plusieurs de ceux qui avaient escaladé avec lui la falaise de Normandie avaient été déchiquetés ou ils étaient tombés dans la mer. Petit Homme Tornade marchait dans une grande rue de Paris pour célébrer la victoire. Il n'avait perdu qu'un bras alors que d'autres avaient tout perdu.

Il se tenait debout quand d'autres n'avaient même plus un corps pour contenir leur âme.

Il pensait : «J'ai vécu avec les *Bohanas*, je me suis battu avec les *Bohanas*. Quand je vais retourner en Arizona, quand je vais arriver à la *Mesa* avec un seul bras, ils ne me reconnaîtront pas.»

— Soldat Longsong !

Dans cette ville étrangère, personne ne savait son nom. Parce qu'il était seul dans cette fête trop joyeuse pour un homme triste, parce que sa tête résonnait encore des bruits de la guerre et des cris de sa souffrance, parce qu'il pensait aussi à son désert qui l'attendait de l'autre côté de la mer, il avait imaginé qu'on l'appelait.

— Soldat Longsong !

Ce n'était pas lui qu'on appelait. Une voix de femme insistait :

— Soldat Longsong !

Aucune femme en ce pays étranger ne connaissait son nom. Il n'a même pas tourné la tête. Il marchait au pas. Elle l'a serré dans ses bras. Elle était parfumée. Il a senti les bosses de son corps sous sa robe. Il était mal à l'aise. À cet âge, une femme passe près de vous et vous prenez feu. Elle lui parlait, mais il n'entendait pas : trop de cris, trop de chansons, trop de musique, trop de talons sur les pavés. Son sang martelait ses tempes. Elle a pris sa main et l'a sorti du défilé. Il l'a suivie. Sentir une main de femme dans la sienne lui rendait les jambes molles.

— Mon vous-savez-quoi durcissait dans mon pantalon... précise-t-il à ses auditeurs qui comprennent toute la drôlerie de la situation.

— C'était ça, la paix ? C'était pas mal mieux que la guerre !

— Soldat Longsong, vous vous souvenez de moi ? lui at-elle demandé avec sa manière précieuse de parler l'anglais.

Il a répondu :

— Non.

Il regrettait d'avoir dit non. Elle continua :

— Je me suis occupée de vous quand vous étiez souffrant.

— Je déteste la souffrance...

— Il vous en restera toujours un peu. Un peu trop... N'est-ce pas mieux que beaucoup trop ?

Voilà ce qu'elle lui a dit avec un beau sourire qui faisait du bien comme une caresse sur son front. Elle a continué à le tirer par la main. Il ne résistait pas. Ils ont marché. Ils se sont arrêtés à un café. Elle a commandé du vin rouge. C'était une belle femme. Des yeux bleus. La peau si blanche. Une manière de parler qui met de la musique sur les mots. Elle lui a dit :

— Soldat Longsong, je me suis occupée de centaines de garçons comme vous qui perdaient du sang et qui avaient mal. Ils sont morts ou bien ils sont partis. Et vous, soldat Longsong, je vous retrouve ici, dans une ville où des millions de personnes dansent dans les rues. Pourquoi est-ce que je vous revois ?... C'est un signe... Je m'appelle Blanche. Blanche Larivière.

Elle lui a enseigné à prononcer son nom comme elle le disait dans sa langue française. Ce n'était pas facile. Il se forçait. Elle riait.

— La vie est pleine de signes qu'il faut comprendre. Les humains n'ont pas été jetés sur la Terre comme une poignée de cailloux. Entre eux, il y a des liens, des fils invisibles... Moi, une Blanche ; vous, un Indien. Nous ne sommes pas étrangers.

Blanche Larivière parlait avec une sorte de sagesse comme si elle avait déjà écouté les Anciens de la *Mesa*. Elle lui dit aussi :

— Nous nous sommes rencontrés au pays de mes ancêtres qui ont quitté l'Europe pour aller bâtir leur nouveau pays dans le pays de tes ancêtres. N'est-ce pas là un signe ? Mes ancêtres ont fait du mal aux tiens mais moi, je t'ai aidé à avoir moins mal. N'est-ce pas un signe ? Tu vois, nous sommes unis, toi et moi, par beaucoup de liens.

Puis, ils ont marché le long de la grande rivière qui traverse Paris. Il ne se souvient pas de son nom. Ils ont traversé un pont et se sont aperçus que le soir était venu. Ils se sont assis dans un restaurant. Il lui avait dit qu'il chassait le lapin sauvage. Elle lui conseilla :

— Prends le lapin à la moutarde : ça va te rappeler ton pays.

Elle venait du Canada, le pays de la neige. Pourquoi était-elle venue à la guerre ?

— Ce n'est pas juste que les garçons partent se battre si les femmes ne vont pas soigner leurs blessures.

Il lui parla du désert, des cactus, des ancêtres et de son père. Ils burent encore du vin. Quand ils ont quitté leur table, la rue était pleine de musique. Ils n'eurent qu'à se laisser flotter. Il n'avait jamais dansé. Avec elle à son bras, il ne s'était même pas aperçu qu'il dansait. Elle lui dit :

— Toi et moi, nous sommes venus du Nouveau Monde danser dans l'Ancien Monde. Il y a là un signe...

Ils avaient bu trop de vin. Petit Homme Tornade tenait le corps de cette belle Blanche de toute la force de son bras valide. Son désir était si grand que sa chair devait la brûler. Son corps était trop étroit pour contenir tout son désir d'elle. Ils ont dansé longtemps. Puis, ils ont enfilé des rues étroites encombrées de danseurs. Et elle s'est arrêtée devant une grande porte verte. Elle a annoncé :

— C'est chez moi.

Il faisait noir. Ils ont monté un long escalier entortillé. Elle habitait une petite chambre avec un lit et des fleurs sur une table. Elle a ouvert la fenêtre :

— Laissons entrer la lumière des étoiles... Il y en a tellement ce soir. C'est un signe...

Elle a laissé glisser sa robe et s'est offerte sur le lit. Ils se sont donnés l'un à l'autre comme la jeunesse se donne au présent. Petit Homme Tornade devint si triste qu'il ne pouvait plus dire un mot. C'était bon d'avoir une infirmière pour le consoler.

Quand ils se sont réveillés le matin, elle a dit :

— Tu dois apprendre le nom de ma rue. Répète après moi...

Il a si souvent répété le nom de la rue Gît-le-cœur qu'il s'en souvient encore.

Les vents d'hiver sur la *Mesa* ont été féroces. Ils ont emporté avec eux l'âme de plusieurs Anciens. Eux partis, c'est Charlie Longsong qui possède la mémoire de ce qui a été. C'est à lui que l'on demande de raconter le passé.

Il ne raconte pas tout. Un vieil homme a droit à ses silences.

La chambre de la rue Gît-le-cœur était si exiguë que la lumière pouvait à peine y entrer. Le jeune Indien et la jeune Blanche touchaient leurs corps comme pour s'assurer qu'ils existaient réellement. Ils se touchaient comme s'ils avaient craint de disparaître dès l'instant suivant. Ils se touchaient comme s'ils avaient touché du feu. Ils se touchaient comme ils auraient bu de l'eau dans un désert ardent. Ils se caressèrent comme si le matin n'allait plus jamais venir. Ils s'aimèrent comme si l'un et l'autre allaient mourir à l'aube. Blanche Larivière disait :

— Toi et moi, nous sommes deux astres nouveaux dans la nuit.

Elle parlait parfois comme les Anciens, Blanche Larivière... Tout cela, Charlie Longsong ne peut le raconter aux gens de la *Mesa*.

Il ne leur raconte pas non plus qu'il est allé au poste de traite demander à la caissière de téléphoner à Blanche Larivière, 33 Grande Allée, Québec, Canada. Le vieil homme se souvient encore de la gêne qui brûlait son visage quand il a osé demander à la caissière de trouver le numéro qui lui ferait entendre la voix de Blanche Larivière. Plusieurs fois, il avait lui-même essayé de téléphoner. Il n'avait jamais réussi à entendre autre chose que ce silence électrique dans son oreille. Peut-être la caissière allait-elle réussir ? Parfois, les femmes savent mieux faire que les hommes. Une mollesse chaude se répandit jusque dans ses os quand la caissière le considéra avec l'air de dire :

— Tu fais pitié, Charlie Longsong... Tu es revenu de la guerre un peu fou. C'est pourquoi je vais t'aider ...

Petit Homme Tornade avait affronté le feu de la guerre, mais il tremblait en demandant de l'aide pour téléphoner à Blanche Larivière.

Et là-bas, au nord, Blanche Larivière ne répondait pas. À Québec, Canada, personne ne connaissait le nom de Blanche Larivière. Alors, Charlie Longsong revint dans son désert et il but du bourbon. Il savait, lui, que Blanche Larivière existait.

Il ne leur raconte pas non plus ces jours où, assis devant son *hogan*, il l'attendait comme si elle allait venir le visiter. Il attendait, le regard fixé sur l'horizon, comme si Blanche Larivière allait apparaître entre les cactus, à la manière de ces tourbillons qui s'élèvent dans un coup de vent, se forment un corps avec la poussière, le sable, les brindilles, les fétus, tournoient, dansent et se désagrègent quand la brise s'essouffle.

Il ne leur raconte pas non plus son désir, comme on a faim, comme on a soif, d'avoir un fils. Un homme sans fils est un homme qui n'est pas vraiment venu sur la Terre. Cet homme n'a pas transmis l'héritage des Anciens. Le sang des Anciens s'est caillé en lui comme le lait au soleil.

Il y a tant de choses qu'un vieil homme ne peut raconter...

20

Robert Martin est entouré de livres empilés, de magazines entassés. Les ordinateurs sont chargés d'information. Des cartes géographiques sont épinglées aux murs. Les notes débordent des classeurs. Sa documentation devient aussi vaste que les paysages d'Amérique, aussi torrentielle que ses fleuves, aussi imprévisible que ses montagnes, aussi longue que ses plaines, aussi abondante que son gibier. L'historien ne sait plus s'il doit avancer, reculer, tourner à droite ou à gauche. Bien qu'il n'en ait pas encore tracé le premier mot, ce livre est plus célèbre déjà que tous ceux qu'il a publiés. Une dame distinguée l'a retenu dans la rue :

— Du côté de mes cousins par alliance qui vivent toujours à la campagne, il y a un Lamothe qui a épousé une Dubreuil dont la grand-mère était mariée à un Dubois. La fille de ce Dubois, mariée à un Pélerin, est morte aux États-Unis. Voilà une piste que vous ne devriez pas négliger si vous voulez remonter jusqu'au fermier Dubois.

La furie de sa femme, son ex-femme, la trop jolie coiffeuse, s'est apaisée. Au lieu de le réjouir, cette accalmie l'inquiète. Ce beau temps doit cacher une tempête à venir. Suscités par le service des projets spéciaux de Miss Camion, les événements se bousculent. Aujourd'hui, l'auteur de la biographie du fermier Dubois est le conférencier invité au déjeuner annuel de l'Association des éleveurs de vaches noir et blanc. Cette organisation veut promouvoir une meilleure compréhension du rôle bénéfique du lait dans la colonisation de l'Amérique. Elle apporte un appui financier considérable à sa recherche sur le fermier Dubois. En retour, il a dû accepter que le sous-titre de son livre soit : «*Le Lait, l'Or et l'Argent*». Il déteste ce genre d'obligation, mais il ne pouvait refuser cette concession au service des projets spéciaux. Il n'a pas hésité non plus à déclarer, en conclusion de sa conférence :

> «Nous allons démontrer éloquemment que la con-
> quête de l'Amérique n'est rien d'autre que la victoire
> du lait qui a étendu son empire sur le territoire, plus
> solidement qu'aucune doctrine religieuse, qu'aucune
> force économique, qu'aucune idéologie politique ! »

Il a été étonné de s'entendre affirmer cela. «Voilà tout de même une théorie historique nouvelle », a-t-il jugé.

Avant d'être fermier, Dubois a dû être un chasseur à cette époque où, dans un marché sans limites, la fourrure était précieuse. L'historien est tombé sur l'inventaire d'un poste de traite après l'hiver de 1857 : dix-sept mille sept cent cinq livres de cuir de castor, quatre cent soixante-cinq peaux de castors, neuf cent sept peaux de loutres de terre, quatre-vingt-dix-huit peaux de loutres de mer, cent soixante-dix-neuf peaux de visons, vingt-deux peaux de ratons laveurs, vingt-huit peaux de lynx, cent vingt-quatre peaux de renards, soixante et onze peaux d'ours noirs et seize peaux d'ours grizzlys. Le fermier Dubois a dû participer à ce genre de car-nage. En ce temps-là, était-ce un carnage ?

On lui apporte le journal. Les manchettes... Les mêmes nouvelles... A-t-il déjà lu cela hier ou avant-hier ? Tiens, ici on parle de son livre. On attaque son livre ! C'est trop. Il n'a même pas encore acheté son papier à écrire !

« Une fois de plus, une fois de trop, proteste l'épisto-
lière, un historien mâle réduira l'histoire de l'Amérique
à la dimension simpliste d'un de ces tristes hommes qui
traînaient leur zizi et leur fusil dans une direction ou
dans l'autre, selon le vent qui les poussait. Une fois de
plus, une fois de trop, un historien mâle racontera
l'histoire comme si ce continent n'avait compté que
des chevaux, des bœufs, des porcs et des hommes.
Une fois de plus, une fois de trop, un historien mâle
ne s'est pas rendu compte qu'il a fallu des femmes
pour peupler l'Amérique et tricoter quelques valeurs à
sa civilisation. Monsieur l'historien qui voulez emprunter les couilles historiques de votre héros parce que
vous n'en avez que de petites et molles, sachez que la
vie ne se fait pas sans la femme. Si vous étiez honnête
et objectif, c'est l'histoire de la femme du fermier
Dubois que vous écririez. Cependant, peut-on demander à un homme d'être objectif ? Il est de notoriété
publique que l'auteur de la vie du fermier Dubois
vient d'imposer un pénible divorce à sa femme et à ses
enfants. Monsieur l'historien, si vous avez des problèmes avec votre femme, vous n'avez pas le droit de
prendre votre revanche sur l'histoire de l'Amérique.
Monsieur l'historien, l'histoire est véridique ou elle ne
l'est pas. Elle ne le sera jamais si on prétend qu'elle a
été faite sans les femmes. »

Cette attaque lui fait mal. Il n'a encore rien fait, mais il
est jugé coupable et condamné. Ce n'est pas lui qui a réclamé
un divorce. Cette écrivassière à barbe épilée n'a pas le droit
de l'attaquer sur la place publique parce qu'il a souffert. Ah !
il va trouver les mots pous assassiner ce bas-bleu qui prend ses
migraines pour des idées. Plusieurs femmes, sans doute,
pensent comme elle. D'autre part, il est vrai que l'histoire,
écrite par les hommes, a beaucoup négligé les femmes. On ne
peut esquiver cette juste critique. Robert Martin se rappellera
toujours sa première leçon d'histoire à l'université. Le grand

professeur était entré dans l'amphithéâtre avec sa toge et plus de volumes qu'il n'en pouvait transporter. Il les avait jetés avec dédain sur le bureau, il avait toisé ses étudiants avec un regard de mépris et sibyllin il avait déclaré de la voix de celui qui sait tout et ne doute de rien :

— L'histoire se fait dans les chambres à coucher.

Et, comme s'il avait tout dit, il était sorti de l'amphithéâtre en y laissant ses livres...

La dame qui l'attaque dans le journal n'a pas entièrement tort. L'histoire est aussi faite par les femmes. Il devrait insérer dans son livre le récit d'une courageuse Indienne qu'il a notée. Son livre offrira ainsi une perspective féminine. Il doit s'avouer qu'il n'a jamais réfléchi sur le rôle des femmes dans l'histoire de l'Amérique. Qu'est un homme sans une femme ?

Une *squaw* accompagnait son mari, un voyageur canadien-français, qui explorait des passages dans les Rocheuses. Le groupe est attaqué par une tribu farouche. Son mari a la gorge tranchée, il est scalpé. Elle a pu se cacher. Leur pillage terminé, les attaquants s'en vont ailleurs poursuivre leurs sinistres combats. Maintenant, elle peut fuir. Ils n'ont pas tout pris. Elle ramasse quelques peaux, de la viande de castor, du saumon sec. Elle attache son ballot sur le dos d'un cheval. Elle installe ses deux enfants sur le dos d'un autre cheval et elle s'élance dans ce territoire montagneux qu'elle ne connaît pas. Pour n'être pas repérés, ils dorment sans allumer un feu. C'est janvier. Dans les Rocheuses, en janvier, le froid vous scie les os. La neige est profonde. Les chevaux se fatiguent. Elle aperçoit une cabane abandonnée. Le Dieu de son mari chrétien lui aurait-il préparé un abri pour ses enfants ? Elle pousse la porte. Le plancher, les murs sont maculés de sang. Il a gelé avant de sécher. Les ennemis rôdent. Ils ne sont pas loin. On ne doit pas s'arrêter. Il faut fuir plus loin dans la montagne. Elle cherche et trouve un ravin où elle s'enfonce. Là, personne ne verra la fumée quand elle allumera un feu pour réchauffer ses enfants transis. À cet endroit, elle bâtit un *wigwam* avec quelques branches et les peaux qu'elle a emportées. La réserve de viande est bientôt épuisée. Elle tue un cheval. Elle en fume la viande. C'est la paix. En mars, l'hiver s'acharne encore. Elle doit tuer le second cheval. Les loups s'approchent. La *squaw* prend ses deux enfants dans ses bras et, pendant des jours, dans la neige épaisse où elle s'enfonce, sur les coulées de glace où elle glisse et tombe, elle marche sans savoir où elle va. À la fin, elle s'écroule, épuisée. Des cavaliers d'une tribu amie la trouvent sommeillant dans la neige avec ses enfants dans les bras. Ils sont sauvés. La femme du fermier Dubois avait peut-être un semblable courage. Il faudra chercher, il faudra trouver.

Le service des projets spéciaux de Miss Camion a fait de ce livre un ouragan. Il ne veut rien reprocher à Miss Camion. Elle organise ce qui est désorganisé. Quelle force elle a dans ses éclatantes robes fleuries qui ressemblent à des jardins sauvages de la jungle amazonienne ! Il l'aime comme on peut aimer une locomotive, un bulldozer, une montagne ou les chutes Niagara. Cette force ne l'écrase pas ; elle devient peu à peu la sienne, elle s'installe en son âme, nourrit l'ancienne faiblesse.

Robert Martin avoue qu'il l'aime. Elle le serre fortement contre elle, elle le tient longtemps contre son corps qui vibre comme si son cœur était assez gros pour le remplir. Cette femme ressemble à une belle journée d'été. Après un moment de ce chaud silence charnel, elle lui dit :

— Je t'ai jamais demandé si tu m'aimes. Tu as l'air d'avoir tant de mal, parfois... Je sais qu'une personne blessée a de la difficulté à aimer. Je me disais que tu dois bien m'aimer un peu parce que tu me prends comme je suis. Tu as jamais essayé de me changer. Moi, je t'aime depuis le commencement. À cause de la manière dont je suis faite, je peux pas avoir de longs chagrins. C'est de la joie qui coule dans mes veines. C'est comme ça. Mais je crois qu'une femme a toujours besoin d'un peu de chagrin. Tu es mon chagrin et j'essaie de te consoler. Toi et moi, nous allons arranger tes affaires de divorce. Nous allons être généreux pour ton ex-femme. Tes enfants se rappelleront la générosité de leur père.

Plus tard, quand le temps aura refroidi les passions, ton ex-femme comprendra qu'elle a quitté un homme généreux. Nous allons terminer ton livre sur le fermier Dubois. Ensuite, tu seras libre pour un autre projet. Tu seras devenu le plus grand historien d'Amérique. J'espère que dans ce temps-là tu m'aimeras encore un peu.

— Souvent je me sens comme un vieux livre, admet-il, les pages jaunies, rempli de vieilles idées. Je vois la vie qui passe alors que je reste coincé dans ma poussière.

— Depuis que je te connais, tu as gagné du poids. Un homme malheureux maigrit... Nous avons déjà traversé trois saisons ensemble. C'est déjà le printemps.

Trois ou quatre jours plus tard, il est demandé d'urgence au téléphone alors qu'il donne un cours sur l'évolution de la notion de propriété telle que l'a définie Montesquieu. Son cœur flanche. Le téléphone est loin, au bout de plusieurs corridors. Ses jambes sont gourdes. Enfin, il atteint le combiné :

— Monsieur le professeur, dit la voix familière de Miss Camion, pardonnez-moi de vous déranger... Je te ferai plus jamais ça. J'appellerai plus jamais d'urgence. C'est mal d'interrompre votre cours, monsieur le professeur. Je voulais tant le faire. Une seule fois... Rien que cette fois-ci. Pour le plaisir... Monsieur le professeur, je vous entends haleter comme quand vous me faites l'amour. Vous avez couru. J'ai tort de vous faire courir pour m'écouter. Je ferai plus jamais ça. Je suis en réunion avec mon comptable. Je vais acheter vingt nouveaux camions. Pendant que je discutais d'amortissement de capital, j'ai pensé à combien je t'aime. Cette pensée est devenue si grosse que j'ai pas pu la garder pour moi. Alors, je t'ai appelé d'urgence parce que c'était urgent que je te le dise. À mon âge, je devrais agir d'une autre manière. Je t'aime parce que tu me donnes un passé. Je t'aime parce que tu me donnes de la pensée.

Robert Martin est très ennuyé d'avoir été dérangé. L'avalanche de mots chaleureux adoucit cependant son irritation. Dans un monde où tant de personnes s'étiolent dans l'indifférence et la solitude, n'est-il pas délicieux d'être appelé d'urgence pour se faire annoncer qu'on est aimé ? Il cherche ses mots. Il sait qu'il va bégayer. Il ne veut pas parler comme un professeur. Il ne sait comment traduire son sentiment. À la fin, il déclare :

— Avec tes grandes ailes, tu es un papillon gros comme un camion !

— Ces mots-là me donnent des chatouillis dans le dos... Monsieur le professeur, avez-vous reçu mes fleurs ?

— S'il te plaît, comprends, ne m'envoie plus de fleurs. Il y a tant de fleurs dans mon bureau que je ne peux plus entrer.

Il n'est pas entièrement malheureux, il doit en convenir. En collaboration avec le service des projets spéciaux de l'entreprise de Miss Camion, une agence de voyages a commencé la distribution massive d'un dépliant touristique :

« Ne faites plus de tourisme bête. Adoptez le tourisme de découverte, le tourisme culturel. Suivez pas à pas les traces du fermier Dubois, ce brave Canadien français qui, d'aventure en aventure, a conquis l'Amérique. Lisez le livre de notre historien national Robert Martin pour connaître votre itinéraire. Nos confortables autobus avec air conditionné prendront leur départ devant la simple maison natale du paysan Dubois et s'arrêtera au Colorado, devant le cimetière où il repose sous une humble pierre tombale. Il aurait été oublié à jamais si notre grand historien national n'avait su reconnaître à ses pistes les pas d'un grand homme : Dubois, le père de l'Amérique. »

Ce livre n'est pas facile à écrire. Son personnage est de la race de ceux qui ne laissent pas de traces... L'Amérique n'a-t-elle pas été bâtie par ceux qui ne laissent pas de traces ? L'histoire vraie, l'histoire profonde, est celle des désirs, des pensées, des rêves, des plaisirs et des peines. Ils ne produisent pas de documents officiels signés et contresignés. Le fermier Dubois était-il ce genre d'homme qui ne retourne jamais là d'où il vient ?

Depuis l'été dernier, Robert Martin a tant de fois repris la description de la grandiose Arizona autour d'une table où on l'écoutait, incrédule et extasié. Il a souvent déclaré que les rochers sculptés par le temps sont aussi religieux que les célèbres cathédrales. Plusieurs fois, il a professé que le génie architectural des humains apparaît limité si on le compare au génie du temps qui a inventé, bien avant les humains, toutes les formes. Des dizaines de fois aussi, il a expliqué sa découverte, dans une ville abandonnée du Colorado, de ce cahier où il a lu, à la première page, le nom du fermier Dubois, le premier acheteur d'un troupeau de cinquante-neuf têtes dans une ville où s'apaisait la fièvre de l'or. Le dernier chapitre de ses aventures en Arizona se terminait immanquablement par le récit de sa rencontre avec un vieil Indien un peu fou et un peu ivre qui répétait les noms de la rue Gît-le-cœur à Paris et de la Grande Allée à Québec.

Un soir, pendant son dîner avec Miss Camion, le téléphone sonne :

— Je m'excuse de déranger un historien occupé comme vous. Je n'ai pas eu l'occasion de parcourir vos autres livres mais j'ai très hâte de lire celui sur le fermier Dubois. Je vous félicite de raconter l'histoire telle qu'elle a été vécue par le peuple. Il n'y a pas de façon plus démocratique de faire l'histoire de la plus grande démocratie au monde.

— Vous désirez me fournir une information ? s'impatiente Robert Martin.

— Excusez-moi... Il fallait que je vous dise mon intérêt pour votre travail... Voici la raison de mon intrusion. Des amis ont raconté à des amis qui m'ont raconté votre rencontre avec un vieil Indien qui connaissait la rue Gît-le-cœur à Paris. Aussitôt que j'ai entendu votre anecdote, un bout de poème s'est réveillé dans ma mémoire. Je suis professeur de littérature. Votre histoire est étonnante. Je pourrais vous envoyer le poème. J'abuse de votre temps... Peut-être n'êtes-vous pas intéressé. Excusez-moi. Je n'aurais pas dû vous déranger.

Robert Martin déteste le téléphone. Cet instrument est un passe-partout qui permet à n'importe qui d'entrer chez vous comme un voleur. Il ne parle pas.

— Je vous dérange, je le sens. Excusez-moi. Le poème parle d'un Indien et de la rue Gît-le-cœur. Voulez-vous l'entendre ?

— Le poème parle-t-il du fermier Dubois ?

— Je m'aperçois que je n'ai qu'une photocopie de la première page.

— Alors, lisez-moi la première page.

— Je lis :

> «Ô mon jeune frère indien
> Tu as quitté ton désert
> Pour le grand rite du feu
> Et tu as pris mon cœur
> Rue Gît-le-cœur
> Et tu m'as donné le tien
> Ô mon jeune frère indien
> Nous avons fait la paix
> Au mois d'août
> Rue Gît-le-cœur
> À Paris
> Loin de ton désert
> Ô mon jeune frère indien... »

Le poème est tiré d'une plaquette de vers intitulée *Fleurs de frisson*. Cette poétesse oubliée qui a influencé Anne Hébert s'appelle Blanche Larivière.

— Blanche Larivière ! s'écrie l'historien. C'est étonnant !

— Vous connaissez Blanche Larivière ?

— Non. Merci pour votre information. Laissez-moi votre numéro de téléphone.

— Je regrette d'avoir pris trop de votre temps. Excusez-moi.

Robert Martin pose le combiné. Il ressent un vif besoin de bouger. « Si le hasard est le principe premier de la création du monde, il n'est pas impossible qu'il soit aussi le principe de l'histoire », songe-t-il. Il est bouleversé. Le vieil Indien qu'il a abandonné, l'été dernier, au bord de la route, l'a rejoint. Il ne peut plus s'enfuir en soulevant le gravier sous ses pneus. Il répète les vers dont il se souvient :

« Tu as pris mon cœur
Rue Gît-le-cœur »

Vite, avant de les oublier, il trace ces mots sur une fiche. Fébrile, il griffonne aussi le titre du recueil de vers. Qui est cette poétesse ? Avant d'oublier, il devrait écrire aussi cette note sur les combats de boxe à poings nus qu'organisaient les tenanciers de *saloons* pour sortir leurs clients des bordels et les garder le plus longtemps possible dans leur établissement. Comme tous les pauvres, le fermier Dubois devait s'enthousiasmer pour la boxe.

Le lendemain, un commis à la Bibliothèque nationale remet précieusement à Robert Martin un exemplaire de *Fleurs de frisson*. Le nom de l'auteur est inscrit en lettres décorées de fioritures très fines. Il entrouvre la mince plaquette. La colle du dos de la reliure craque. L'a-t-on déjà ouvert ? Un seul lecteur a-t-il déjà posé le regard sur les vers de la poétesse ? Le poème sur la rue Gît-le-cœur est à la page dix-neuf.

— Avez-vous de l'information sur cet auteur ?

Le commis fait glisser sur le comptoir le *Dictionnaire biographique* :

« Larivière, Blanche. (Née à Québec en 1919, décédée dans la même ville en 1964.) Épouse du notaire René Goupil, elle a consacré sa vie aux bonnes œuvres catholiques. Elle s'est particulièrement dévouée pour l'éducation des jeunes Indiens de L'Ancienne-Lorette, près de Québec. Elle aimait aussi taquiner la Muse. En effet, elle a donné à l'imprimeur cinq recueils de poésie dont *La vie passe*, *L'Étoile dans tes yeux* et *Fleurs de frisson*. Née dans une famille bourgeoise, elle a été nourrie de valeurs traditionnelles qui ont enrichi sa vie comme sa poésie. Elle a aussi donné naissance à un fils qui a suivi les traces de son père dans la pratique du notariat. Blanche Larivière est décédée à la suite d'une longue souffrance causée par le cancer. À l'époque de leur publication, certains de ses poèmes avaient suscité des commentaires élogieux du révérend père Lévesque, dominicain. Malheureusement, son œuvre a été négligée par les jeunes générations. Durant les derniers jours de la maladie qui devait l'emporter, elle aurait souvent répété : ‹Je n'ai pas tout dit›. Ce sentiment de quitter une œuvre inachevée est la marque d'un auteur véritable. »

— Y a-t-il un dossier Blanche Larivière aux archives ? s'enquiert l'historien.

Le commis pianote sur son ordinateur.

— Sûrement, répond-il avec la certitude de ceux qui savent que leur institution est parfaite.

— Alors je peux consulter le dossier Blanche Larivière ?

Le commis pianote encore un peu.

— Le dossier Blanche Larivière ne peut être ouvert avant le décès de son mari, Me René Goupil, notaire.

— Et il est mort ou vivant, le mari ?

Le commis pianote encore, et encore, et encore, puis, tout à coup, il a l'air triste comme si on lui avait annoncé une mauvaise nouvelle.

— L'ordinateur ne sait pas, chuchote-t-il.

21

Qu'est-ce qui s'approche ? Un nuage de poussière roule vers son *hogan*. Charlie Longsong n'a plus les yeux pour voir. Il rentre s'assurer que sa carabine est bien là où elle doit être. Autrefois, il voyait dans la nuit comme en plein jour. Une camionnette s'arrête en glissant sur le gravier. La poussière la recouvre et la dépasse. Trois, quatre jeunes hommes sautent du véhicule. Que veulent-ils ? Il n'est qu'un vieil homme. Il se recule pour être plus près de son arme. L'un d'eux transporte une caisse de bière.

— Salut, vieil homme Charlie Longsong ! On est venus te parler.

Qu'est-ce qu'il y a dans le vent pour que les jeunes veuillent écouter les histoires d'un vieil homme ? Dans son temps, ceux qui allaient bientôt devenir des hommes voulaient apprendre ce qu'il fallait de ceux qui avaient été des hommes. Dans les vieux temps, les Anciens racontaient et les jeunes n'oubliaient pas leurs paroles. Il y avait de la continuité dans le temps comme dans le sang. Aujourd'hui, la jeunesse ne veut écouter personne. Elle est si ignorante qu'elle pense tout connaître.

— Je n'ai rien à vous raconter, ruse-t-il. Un homme parle toujours trop, même celui qui se tait.

— Si les vieux se laissent enterrer sans dire aux jeunes ce qu'ils ont appris, les jeunes n'apprendront rien.

Y a-t-il dans le vent une voix nouvelle qui conseille aux jeunes d'écouter les Anciens? Y a-t-il dans l'eau un goût spécial qui leur fait désirer entendre un vieil homme qui a été longtemps silencieux? Y a-t-il dans le maïs une faiblesse qui fait que la jeunesse a besoin des mots d'un vieil homme? Charlie Longsong sait qu'il va parler. Il sait aussi qu'il doit en retarder le moment pour qu'ils soient vraiment prêts à l'écouter. Il se rappelle comment les Anciens de sa jeunesse déroulaient lentement les mots, laissaient le temps les choisir avec eux. Elle est bien vide, la jeunesse où ne tombent pas les mots des Anciens. Elle est bien triste, la vie d'un Ancien dont les mots n'ensemencent pas la jeunesse.

Les visiteurs ont décapsulé leurs bouteilles de bière. Ils en offrent une à Charlie Longsong:

— Parle-nous des femmes blanches.

— Sont-elles blanches partout?

C'est une farce bien drôle. Ils rient. Charlie Longsong regarde loin, vers l'horizon, comme si sa mémoire était au bout du désert.

— Les femmes blanches sont blanches, blanches comme la neige. Elles sont encore plus blanches quand elles ont enlevé leur robe. Il ne faut plus penser à ça. Ce n'est pas bon pour un vieil Indien de songer aux femmes blanches. Ce n'est pas bon pour de jeunes Indiens d'écouter un vieil Indien leur parler des femmes blanches.

Les bouteilles sont déjà vides. On s'empresse d'en distribuer d'autres.

— C'est vrai que les femmes blanches font des fantaisies que nos Indiennes connaissent pas?

Ils éclatent de ce rire bruyant qu'ont les jeunes quand ils proclament qu'ils seront éternels sur la Terre.

Derrière son visage plissé comme une très ancienne falaise, Charlie Longsong semble n'avoir rien entendu :

— Les femmes blanches, poursuit-il, sont très joyeuses quand la guerre est finie. Elles sont blanches comme la neige. Elles fondent aussi comme la neige.

La lumière bouillante écrase le désert. Au loin, les montagnes ont l'air de haleter. La chaleur roule des vagues qui rebondissent au visage. Le soleil déverse un feu brûlant dans la plaine aride. À l'ombre sous l'abri, les moutons n'ont pas la force de bêler. Les paroles s'amollissent et deviennent gluantes sur les lèvres sèches.

Petit Homme Tornade, après la mort de son père, était retourné vivre sur la *Mesa*. Il y avait beaucoup d'hommes dans la maison de sa mère. Pour éviter les coups, il restait à l'extérieur autant que possible. Il aimait écouter les Anciens. C'est cela qu'il veut raconter aujourd'hui à ses jeunes visiteurs. Il n'était qu'un enfant, il ne comprenait pas tout ce que les Anciens disaient, mais il se rappelle tout.

— L'Indien ne doit pas être celui qui n'a rien. L'Indien ne doit pas être celui qui ne possède que les histoires de ses Anciens. L'Indien doit aller là où il y a de la belle herbe, de la bonne eau. Là, il doit s'acheter une bête. Dans une seule bête, il y en a mille. Dans un mouton, il y a mille moutons. Mais pour avoir mille moutons, il faut en avoir deux. Dans un cheval, il y a mille chevaux. Un Indien devrait vouloir posséder mille moutons, mille chevaux et une douzaine d'enfants. Pour prendre soin de ses bêtes, il faut se lever avant le soleil et se coucher après le soleil. Il ne faut pas dormir durant le jour. L'Indien ne doit pas jurer contre la fatigue que lui cause le soin de ses bêtes et de ses enfants. L'Indien ne doit pas dire : « Je suis fatigué à cause de toi et je voudrais que l'éclair te frappe. » L'Indien ne doit pas dire : « Je souhaite que le serpent te pique. » Si l'Indien appelle ces malheurs, ils vont venir comme des chiens obéissants. L'Indien ne doit perdre ni un enfant, ni un cheval, ni un mouton, ni un grain de maïs. Dans un, il y en a mille.

Voilà ce que disaient les Anciens, cet automne-là, alors qu'il était un enfant seul et triste...

Charlie Longsong n'a pas écouté leurs conseils. Au lieu de se diriger vers là où s'étendaient de la belle herbe et de la bonne eau, il est allé de l'autre côté de l'océan faire la guerre. Au lieu de s'acheter un mouton dans lequel il y en avait mille, il a donné son meilleur bras à la guerre des *Bohanas*.

— C'est ça qui est arrivé. On ne peut rien changer de ce qui a été. Mais on peut changer ce qui sera.

Les jeunes n'écoutent plus les Anciens. Ils ne sont intéressés que par le bruit de leurs radios. Alors, ils ne comprennent pas ce qui arrive dans leur tribu ni dans le monde. Pourtant, ils sont venus lui offrir de la bière et lui demander de raconter. Alors, il doit raconter. Il est devenu un Ancien. Et les jeunes comprendront mieux la vie s'ils n'oublient pas ses histoires.

Sur la *Mesa*, Petit Homme Tornade entendait les hommes se plaindre qu'il ne tombait plus de pluie. Le désert était de la terre morte. Les *arroyos* restaient secs. Les moutons ne trouvaient que des brindilles à brouter. Et le maïs était chétif. Alors, le maître des serpents expliqua :

— Depuis que les *Bohanas* sont arrivés dans le pays, ils tuent tous les serpents qu'ils voient. Ils pensent que les serpents sont les ennemis de la race humaine. Tuer un serpent est une très mauvaise action. Les serpents sont les amis de la race indienne. Le serpent est notre frère. Après la danse, les serpents retournent chez eux, dans leur trou noir, sous la terre, et ils disent aux esprits : « Katchinas, envoyez de la pluie aux pauvres Indiens pour le maïs et les moutons. » Les Indiens dansent avec les serpents, mais les *Bohanas* tuent les serpents. Quand le serpent est mort, il ne peut pas aller dire aux Katchinas : « Envoyez de la pluie aux bons Indiens qui dansent avec les serpents. » C'est la raison pour laquelle le désert ne reçoit plus d'ondées comme dans les vieux temps où les tueurs de serpents n'avaient pas encore envahi le désert.

Ses visiteurs n'ont plus de bière à boire et ils ne partent pas. Charlie Longsong s'est tu. Ils veulent l'écouter encore. Alors, il se souvient de cette autre histoire.

C'était dans un pays froid, très loin au nord, où habitaient les ancêtres des ancêtres. Le pays était si froid qu'aucun feu ne pouvait réchauffer les cabanes couvertes de glace. Après de très longues discussions, la moitié du peuple décida qu'il ne pouvait plus souffrir ainsi du froid qui finirait par geler son sang. L'autre moitié décida de rester parmi les glaces. Les uns commencèrent à suivre le soleil vers le sud. Avec les enfants et les petits-enfants, ce nouveau peuple marcha pendant plus de cent années et encore cent années. Il traversa des montagnes escarpées, des plaines longues comme l'éternité, il franchit des rivières et des fleuves débridés, il marcha dans des canyons profonds, et il atteignit une vallée ensoleillée où la terre était lisse et fertile le long d'une rivière. Ce peuple n'eut plus jamais froid. Et il fut heureux jusqu'à l'apparition des *Bohanas*. Ces envahisseurs les firent souffrir plus que tous les hivers du pays lointain au nord.

Blanche Larivière a-t-elle froid dans son pays du nord? Charlie Longsong n'aimerait pas que ses visiteurs sachent qu'il pense à elle. Depuis longtemps, ils n'ont plus de bière. Ils ont entendu assez d'histoires. Ils s'en vont.

La nuit descend se mêler à la poussière alcaline. La terre est si sèche que le seul poids de l'ombre la fait craqueler. À l'extrémité du sol crayeux, les montagnes couvertes d'arbres offrent, à l'horizon, le refuge frais des ubacs, des crevasses, des brèches et des cluses. Sous la bruyère desséchée, une souris avance sur la pointe de ses pattes. Le silence est si intense que Charlie Longsong peut entendre ses minuscules griffes égratigner le gravier. Un renardeau gris l'a sentie. Il l'attend entre les bardanes que sa fourrure n'ose pas effleurer. Cette proie sera facile. Pendant que les peuples de la lumière s'endorment, ceux de la nuit prennent possession du désert. Une musaraigne à moustache se rassasie d'insectes. Ses petites oreilles dressées épient le silence. Les chauves-souris venues des canyons se ruent aussi vers les insectes. Elle reconnaît leurs battements d'ailes. Elle se renfrogne. Rassurée, elle continue son banquet. Quelques serpents qui ont dormi tout le jour partent aussi à la chasse. La musaraigne doit être prudente. C'est une nuit ordinaire avec ses chasses et ses guerres. Chacun a besoin de l'autre afin que l'espèce continue. Pour Charlie Longsong, c'est l'heure de dormir.

Voici que le rideau de l'ombre s'ouvre. Surgit un homme sombre, montant une jument noire qui avance sur ses sabots silencieux. Elle s'immobilise devant son *hogan*.

— Petit Homme Tornade...

Son père l'a appelé de son nom d'enfant. Charlie Longsong a toujours préféré son nom d'enfant au nom qu'on lui a donné quand il est devenu un homme. Un homme est-il toujours un enfant pour son père ?

— Petit Homme Tornade, il y a longtemps, c'était avant ta naissance, j'étais un jeune homme et j'avais remarqué une jeune fille. Elle m'avait aussi remarqué. Elle me désirait comme je la désirais. Je voulais la prendre pour femme et elle me voulait pour mari. Alors, elle a suivi la coutume de notre tribu. Elle était jolie, Petit Homme Tornade. Je n'avais pas envie de regarder les autres filles à côté d'elle. Selon la coutume, elle est venue porter à ma mère du maïs qu'elle avait moulu aussi fin qu'une poussière de rosée. Ma mère a dit : «On n'a jamais moulu le maïs si finement. » Elle a accepté de la prendre dans sa maison. Ma mère acceptait de devenir la belle-mère de cette jolie fille qui savait moudre si finement le maïs. Ma mère acceptait de lui donner son fils comme mari. J'avais un frère aîné. La coutume de notre tribu donnait à mon frère aîné le privilège de se marier avant moi. C'est lui que ma mère a donné comme mari à la jolie fille. Elle l'a pris. Alors, je me suis enfui dans le désert, les yeux rouges, le cœur furieux, le sang écumant. J'y suis resté longtemps sans retourner à la *Mesa*. J'ai vécu comme un animal furieux. Mais tous les êtres retournent au lieu de leur naissance. Je suis finalement retourné à la *Mesa* avec l'idée de me réconcilier avec mon frère. Au pied de la *Mesa*, dans le champ de maïs, j'ai aperçu la jolie fille qui avait apporté à ma mère du maïs si finement moulu. Nous ne nous sommes pas parlé. Mais nous nous sommes aimés. Nous nous sommes aimés. Tu es né neuf mois plus tard. Son mari, mon frère, a eu des doutes. Quelqu'un nous avait aperçus. Il a tiré sur moi. Nous ne nous sommes pas réconciliés. Je suis revenu au désert. Le vent m'a apporté des rumeurs que mon frère te battait. Il ne voulait pas d'un faux fils, d'un fils fait par son frère à sa jolie femme. Alors, j'ai pris ma carabine et je suis allé te chercher. Mon frère n'a pas tiré. Je t'ai pris avec moi et je t'ai appelé Petit Homme Tornade. Dans le désert, tu n'avais pas de mère. Je t'ai donc enseigné ce qu'enseignent les mères de notre tribu : comment semer le maïs profondément dans le sable ; comment planter les courges ; comment soigner le pêcher pour qu'il produise des fruits même s'il se tient debout dans une terre trop sèche. Je t'ai appris à moudre le maïs et à cuire les *pikis* et les *pikamis*. Je t'ai appris à mettre la juste quantité de sucre dans les gâteaux. Je t'ai appris à faire le ragoût de mouton, à y mettre beaucoup de gras et des pêches séchées. Je t'ai montré où faire paître les moutons, comment traire la chèvre. Ainsi, Petit Homme Tornade, tu savais tout ce qu'il faut savoir. Tu n'avais plus qu'à devenir un homme.

Charlie Longsong rêve-t-il ? Il se lève. La porte de son *hogan* est ouverte sur la nuit. Le ciel est couvert d'étoiles et le désert s'étend dans l'obscurité immense.

À la façon dont son cœur palpite, il sait qu'il a reçu la visite de son père. Il s'ennuie comme un enfant.

22

L'un des assistants de recherche a relevé le nom de Dubois dans une bibliographie d'œuvres maritimes. Voilà qui est singulier ! Des centaines de milliers de Canadiens français ont fui leur pays pour travailler dans les usines américaines, les fermes, les mines, les forêts, les ranchs. Que faisait ce Dubois sur un bateau ? La bibliographie indique :

« Joseph Dubois : *Aventures en mer*, publié à Boston en 18...1 [le troisième chiffre est illisible], 32 pages ; écrit en langue française. »

Ce Dubois perdu en mer est-il revenu sur la terre ferme pour s'acheter un troupeau au Colorado ? Selon les répertoires, il appert qu'une seule copie de la brochure de Dubois existerait encore. Elle est conservée à la Bibliothèque de New Bedford, au Massachusetts.

Un courrier spécial apporte une photocopie un peu floue de la brochure de Joseph Dubois. Le conservateur de la Bibliothèque de New Bedford s'excuse de la mauvaise qualité du document :

« Je m'empresse de vous faire parvenir cette photocopie d'une photocopie faite par un lecteur qui avait
emprunté l'original. Descendant d'une famille d'immi-
grés canadiens-français, il connaissait assez la langue
française pour apprécier le récit de Joseph Dubois. Il a
apporté la brochure pour la lire sur son bateau lorsqu'il
sortirait naviguer en mer. Un ouragan a emporté le
bateau, pourtant amarré au quai. C'est ainsi que la
brochure originale a été perdue à jamais. Heureusement, le lecteur, un fonctionnaire entraîné à la pru-
dence, avait appris à faire un double de tout document
qui arrivait entre ses mains. C'est ainsi que le texte de
Joseph Dubois a été sauvé du naufrage. La qualité de
l'impression de l'original laissait déjà à désirer. C'était
une très modeste brochure dont l'impression a été
probablement payée par l'auteur lui-même… »

Tenant ces pages précieuses, les mains de Robert Martin
tremblent :

« Je n'avais pas encore seize ans, j'avais laissé ma
famille loin derrière moi, je n'avais plus un sou dans
ma poche et je montais sur un bateau avec un très
haut mât. Je n'avais jamais vu un bateau avant ce
jour. Un homme barbu qui avait un bras sans main
me remit un sac de toile, un matelas, deux couvertures de laine, un pantalon de denim pour le travail,
des bottines de cuir, des bottes de caoutchouc, un
sous-vêtement, deux chemises de flanelle, un couteau,
un manteau de peau imperméable, une ceinture, une
tasse et une assiette de fer-blanc. Un autre homme
barbu avec une balafre qui lui sciait la joue et le nez
additionna le coût de tous ces objets qu'il me fallait
pour entreprendre le voyage :
— Tu me dois cinquante-trois dollars. Ton avance
sur ton salaire est seulement de cinquante dollars.
Qu'est-ce que tu vas faire ?

Je vérifiai l'exactitude de son addition et le prix de la marchandise.

— Y a pas d'erreur. Qu'est-ce que tu vas faire ?

Le regard de l'homme barbu était si fort que je me sentais rejeté du bateau. Je ne voulais pas le quitter car j'avais décidé que je voyagerais sur la mer. J'étais grand et fort pour mon âge. Je voulais voir la mer parce que j'avais vu beaucoup de terre. Je ne voulais pas descendre de ce voilier parce que je n'avais plus rien à manger ni à fumer. L'homme au bras sans main commença à reprendre ce qu'il avait entassé devant moi sur le comptoir.

— Je sais ce que je vais faire. Je suis accoutumé à dormir sur la dure. J'ai pas besoin d'un matelas. »

Les yeux de l'historien ne peuvent plus lire. Est-il trop triste ? Est-il trop excité ? Ce jeune Dubois pourrait être celui dont il a trouvé le nom dans un vieux cahier au Colorado. Robert Martin poursuit nerveusement sa lecture.

Quelle aventure ! Le jeune Dubois, qui a peu fréquenté l'école parce que son « père ne pouvait seul gagner suffisamment pour nourrir une famille de quinze bouches », se retrouve à seize ans sur les mers de Moby Dick. (L'historien regrette de ne s'être jamais efforcé de lire ce roman.)

Pendant deux ans, l'adolescent Dubois parcourut l'océan sur un baleinier qui pourchassait les mastodontes. Il n'avait jamais « grimpé plus haut que le toit de la grange de mon père pour remplacer des bardeaux arrachés par le vent ». Il apprit à escalader le grand mât où, « par les jours de hauts vents, il vous semble que le pont roule de sous vos pieds pour se balancer au-dessus de votre tête ». Il raconte comment il faisait fondre la graisse des baleines dans ces vastes chaudrons enchaînés au pont, comment il roulait et entassait les barriques d'huile dans la cale. Au début, ses mains, qui pourtant étaient endurcies au travail, saignaient sur les câbles qui halaient la baleine.

Deux ans plus tard, le jeune Dubois descendit de son voilier. Il savait que d'une seule baleine l'on peut tirer quatre-vingts barils d'huile et deux cent quatre livres de fanons pour fabriquer des buscs de corset et des rayons de parapluie. Il avait aussi appris à ne pas trembler quand le capitaine Thomas brandissait vers lui son bras amputé par l'explosion de la fusée de son harpon. Il avait aussi endurci son cœur à ne plus s'ennuyer de la maison paternelle quand le voilier voguait sous les ciels d'eau du nord, que les marins appellent ainsi parce que l'eau de la mer s'y reflète.

À la lumière d'une chandelle faite à l'huile de baleine selon la manière inventée par le Juif Rivera, Joseph Dubois s'était exercé à lire dans la Bible que le commandant lui avait prêtée. Pour améliorer son écriture, il en copiait et recopiait des passages, se donnant des dictées à lui-même. Enfin, il avait compris que partout où il était allé la mer bougeait comme si les humains n'avaient pas existé. Elle bougeait comme avant le règne de l'homme et comme elle bougera après.

Ses bottines brûlées par le sel, en guenilles, avec son pantalon et sa chemise délavés, déchirés, il se présenta au journal de la ville pour solliciter un emploi. Il raconta son histoire au rédacteur, qui l'emmena chez un tailleur. Le jeune Dubois, devant le miroir, se tenait le corps droit. Son regard dardait une lumière froide, une assurance forte. Il avait vu défiler toutes ces tempêtes. Le rédacteur lui dit :

« Tu dois rester au journal assez longtemps pour me rembourser le prix de ce costume. Je sais que tu n'es pas fait pour t'enraciner derrière un bureau. Si tu es resté deux ans sur ton baleinier, c'est probablement parce que tu ne sais pas nager.

— Non, monsieur. Je sais pas nager... »

Le téléphone résonne. La copie du certificat de décès réclamée est maintenant disponible. Il suffit de se présenter en personne au bureau.

Robert Martin est irrité qu'on le dérange.

— Quel certificat de décès ?

— Il s'agit du certificat attestant le décès de René Goupil, mort le 6 octobre 1975.

— Je n'ai jamais entendu parler de cet individu. Vous faites erreur.

— Êtes-vous M. Robert Martin, l'historien ? N'avez-vous pas demandé le certificat de décès de René Goupil, époux de Blanche Larivière ?

— Oui, bien sûr.

Robert Martin sait qu'il est distrait, impatient et fatigué. Où l'entraînera donc le fermier Dubois ? Ce livre ressemble à une baleine récalcitrante. S'il n'était pas un scientifique rompu à la discipline de l'objectivité, il pesterait contre ces Canadiens français catholiques qui nommaient tous leurs fils Joseph et dont les familles nombreuses engendraient des familles plus nombreuses encore. Tout le monde à la fin s'appelait Joseph Dubois. « Il est inutile de forcer la nature, lui a dit Miss Camion, la saison du fermier Dubois arrivera quand son temps sera venu ». Une équipe d'assistants le soutiennent. « Laissons-les travailler. » Robert Martin, lui, ne devrait-il pas se délasser un peu ? Le certificat de décès de René Goupil lui ouvre l'accès aux secrets d'une poétesse inconnue qui a écrit une ode à la rue Gît-le-cœur.

À la Bibliothèque nationale, il se dirige vers sa table habituelle. Il aime cette table près d'une fenêtre d'où il peut, s'il lève les yeux de ses documents, observer les pigeons perchés sur la corniche. Comme s'il apportait son propre cœur entre ses mains pour une opération, le commis s'amène enfin avec une grande enveloppe scellée. Les doigts de l'historien entreprennent de dénouer la ficelle.

— Non, monsieur Martin, pas tout de suite. Vous devez me fournir une pièce d'identité. Et j'ai besoin d'un témoin.

Toutes les formalités accomplies, il peut décacheter l'enveloppe. Il en étale le contenu sur la table. Il vérifie si le nombre de pièces incluses correspond à l'inventaire inscrit sur la fiche collée à l'enveloppe principale : trois plaquettes de poèmes, trois coupures de la *Revue dominicaine* de Québec qui commentent chacune des plaquettes, une enveloppe épaisse contenant selon l'inscription le « Journal intime, inédit et inachevé d'une Canadienne française à Paris, au commencement de la Seconde Guerre mondiale », une autre enveloppe d'où il tire trois nouvelles de Blanche Larivière : deux furent publiées dans la *Revue populaire et moderne* en 1947 et en 1953 ; l'autre parut en 1963 dans *Femmes-Québec*. Une autre enveloppe porte un titre fignolé : *Une bouteille à la mer*.

Robert Martin se penche sur la première nouvelle. Blanche Larivière met en scène une femme peintre qui explore les paysages sauvages de l'Arizona en quête d'une inspiration « usée de s'être trop frottée au rocher de la vie ». Elle fait la rencontre d'un Indien centenaire qui lui parle des anciennes cités disparues et du soleil qu'adoraient leurs habitants. Invitée dans son humble village, la femme peintre ne voudra plus quitter « la millénaire sagesse de ces modestes cabanes pour retourner dans la folie étourdissante de nos jungles de béton ». Ce sont les mots de la dernière ligne.

Le héros de la deuxième nouvelle est « un jeune homme sage né à Québec où il se sent étranger comme s'il était originaire d'une terre lointaine ». Un jour, il reçoit par la poste un mystérieux colis, expédié de l'Arizona, qui contient un minuscule sac de cuir orné de perles colorées, rempli de quelques cailloux polis, quelques petits ossements et quelques bouts de branches séchées. Le jeune homme, qui souvent interroge le ciel, convaincu qu'on l'observe d'ailleurs, sait que ce sont des objets sacrés utilisés par les chamans pour guérir les maladies et prévenir les malheurs. Le jeune homme ne saura jamais de qui il a reçu ces objets précieux. Il ne saura jamais qui les a envoyés. Le reste de ses jours, dans sa belle ville de Québec, « il sera convaincu qu'il est venu d'ailleurs. Chaque nuit, il observe les étoiles comme si elles étaient des traces mystérieuses de son passé inconnu ».

L'action de la troisième nouvelle est aussi située en Arizona. Quelle intrigante obsession avait la poétesse de Québec pour cette région aride ! Une belle Indienne, raconte

Blanche Larivière, vivait dans une cabane au milieu des cactus. Un cow-boy « passa comme un coup de vent sur le sable du désert ». La belle Indienne eut un enfant. Elle en prit soin en lui donnant tout son amour. La belle Indienne devint vieille, mais sa peau plissée avait encore des frémissements quand elle songeait au beau cow-boy. Devenu vieux, lui aussi, il vivait dans un hameau « que chaque coup de vent faisait disparaître dans un ciel de poussière ». Quand il était ivre, et il s'enivrait tous les jours, le vieux cow-boy apercevait au bout de son ranch une belle Indienne qu'il avait aimée dans sa jeunesse, il y avait bien longtemps. Le vieux cow-boy ivre se lançait alors vers elle en titubant mais, dit le dernier paragraphe, « la vie s'enfuit devant vous comme un papillon qui refuse de se laisser attraper ».

Robert Martin sort un cahier d'une autre enveloppe. L'étiquette collée sur la couverture porte le titre en lettres soigneusement tracées : « Journal intime, inédit et inachevé d'une jeune Canadienne française à Paris, au commencement de la Seconde Guerre mondiale ». Robert Martin ne va pas parcourir ce journal intime aujourd'hui. Il tourne les pages, choisit quelques lignes au hasard. La poétesse, ici, parle d'un rideau noir qu'elle a cousu et tendu devant la fenêtre de sa chambrette pour voiler la lumière lors des couvre-feux. Elle habite, rue Gît-le-cœur, « une adorable petite rue où rien n'arrive que le soleil du matin, l'ombre de l'après-midi et l'obscurité de la nuit ». La poétesse mentionne le cri des sirènes d'alarme qui lui ordonnent de courir, son « masque à gaz à la main, vers l'abri souterrain froid comme les catacombes » où un transat a été placé pour elle par son concierge quand il a appris qu'elle était en deuil de son fiancé Tony, « sacrifié à l'insoutenable tragédie ». L'étreinte nazie se resserrait sur Paris. Des Allemands « déguisés en femmes ou en Français » s'infiltraient et se mêlaient à la foule. Employée aux services culturels de la Légation canadienne, Blanche Larivière ne se négligeait pas. Elle continuait d'aller chez son coiffeur pour « que le chagrin de mon amour perdu ne se voie pas ailleurs que dans mon âme ». Elle se rendit même à

Bordeaux s'acheter quelques colifichets. La poétesse rapporte avoir payé une amende parce que son rideau noir laissait filtrer un rayon de lumière. Plus loin, elle s'est fait quelques amies dans l'abri souterrain; elles « étendent du miel sur mon cœur endolori ». Sur une autre page, elle note que « des membres de la Gestapo ont été capturés, qui avaient sur eux des passeports enlevés à des cadavres de soldats belges. En plus d'avoir perdu la vie, ces Belges, presque enfants encore, souffraient encore une insoutenable humiliation : leur passeport aidait les ennemis à accomplir leur lâche trahison ». Dernière page; le 16 juin 1940. Une dernière inscription :

> « Les journaux allemands ont été jetés d'un avion sur la place de la Concorde. Les troupes allemandes paradent sur les Champs-Élysées. Les nazis sont entrés. Je sors. »

Une lettre de l'éditeur Garneau à Québec est jointe au manuscrit :

> « Nous regrettons ne ne pouvoir publier votre journal relatant une période douloureuse de l'histoire récente. Malheureusement, trop peu de nos contemporains s'intéressent à connaître notre maître le passé. Voilà pourquoi il serait pour nous téméraire de publier votre journal intime. Cependant notre maison est au service de vos si délicats poèmes. La poétesse de *L'Indien de la rue Gît-le-cœur* y sera toujours la bienvenue. »

Reste l'enveloppe portant le titre *Bouteille à la mer*. Elle est scellée en trois endroits, à la manière ancienne, avec un cachet de cire où sont gravées les lettres *BLG*, sans doute pour Blanche Larivière-Goupil. Sans briser les sceaux, Robert Martin déchire l'enveloppe. Quelques feuillets glissent sur la table. Un papier distingué. L'écriture est appliquée. Aucune hésitation. La calligraphie est disciplinée :

> « Ô toi, passant inconnu, lecteur fraternel, tu poses le regard sur un secret qui se dévoilera comme le jour se déploie dans la nuit. Je souhaite que tu écoutes ma

voix comme une âme affectueuse. T'introduisant au cœur de la vie d'une poétesse disparue, tu comprendras que, derrière son visage de femme qui devait toujours sourire, elle avait tant de peine que le visage de son âme n'a jamais cessé d'être baigné de larmes. Passant inconnu, tu as quitté le désordre de la rue pour explorer les pays merveilleux qui s'étendent dans les documents d'archives. À toi, je confesserai ce que j'ai caché. Mon silence a été une mort que j'ai habitée durant toutes ces années. Tant de fois, les mots de mon aveu sont montés à mes lèvres.

Je les retenn-ciel et les vertigineuses volées d'oies blanches qui décorent l'azur quand elles se dirigent vers le nord au printemps ou vers le sud à l'automne. Il me confia un soir : ‹Je veux quitter cette vieille Europe ; je veux vivre là où on est libre comme un oiseut être une bonne épouse et transporter dans son cœur un péché plus gros que la Terre. Était-ce un péché ? Peut-être n'est-il qu'un seul péché possible : causer du chagrin. Un poète ne parle pas à sa famille, il s'adresse à la postérité. C'est pourquoi, passant inconnu, tu es le premier à qui j'avoue être responsable du malheur de trois hommes. L'un d'eux n'a pas encore souffert. Sa peine commencera à l'instant où tu lui révéleras ce que je m'apprête à te confesser. L'autre a probablement souffert plus que je ne puis le savoir ; sa race a l'habitude de la peine et elle ne la déserte pas facilement. Quant à mon pauvre mari, il n'a pas reçu le bonheur qu'il espérait de moi. Ses pauvres os, dans son cercueil, vont ressentir une morsure quand tu liras la confession de ma faute qui a été aussi grande que la plus belle histoire d'amour. »

On touche respectueeusement l'historien à l'épaule.
— Excusez-moi. On vous demande au téléphone. C'est au sujet de quelqu'un qui a été retrouvé...
Il repousse le feuillet qu'il lisait.

— La bonne femme a trompé son notaire de mari, résume-t-il. Allô !

— J'ai déniché Dubois au Yukon, annonce l'assistant de recherche. Mais je suis devant une énigme. À cette époque-là, on ne dénombrait que trente-quatre Blancs dans les Territoires du Nord-Ouest et au Yukon, mais j'ai identifié deux Joseph Dubois. L'un faisait la traite des fourrures pour le compte de l'Alaska Commercial Company. L'autre Joseph Dubois se montre au commencement de la ruée vers l'or du Klondike. Il était amoureux d'une chanteuse française qui s'appelait Emma Lamour. Elle était venue chercher fortune dans les nouveaux cabarets que l'on construisait en toute hâte à Dawson City. Vous savez comment Joseph Dubois l'a rencontrée ?

— Comment est-ce que je le saurais ?

— Vous êtes le patron... D'après les photographies, Emma Lamour était une jolie fille avec tout ce qu'il faut pour bien remplir une robe. Un jour, elle se tenait au bord de la rivière Yukon, dans ses vêtements à la dernière mode de Paris, ses vingt valises autour d'elle, ses souliers de fantaisie enfoncés dans la boue. Les hommes n'avaient pas le temps de s'occuper des femmes. Ils couraient le plus vite possible pour s'emparer d'un morceau de terre à prospecter. Joseph Dubois, lui, s'est arrêté quand il a aperçu Emma Lamour. Il s'est présenté à elle. Il s'est excusé de porter une barbe d'ours. Il s'est offert à la prendre dans ses bras pour la porter dans son propre canot. Il y a aussi chargé quelques valises. Il a obligé d'autres aventuriers à prendre les autres valises d'Emma Lamour dans leur embarcation. Il les a prévenus :

— Faites attention aux bagages, la petite dame aime pas s'habiller dans des robes mouillées.

Entre des falaises de quarante mètres de hauteur, Joseph Dubois, Emma Lamour et ses valises ont remonté la rivière Yukon jusqu'à Dawson City. Sur les tourbillons d'eau blanche du passage Chilkoot, où le canot prenait le mors aux dents comme un cheval qui s'emballe, ils ont senti qu'ils s'aimaient...

— Moi, j'ai trouvé Joseph Dubois au Colorado, rappelle Robert Martin. Comment pouvait-il se trouver aussi au Yukon ?

— Personne ne restait en place, dans ce temps-là. Les nouveaux Américains étaient fous d'espace.

— Il me faut des dates, des dates précises, ordonne l'historien. Je voudrais savoir pourquoi vous, les jeunes, détestez autant les dates. Pourquoi vous méfiez-vous tant de la précision ? Le temps n'est pas aussi élastique que vous le prétendez.

Il retourne à sa lecture de *Bouteille à la mer*.

« J'étais jeune alors. Quand on est jeune, on se croit éternel. On se conduit comme des dieux, comme s'il ne devait pas y avoir de fin. J'étais une déesse. Une déesse blessée. La guerre m'avait pris Tony, mon fiancé. J'étais venue en France travailler aux services culturels de la Légation du Canada à Paris. Au cours d'une réception, un jeune homme m'avait plu à cause de la distinction de ses manières et du raffinement de son langage. À l'écouter, il me semblait que les nuages noirs qui pesaient dans le ciel de l'Europe d'alors s'estompaient, que le tonnerre des armes aux frontières soudain s'amortissait. Une seule chose m'inquiétait. Il était trop beau. On m'apprit qu'il était le fils unique d'une romancière très célèbre. S'il n'écrivait pas, Tony avait hérité de sa géniale maman le don des mots. Nous nous sommes revus. Très bientôt, je suis devenue sa ‹petite sauvagesse du Canada›. Je dépeignis à Antoine de..., que j'appelais Tony, la puissance déchaînée des tempêtes d'hiver canadiennes, la symphonie colorée des forêts à l'automne quand chaque feuille est ornée d'un petit arc-en-ciel et les vertigineuses volées d'oies blanches qui décorent l'azur quand elles se dirigent vers le nord au printemps ou vers le sud à l'automne. Il me confia un soir : ‹Je veux quitter cette vieille Europe ; je veux vivre là où on est libre comme un oiseau.› Moi, je l'écoutais et je pensais toujours : ‹Tu es trop beau›. Les nazis sont entrés dans Paris. Tony est allé dans sa cuisine, il a donné congé à la bonne et il a ouvert le gaz. À sa manière, il était un déserteur. Il était trop beau pour aller au combat. J'ai tant pleuré. Je pleure encore en écrivant ces mots. Sans avoir jamais épousé mon fiancé, j'étais devenue une veuve de guerre. »

— Monsieur Martin, on vous demande au téléphone. C'est Miss Camion :

— Mon grand amour, je sais que je te dérange... Excuse-moi. Je viens d'apprendre que tu as découvert le fermier Dubois au Yukon. Tu devrais te rendre sur les lieux pour voir comment c'était. Et tu as besoin de distractions ! Partons ensemble au Yukon ! Nous ferons du canot sur la rivière !

— Je suis extrêmement occupé. Je te rappelle un peu plus tard. Nous aurons beaucoup de voyages à faire, à faire ensemble...

23

« S éparée de mon fiancé Tony, qui n'avait pas
voulu entendre les talons ferrés des bottes
nazies frapper les pavés de Paris, je me trou-
vais plongée dans la tragédie qui répandait sang et
larmes sur l'Europe. Je n'étais qu'une étrangère seule
dans l'ouragan. Mais qu'était la solitude de Blanche
Larivière comparée à celle de Tony égaré dans la forêt
noire de la mort ? J'étais blessée. La guerre m'avait
dépouillée de mon amour. Je souffrais.

J'allais souvent prier à la cathédrale Notre-Dame-de-
Paris. Un midi, j'étais agenouillée dans un rayon de
soleil qui tombait au travers d'un vitrail. Il m'a semblé
que cette lumière sacrée murmurait des mots à mon
oreille. Avec Tony, j'avais joui de grands moments de
bonheur alors que la souffrance s'étendait sur l'Europe
comme une neige noire et rouge. Dieu m'avait prêté
Tony. Il était un ange délégué sur la Terre. Il ne
pouvait longtemps séjourner sur une planète où les
habitants se condamnent à mort les uns les autres. Le

jour même, je quittai mon bureau de la Légation canadienne et j'allai m'inscrire comme volontaire à la Croix-Rouge.

Pouvais-je être disponible le lendemain ? ‹Je suis disponible dès maintenant›, ai-je répondu, déterminée à oublier ma tristesse. Dans ma robe à fleurs bleues que j'avais achetée durant le week-end à Bordeaux, avec les chers amis Roquebrune de la Légation, je suis montée dans une fourgonnette.

Ainsi donc, loin de Paris, j'ai suivi une route aussi douloureuse que le chemin de la Croix. De malheureux pioupious qui n'avaient pas fini de grandir me scrutaient avec les yeux brillants de ce désir qui consume les jeunes hommes. Puis, leurs yeux retombaient sur leur timbale. Ils semblaient n'avoir pas été nourris depuis des jours. Les uns, encore propres, se dirigeaient vers les zones de combat, portant sur leurs épaules, en plus des armes et des havresacs, un tragique silence qui pesait malgré les chansons vulgaires. Les autres revenaient du front, boueux, ensanglantés, boitant, les membres enveloppés de bandages, le visage couvert de pansements, allongés dans des camions, des charrettes ou même des brouettes. Au fond de leurs yeux, ils avaient encore des souvenirs de l'enfer. Mon amour s'était envolé comme un oiseau qui jamais ne reviendrait dérouler les trilles joyeux de son rire. Mon chagrin était doux si je le comparais à celui de ces pauvres petits soldats.

D'abord, je servais le potage, je distribuais le pain, je versais de l'eau. Parfois, je devais nourrir comme des bébés ces jeunes hommes qui s'étaient brûlé les mains au feu de la guerre ou dont les bras étaient prisonniers des pansements. Plusieurs étaient encore des enfants. Ils faisaient des plaisanteries triviales, des blagues vulgaires. Ils riaient gras. Comme des enfants, ils faisaient du bruit pour avoir moins peur.

Après la cantine, je suis passée aide-infirmière. L'hôpital était parfois sous une tente, parfois dans une grange, dans un champ ou dans la benne d'un camion. Comme la mer repousse sur ses bords les épaves, la guerre refoulait les blessés. J'étais désespérée de ne pouvoir les aider tous. Un matin, je me suis écroulée d'épuisement entre deux grabats. Quand je suis revenue à moi, un médecin aux cheveux blancs m'a dit : ‹On ne vous demande pas de pleurer, mais de leur sourire. Ils n'ont pas aperçu un visage humain depuis longtemps.› Je me suis efforcée de sourire.

Durant mon sommeil, j'avais des cauchemars affreux. Tout ce sang coulait devant mes yeux comme le fleuve Saint-Laurent qui se serait empourpré. Des estomacs ouverts laissaient tomber sur moi des avalanches d'entrailles gluantes. Des membres brisés dont les éclats traversaient la chair s'avançaient vers moi comme une foule claudicante. Des visages arrachés comme des masques se penchaient sur moi pour me donner un baiser. Le jour, je souriais... Non, je n'étais pas insensible, mais je souriais.

Mes blessés prirent dans mon cœur la place de Tony. Il me sembla que je l'avais rencontré à une époque très ancienne : dans une existence antérieure, quand le sang ne rougissait pas les rivières, quand les humains étaient encore innocents.

Longtemps, j'ai voulu me souvenir de chaque soldat que j'ai soigné. Je ne parlerai ici que de ce jeune homme couché sur la paille, dans une grange en Normandie. Il avait un bras déchiqueté. Son visage était recouvert d'un masque de sang séché. Avec de l'eau et un linge, je commençai à nettoyer son front. Il ne se révéla pas blanc et pâle comme celui des autres soldats. Ses paupières étaient dessinées autrement. Les autres me suppliaient d'engourdir leur mal. Celui-ci se taisait. Ses yeux étaient impassibles. Je changeai le pansement sur son moignon. C'était pénible.

Souffrant. Il me dit que dans son pays, en Arizona, il n'y avait pas de guerre.

Quelle monstrueuse ironie est la guerre. Il faut passer par la route des horreurs pour aboutir à la paix. Ne pourrait-on pas emprunter un raccourci et atteindre tout de suite la paix ? Et pourquoi un jeune Indien avait-il été jeté au milieu de cet affreux égarement des peuples de l'Europe ?

Le hasard est un pseudonyme que Dieu utilise lorsqu'il ne veut pas signer son nom. Ma rencontre avec le jeune Indien était un signe. Il appartenait, raisonnai-je, à une race que l'homme blanc a tenté d'éradiquer de l'Amérique. Moi, une Blanche portant le nom de Blanche, j'appartenais à la race de ceux qui persévéraient dans la conversion, l'assimilation et l'extinction de son peuple. Dieu avait-il voulu me fournir l'occasion d'une réparation ? Canadienne française de religion catholique en Amérique anglophone et protestante, j'appartiens aussi à un peuple qu'on a tenté de noyer. Quelques siècles plus tard, l'Indien et moi avions survécu. Nous étions en Europe. Nos peuples n'étaient pas éteints. Étions-nous ensemble pour proclamer que ceux qui refusent de mourir ne meurent pas ?

Il avait deux noms, me dit-il, son nom de soldat et son nom d'Indien. Je préférais son nom d'Indien : Petit Homme Tornade. Un matin, il n'était plus là. On me dit qu'il avait été transféré dans un dispensaire aux environs de Paris.

J'ai toujours professé que les humains ne se rencontrent pas pour rien. Nous sommes les atomes d'un même corps. Nos trajectoires obéissent à des lois précises dont la science n'a pas encore percé le mystère.

L'Indien ne m'avait encore fait aucune confidence. Pas une seule larme n'avait coulé sur sa joue. Il n'avait exhalé aucune plainte. Aucune crispation n'avait chiffonné son visage brun. Pourquoi étais-je obsédée par Petit Homme Tornade plus que par les autres patients qui m'avaient raconté leur courte vie en pleurant ? Je ne comprenais pas. J'étais confuse.

(Je ne pouvais alors deviner l'avenir : tant de larmes sillonneraient mon visage qu'il me faudrait garder serein alors que mon cœur déverserait d'abondants sanglots. Toi, le passant, l'ami, qui croises le sentier qu'a suivi une jeune poétesse devenue une femme vieillie, rongée par le cancer, pardonne-moi si, ‹en escripvant ceste parolle, a peu que le cuer ne me fent›. Quelques siècles avant moi, le poète Villon pleurait aussi en rédigeant son testament.)

La guerre continua quelque temps. Chaque jour, je voyais son horrible grimace sur le visage des soldats qu'on déposait au dispensaire. ‹Tony a eu raison de quitter ce monde, songeais-je parfois, lui qui n'était que joie.›

Après de longues saisons où rien n'avait fleuri que le tourment, la paix est revenue. Paris a été libéré. Sous Paris, un volcan d'allégresse s'est réveillé. La terre a tremblé, mais c'était à cause de la danse. Paris épousait la paix. Paris réclamait une noce radieuse ! Et moi, simple infirmière canadienne sur l'avenue des Champs-Élysées, loin de mon pays, veuve de mon fiancé qui avait refusé de participer à la guerre et qui s'était ainsi exclu de la fête pour la paix, j'étais seule. J'aurais voulu chanter, j'aurais voulu danser, mais j'étais seule. Je regardais le défilé. J'applaudissais. J'entendais des chansons gaies, mais il me semblait que les soldats joyeux, passant devant nous, se dirigeaient vers une autre guerre. Je ne serais plus là pour soigner leurs blessures. Je rentrais au Canada. Ma famille s'était inquiétée de moi. La paix revenue, elle n'aurait pas permis que je ne revinsse pas.

À ma profonde surprise, j'ai aperçu mon patient indien. Il marchait au pas. Il balançait son bras unique. Je l'ai reconnu comme s'il avait été mon frère.

J'avais des fleurs à la main. Déchirant la foule, je courus les lui offrir. Il poursuivait son pas cadencé. Il ne reconnaissait pas son infirmière. Revoir ce jeune Indien : n'était-ce pas un signe étonnant ? Je l'arrachai à son défilé et lui dis :

— La paix est revenue sur la France ; vous voyez, vous avez eu raison de vous battre.

Il demeurait perplexe devant cette étrangère qui s'emparait de lui. Je lui dis que je savais qu'il était venu de l'Arizona. À ces mots, il me suivit. Nous nous sommes dirigés vers la Seine. Nous nous sommes arrêtés dans un café et nous avons bu du vin rouge. Au troisième verre, il commença à sourire. Plus tard, il ne pouvait s'arrêter de rire. Moi, la Blanche revenue au pays de mes ancêtres et lui, l'Indien dépouillé par eux, étions joyeux comme deux enfants qui n'ont pas encore appris que la haine existe. Rendus à la Seine, nous avons quelque temps contemplé l'eau qui coulait vers la mer nous séparant de l'Amérique.

Dans les rues, partout, les Parisiens dansaient. Ils avaient besoin de se serrer les uns contre les autres pour s'assurer qu'ils ne rêvaient pas. Sur le pont des Arts, j'ai dit à Petit Homme Tornade :

— Tu n'auras plus besoin de ton fusil ; lance-le dans la Seine ! C'est la paix.

— C'est la paix ! a-t-il répété, alors je lance mon fusil dans l'eau...

Nous avons encore marché. Des accordéonistes faisaient danser les gens. Nous avons rebu du vin rouge. Au-dessus de nous, le ciel était tout épinglé d'étoiles qui scintillaient sur la paix de la Terre. L'*Auberge de la Grande Ourse* était sans doute trop vaste pour nous. Moi, la Blanche de la Grande Allée à Québec, fille de parents catholiques, éduquée par les Ursulines, j'ai conduit dans ma chambrette du huitième étage ce jeune Indien un peu ivre comme je l'étais.

J'ai arraché de ma fenêtre le rideau de velours noir qui me cachait les étoiles du ciel de Paris.

Ô toi, passant inconnu, ami de la poésie, toi qui entres dans ma vie que je vais bientôt quitter, je dois te confesser que, chaque fois que j'ai pensé à ce beau soir de la paix revenue sur Paris, j'ai pleuré comme si j'avais commis une grande faute.

Le soldat Longsong, que je préférais appeler Petit Homme Tornade, demeura avec moi quelques jours. Je sais comment définir l'éternité : c'est le moment où l'on oublie que le temps passe. Revoyant ces jours sur l'écran de ma mémoire, je me demande si je ne les ai pas imaginés. Seules mes larmes attestent qu'ils étaient réels. Pendant trois jours, nous ne nous sommes pas quittés. Nous avons flâné sous les platanes de Paris. Nous avons bu du vin dans les guinguettes. Devant la fenêtre de ma chambrette, nous avons adoré les étoiles. Petit Homme Tornade parlait peu. Je lui faisais répéter le nom de ma rue : Gît-le-cœur. Il le prononçait mille fois par jour ; il l'oubliait mille fois. Il voulut savoir où me trouver quand je rentrerais dans mon pays sous la neige. Je lui enseignai à dire : « 33 Grande Allée, Québec, Canada ». Il répétait ces mots mille fois par jour aussi. Il les oubliait toujours.

Je ne pensais plus à mes livres. Je préférais ses quelques mots à tous les poèmes. Une fois, nous dansions sous des lampions avec les gens du quartier. Tous étaient pâles d'avoir souffert de malnutrition. Il m'a dit : ‹Quand j'étais petit, j'ai tué mon père. Des étrangers sont venus. Ils voulaient prendre la terre de mon père. Je voulais défendre mon père. J'ai tiré comme un homme. J'étais trop petit. Il faisait noir. Les étrangers battaient mon père. Ils lui criaient des insultes. J'ai tiré. Je voulais défendre mon père. Il faisait noir. J'ai tiré. J'entends souvent le bruit dans mes oreilles. Les étrangers se sont enfuis.›

J'ai protesté : ‹Les enfants aiment avoir peur et ils s'imaginent toutes sortes de cauchemars... Les étrangers ont tué ton père. Tu étais un brave petit homme. Tu n'as pas pu chasser les étrangers. Tu étais trop petit. Et tu as cru avoir tué ton père. Tu es comme notre Jésus qui prend sur ses épaules les péchés des hommes.›

Il a dit : ‹Cela est arrivé il y a longtemps. On ne peut pas empêcher ce qui est déjà arrivé. Et je suis resté seul dans mon désert.› Alors j'ai pleuré. J'aurais voulu que le soldat Longsong redevienne petit, tout petit comme ce brave petit homme qui avait voulu défendre son père. Je l'aurais dodeliné.

Puis vint le moment de l'accompagner à la gare. Quand le train s'est ébranlé, il se tenait à la fenêtre de son wagon et il répétait : ‹33 Grande Allée, Québec, Canada.›

Deux semaines plus tard, je m'embarquai vers le Canada. La mer, dans ses colères comme avec ses courbettes dociles, ne cessa de m'offrir un miroir où s'emmêlaient les réverbérations des intenses moments vécus aux côtés de Petit Homme Tornade. Les vagues déferlaient comme les heures, les jours et les semaines. Je me sentais fragile, flottant sur cette vie profonde, si sombre à cause de ses insondables mystères. L'enfant prodigue rentrait à la maison paternelle. J'avais aimé. J'avais été aimée. Je n'avais pas perdu mon innocence, car je me savais encore toute fragile dans un Univers puissant.

Six jours après notre départ, le paquebot enfila le fleuve Saint-Laurent, laissant derrière lui le golfe où les banquises descendues du Grand Nord semblaient des navires fantômes. Là, je compris que je ne serais jamais plus seule. Je m'étais donnée à ce jeune Indien. Il s'était donné à moi. Mon ventre avait été ensemencé. J'ai eu peur comme si on m'eût jetée dans cette eau noire. Depuis ce jour, j'ai pleuré tous les jours. Je portais dans mon ventre une graine imperceptible. Pourtant, elle était déjà plus grande que moi, plus vaste que notre passé, plus spacieuse que l'avenir.

Dans notre maison de la Grande Allée, sans doute avait-on ciré les parquets, lavé les rideaux, retourné les matelas, battu les tapis, déplié la nappe de dentelle. Je revenais d'Europe. Je revenais vivante de la guerre, moi l'imprudente. Ma mère voudrait savoir ce que portent les dames des rues distinguées. Elle voudrait savoir si j'avais posé ma main, à Notre-Dame-de-Paris, sur ce pilier près duquel le célèbre poète catholique Paul Claudel s'est converti. Mon père me demanderait si j'avais rencontré des gens qui n'étaient pas catholiques et si j'avais vu des nazis morts. Puis, sans m'écouter, il me raconterait ce qui s'est vraiment passé à la guerre. Mon père était un homme renseigné.

(Ô toi l'inconnu, l'ami fraternel qui passes dans le jardin de mes souvenirs, je te répète qu'en écrivant ces lignes mes larmes se mêlent à mon encre.)

Les rives du fleuve se sont rapprochées. Québec m'ouvrait ses bras. La grande maison familiale m'attendait avec ses fières tourelles, ses larges fenêtres sur le parc qui, derrière, s'étale jusqu'au fleuve. Je revenais sur la Grande Allée, cette avenue qui rêvait d'Europe. Je revenais avec un enfant caché dans mon corps mince d'infirmière qui avait pansé les horreurs de la guerre.

Mes parents étaient des bourgeois modèles. Catholiques romains pieux, craignant Dieu et les qu'en-dira-t-on, ils étaient bons. Ils détestaient le péché. Dans la société homogène de la ville de Québec d'alors, la ville des chapeaux à fleurs pour les femmes et des feutres gris pour les hommes, mes parents dédaignaient les pauvres bien qu'ils soutenaient toutes les œuvres charitables. Ils détestaient les protestants en général parce que leurs ancêtres avaient renié la seule vraie religion. Ils craignaient les quelques Noirs qui se pointaient parfois dans la Haute-Ville bien qu'ils souscrivissent aux œuvres des missionnaires en Afrique. Même si les Juifs avaient condamné Jésus-Christ à la mort, mon père leur aurait pardonné s'ils n'avaient pas été les propriétaires de plusieurs entre-prises commerciales à Québec. Son journal n'avait jamais accepté de vendre de l'espace publicitaire aux marchands juifs. Il n'en était pas peu fier. Pouvais-je annoncer à mes parents que le père de mon enfant était un Indien qui m'avait conquise comme l'Europe a conquis l'Amérique ?

Je n'avais pas le courage de me laisser tomber par-dessus la rambarde dans l'abîme qui se faisait de plus en plus paisible à l'approche du port, mais j'aurais voulu que le paquebot sombrât comme le *Titanic*. En même temps, je voulais arriver au quai, revenir à Québec. Il fallait que mon enfant soit libre, libre comme la brise d'été sur les fleurs, libre comme la bise d'hiver sur la glace. Moi seule pouvais lui donner cette liberté. Pour devenir libre, il devait naître.

À Paris, la paix avait éteint la guerre. La danse avait remporté la victoire sur les pas bottés et cadencés. J'y avais rencontré un jeune homme en qui battait le cœur antique de l'Amérique alors qu'en moi, Cana-dienne française, le cœur de l'Europe ancestrale n'avait jamais cessé de vibrer. Dans le passé, le peuple de mes ancêtres avait combattu le peuple de ses ancêtres. En ce soir de fête, à cause de la musique, à cause du vin, à cause de la paix, à cause de notre sang jeune, à cause de notre extase devant l'avenir, à cause de ce vertige que lui et moi éprouvions au bord du gouffre de l'histoire, nous n'avions plus été ennemis. Les forces secrètes qui ont conduit les humains à se répandre sur la planète et à survivre aux malheurs, aux malédictions, aux calamités, ces forces sacrées nous avaient poussés dans les bras l'un de l'autre.

La ville de Québec, ses toits pointus, ses maisons de pierre et son château glissaient vers le navire qui me ramenait au pays. Je portais un enfant dont le père était aussi retourné cn. Comment pouvait-il se trouver aussi au Yukon?

— Personne ne restait en place, dans ce temps-là. Les nouveaux Américains étaient fous d'espace.

— Il me faut des dates, des dates précises, ordonne l'historien. Je voudrais savoir pourquoi vous, les jeunes,pas ensemencée de mon secret. Mon enfant microscopique et muet bouleversait déjà ma destinée. Avec mes crayons à maquiller, j'ai dessiné de la joie sur mon visage. Le bateau a accosté. La foule se tré-moussait. J'ai bientôt reconnu mes parents parce qu'ils étaient placides. Les matelots ont lancé les amarres autour des bittes. J'ai eu l'impression que c'était moi que l'on attachait au quai de Québec.

J'aurais dû être béate du bonheur. Je portais en moi la graine qui ferait fleurir un enfant dans le jardin du monde. (Mon fiancé décédé, mon cher Tony, avait une extravagante croyance : il assurait que puisque Dieu a donné naissance au monde il est une femme et non un vieillard barbu.) Je n'avais pas le droit d'être heureuse.

S'ils décelaient mon merveilleux secret, mes parents seraient frappés par la foudre. Ni ma mère, ma sainte mère, ni mon pauvre père n'auraient le courage, à la basilique le dimanche, d'avancer vers Jésus-Christ agonisant sur la croix comme de bons chrétiens qui ont réussi à éviter que les crachats du péché ne soient projetés contre sa Sainte Face ensanglantée. Mon cher père ne serait jamais plus capable de se présenter à son journal, sachant que sa propre fille, si bien élevée, ne s'était pas mieux conduite que ces pauvres filles des campagnes éloignées qui, pensait-il, sem-blables aux animaux des étables et des porcheries, se passaient de la bénédiction du saint sacrement du mariage pour engendrer leur progéniture. Mon père connaissait ces filles rejetées par leur famille, grosses du ventre, maigres de visage, les yeux cernés par les brûlures des larmes, humiliées parce qu'elles avaient été battues comme leur père n'aurait pas osé battre de malheureuses bêtes; elles étaient gardées dans des couvents par de sévères religieuses en attendant le moment où elles seraient délivrées du fruit de leur faute. Après avoir déposé l'enfant illégal à l'orphelinat, elles étaient dirigées dans des familles bourgeoises assez chrétiennes pour leur donner à laver des planchers, des vêtements et de la vaisselle. Mes parents n'avaient jamais hésité à aider ces malheureuses. Nous en avions eu plusieurs pour nous servir à la maison. Ma mère leur interdisait de toucher les enfants que nous étions. Mon père, avec d'autres hommes bons et généreux, s'occupait de cueillir chez les familles bourgeoises et même chez certaines familles propres de la Basse-Ville des paniers de provisions pour ces misérables qui, disait-il, ‹ne connaissaient pas mieux que le malheur qu'elles légueraient à leurs enfants›. Ma mère s'inquiétait souvent : ‹Quel sera l'avenir d'un enfant qui même avant sa naissance est hypothéqué par le péché ?› La faute que j'avais commise écraserait ma mère. Mon père aurait si honte qu'il n'oserait plus jamais émettre une opinion dans son journal. J'arrivais de Paris qui durant des jours avait célébré la victoire de la vie sur la mort. J'apportais en moi une étincelle de cette fête. Mes chers parents pensaient comme l'on pensait à cette époque. La ville de Québec, en ce temps-là, était aussi fermée qu'un vieux presbytère où le prêtre ne perçoit pas l'odeur rancie du beurre. C'étaient la honte, le chagrin, la déception que j'offrais en bouquet à mes parents.

Je descendis la passerelle. Québec était astiquée par les vents lumineux descendus du Grand Nord. J'embrassai mon père. J'embrassai ma mère. Ils se raidirent quand mes lèvres touchèrent leur joue. J'embrassai M. et Mme Goupil. J'étais surprise qu'ils soient venus m'accueillir. Je tendis la main à René. La sienne était brûlante. Il la retira vite. J'étais étonnée de le voir sans sa soutane de séminariste. Quand mon bateau avait levé l'ancre pour les Vieux Pays, René entreprenait des études au séminaire. Son Excellence l'archevêque de Québec était son oncle. René avait entendu l'appel de Dieu qui lui demandait de suivre les traces de son oncle. Ma mère m'avait certainement prévenue que René avait quitté le séminaire mais je n'avais guère porté attention à la nouvelle. À Paris, la ville de Québec me paraissait bien lointaine. Et, à ce moment-là, Tony avait accaparé mon cœur.

Après toutes ces années et tous ces voyages, je me retrouvais devant René. Dans son adolescence, il semblait être la réincarnation de son oncle l'archevêque. Chacun estimait aussi que Dieu avait imprimé au destin de René une ressemblance avec celui de son oncle. L'amour vient aux jeunes filles avec le printemps comme les fleurs aux jardins. Mon âme frissonnait quand je l'apercevais penché sur son missel, dans le chœur de la basilique de Mgr l'archevêque. Il me semblait voir des anges du ciel voler autour de lui. J'aimais René, sachant que je n'avais pas le droit de l'aimer. Dieu l'avait choisi et il ne pouvait aimer que Dieu. Je l'aimais, moi, humble fleur terrestre. René, dans sa méditation, discernait déjà les effluves du jardin divin.

Plusieurs années plus tard, voici que René se tenait devant moi, guindé dans son costume de flanelle anglaise grise. Il y avait là un signe. Caché derrière les étoiles, au plus profond du ciel, le destin émet des signes aux humains. Seuls les poètes savent déchiffrer ces caractères sacrés.

Les parents de René étaient les meilleurs amis de mes parents. Ils pratiquaient la charité chrétienne dans les mêmes œuvres. Ils croyaient aux mêmes principes, ils adhéraient aux mêmes idées, ils lisaient les mêmes

livres, les mêmes journaux, les mêmes magazines.
Jamais ils ne discutaient. Quand l'un parlait, c'était
pour appuyer les idées de l'autre. Aucun doute ne
troublait leur certitude. Ils étaient persuadés que Dieu
pensait comme eux. Les Goupil étaient notaires
depuis plusieurs générations. Sorti du séminaire, René
allait succéder à son père qui était aussi le président
du conseil d'administration du journal de mon père.
Son Excellence l'archevêque avait imposé son frère
au conseil parce que l'archevêché était l'actionnaire
principal du journal.

— Que tu dois être heureuse de revenir parmi les
tiens, ma petite fille ! commença ma mère.

— Maman, assura mon père, elle n'a pas besoin de le
dire. Est-ce que ça ne se voit pas assez sur son visage ?

— Que j'ai hâte de l'entendre parler la belle langue
française ! dit le notaire Goupil. Il n'y a rien de plus
beau que les mots cueillis comme de belles agates sur
les rives de la Nouvelle-France et qui ont été polies
sur les berges de la Seine, dans la Vieille France.

J'adressai à René mes premiers mots :

— Les automnes canadiens m'ont tellement manqué.
J'ai faim de voir une forêt enflammée par l'automne.

Les parents n'ont pu se retenir d'échanger un sourire
de connivence satisfaite. N'avaient-ils pas emmené
René Goupil pour moi ? Pour mes parents, l'évasion
européenne était terminée. Le temps était venu que
leur jeune fille devînt une femme et ne rêvât plus
d'indépendance parisienne. René était leur aiche. Ils
me voyaient mordre à l'hameçon ainsi que la plus irré-
fléchie des ombles tête ». Il raconte comment il faisait
fondre la graisse des baleines dans ces vastes chaudrons
enchaînés au pont, comment il roulait et entassait les
barriques d'huile dans la cale. Au début, ses mains,
qui pourtant étaient endurcies au travail, saignaient
paraît irréelle maintenant, déclarai-je.

— Nous avons cru que tu ne voulais plus revenir chez nous, dit ma mère.

— Il nous a fallu gagner une guerre pour te ramener au pays, blagua mon père.

— Oui, nous l'avons bravement gagnée, cher ami, renchérit le notaire Goupil.

Je me tournai vers René :

— Je ne me suis jamais vraiment habituée aux teintes grises de Paris. Les couleurs de mon âme sont les couleurs de l'automne.

— Tu vois, triompha ma mère, tu n'as pas besoin d'être à Paris pour faire de la poésie !

Bras dessus, bras dessous, comme une seule famille, nous avons quitté le port. J'aurais dû être heureuse.

Mon âme pleurait, sans larmes, sans sanglots, comme souvent, plus tard, je pleurai même si mon visage offrait un sourire. Je revenais sur la Grande Allée à Québec et je songeais à un Indien, beau comme un fils d'empereur inca, dans son désert, les yeux fixés sur l'horizon parce qu'il cherchait l'ombre de la rue Gît-le-cœur ou le profil de la ville de Québec. Je marchais à côté d'un compagnon d'enfance. Était-il heureux que je sois revenue ? Peut-on être heureux quand on s'est cru un ange et que l'on se découvre notaire ? Je m'accrochai à son bras comme j'aurais saisi une bouée. J'étais peut-être sauvée.

Le lendemain, René vint me prendre à la maison. Nous allions voir septembre rougir les érables de l'île d'Orléans. Ma mère, d'abord, n'accepta pas de me laisser partir seule avec un jeune homme. Elle décida de nous accompagner. À cette époque, les parents savaient ce qu'est un péché. Pour le salut de leur âme et de la nôtre, ils voulaient éviter qu'on le commette. Ils savaient comme le péché est aisé :

— Adam et Ève ont été laissés seuls au paradis terrestre. Tu sais ce qui leur est arrivé... Ils ont perdu leur innocence. Et le monde a eu besoin d'un rédempteur.

Mon père ne contredisait jamais ma mère :

— Ma fille, toi et René devriez inviter vos deux mères, proposa-t-il. Vous ne les aurez pas toujours. Partagez votre bonheur avec elles. Quand on a perdu sa mère, c'est pour longtemps...

— Papa ! protestai-je.

— Sans doute tes parents ont-ils raison, avança René qui voulait plaire à mon père et à ma mère. Mes propres parents pensent de la même manière.

— Non ! rétorquai-je. En Europe, j'ai traversé une guerre sans ma mère, j'ai soigné des mourants sans ma mère, alors je crois être capable d'aller admirer les merveilles colorées de l'automne sans elle, même si je l'aime plus que tout au monde.

— Voilà l'esprit révolutionnaire français dans toute sa pureté, énonça mon père. Cette allure jacobine plaît aux descendants e fait aucune confidence. Pas une seule larme n'avait coulé sur sa joue. Il n'avait exhalé aucune plainte. Aucune crispation n'avait chiffonné son visage brun. Pourquoi étais-je obsédée par Petit Homme Tornade plus que par les autres patients qui m'avaientur à la maison.

— Ma fille, dit mon père sur un ton de reproche, si tu as appris à distiller l'esprit voltairien, j'espère que tu n'as pas désappris le respect dû à ta mère... Laissons partir notre fille rebelle chérie. Elle revient de Paris. Nos amis, nos voisins comprendront son insoumission. Écartant les rideaux de la fenêtre, ma mère me regarda monter dans la voiture de René. Elle se faisait autant de souci que si j'avais quitté pour toujours. Sortis de la ville, nous nous étions engagés sur le pont de l'île d'Orléans et je sentais encore dans mon dos le regard soucieux de ma mère. Pendant quelques années, j'avais joui d'une liberté totale. Je n'étais plus libre. Je savais que je ne le serais jamais plus.

J'avais vu la Suisse, l'Autriche. Les arbres là-bas ne savent pas rougir de l'automne comme nos érables du

Canada. J'avais visité de nombreux musées. Aucun peintre ne peut faire surgir de sa toile le ruissellement innombrable des incendies qu'allume sur les feuilles le passage d'un vent chargé des parfums froids des neiges à venir. Les arbres étaient encore plus colorés que mon souvenir d'eux flamboyant de rubis et de diamants. Je m'étonnais comme s'étonne un poète qui sait que les mots sont impuissants en face de toute la beauté qui l'enivre. René était un peu irrité, je crois, par mon émerveillement. Il m'écoutait. Il parlait peu. Je parlais trop. Ma volubilité parisienne, son silence de notaire révérencieux étaient deux façons différentes d'exprimer cette lancinante peur que nous avions l'un de l'autre. Durant notre adolescence, nous avions été comme frère et sœur. Le temps avait-il fait de nous des étrangers ?

Les maisons secondaires de nos familles apparurent, avec les allées bordées d'érables à l'avant, et le fleuve à l'arrière où glissait un bateau. Comme dans mon souvenir, les maisons étaient pimpantes, leurs jardins, fleuris. Septembre avait tué la plupart des fleurs.

— Nos parents ont tant vieilli en si peu de temps, ai-je remarqué.

— Et nous aussi, dit René.

Descendus de la voiture, ainsi que nous avions fait moult fois dans notre enfance, nous nous sommes dirigés vers le pin qui se tenait au garde-à-vous au milieu des grosses pierres qui nous servaient de trônes quand nous décidions, à la face du fleuve, que nous étions le roi et la reine. Quelle joviale insouciance avions-nous perdue, René et moi ! Le sentier était recouvert de feuilles mortes. Nos pas réveillaient des souvenirs.

Au lieu de grandir, il me sembla que le pin avait rapetissé.

— Je suis revenu ici plusieurs fois, dit René, comme s'il faisait un aveu. Même quand je portais ma soutane de séminariste.

Il sauta sur la plus haute pierre et il indiqua le tronc du pin :

— Tu te rappelles ?...

— C'est un souvenir qui ne peut s'oublier, assurai-je. Dans notre adolescence, René avait gravé un cœur dans l'écorce, avec les initiales de nos noms dans le contour. Au-dessous, il avait inscrit : ‹TOUJOURS›. Je m'approchai. Dans l'écorce cicatrisée, le mot *TOUJOURS* avait été effacé. Était-ce un signe ? Les courbes du cœur étaient presque intactes. Nos deux initiales étaient encore lisibles.

— Tu te rappelles ? répéta-t-il.

Nous étions adolescents. Ce jour-là, la pluie nous avait surpris durant une promenade à bicyclette. Nous étions trempés. La pluie était du bonheur qui ruisse-lait sur nous. Au lieu de rentrer, nous nous sommes dirigés vers notre pin pour nous mettre à l'abri sous les branches. Nos vêtements collaient sur nos corps. Je m'étais adossée au pin. René me regarda d'une manière si particulière que je ressentis un pincement chaud dans mon ventre. Il alla se mettre à l'abri de l'autre côté. Nous fûmes un moment silencieux. Puis, ses mains glissèrent doucement de chaque côté du tronc et, pour la première fois, caressèrent mes che-veux. Puis, les deux mains, comme surgies du tronc du pin, touchèrent mon front, elles glissèrent lentement sous mes yeux, sur mes joues, elles se posèrent déli-catement sur mes lèvres et je les baisai, tout étonnée ; les deux mains de René glissèrent sur mon menton, suivirent mon cou, se posèrent un instant sur mes épaules et, légères, pour la première fois, effleurèrent mes jeunes seins qui pointaient sous ma robe trempée. Ce jour-là, avec son canif, René dessina le cœur, burina nos initiales et le mot *TOUJOURS*.

— Je me souviens très bien de cette pluie, insistai-je. Comme je l'avais fait en ce jour d'adolescence, j'appuyai mon dos contre le pin. René Goupil me considérait. Il n'était plus un adolescent énervé par l'attirance entre les garçons et les filles. Il était devenu un pauvre homme qui ne comprend pas la vie :

— On écrit *TOUJOURS* quand on est des enfants, dit-il, mais c'est la vie qui dicte les lois et qui décide...

René était mal à l'aise de se retrouver sous ce pin avec une amie qui avait beaucoup changé depuis l'averse d'antan. Était-il intimidé, lui l'ancien séminariste, de se tenir si près d'une jeune femme ? Lui, qui était à peine sorti des murs de la ville de Québec, se sentait-il troublé par une femme qui avait franchi plusieurs frontières ? Mes mains ont pris les siennes et je les ai guidées vers mes cheveux, mon front, mes yeux, ma bouche, mon cou... Comme en cette journée où nous avions inscrit notre serment dans l'écorce du pin, ses mains ont caressé mes seins. Elles ne voulaient plus les quitter.

Ensuite, nous avons longtemps marché en silence. Les feuilles mortes chuchotaient ce que nous n'osions dire. Sous le pin majestueux, nous avions renoué avec notre passé. Nous étions ébranlés par le choc du passé et du présent venus s'unir dans nos corps. À quoi René pensait-il ?

Quelque part dans le parfum des branches, l'âme de Tony s'est avancée, silencieuse. De même m'a effleurée le désir de l'Indien de l'Arizona qui marchait dans Paris comme s'il avait habité ce territoire avant la construction de la ville.

Tant de fois René et moi avions parcouru ce sentier vers la maison de ses parents. Cette fois, il me semblait que je tombais d'une haute falaise. Se pouvait-il que le poids de ce petit être dans mon ventre fût assez lourd pour m'entraîner ?

— Nous avons été séparés pendant si longtemps, chuchota René.

C'étaient ses premiers mots depuis le pin. Il avait des larmes aux yeux :

— J'ai tant pensé à toi. J'étais sûr que tu n'allais jamais revenir. Le temps a été si long... Je n'osais pas...

À moi, le temps avait paru si court. Même la guerre, soudainement, ne me paraissait avoir duré que le temps d'un cauchemar. Le temps file à Paris comme le vent tourne les pages d'un magazine. (René, je pleure en traçant ces mots : je confesse n'avoir jamais pensé à toi quand j'étais en Europe. Paris me comblait ; je n'avais nul besoin de nostalgie et surtout pas du souvenir d'un enfant de chœur attardé qui s'était réfugié sous une soutane à l'abri dans un séminaire.)

Maintenant j'avais la charge d'un enfant. Je devais songer à son avenir. Je devais éviter à mes parents un chagrin qui les aurait tués. Je ne retournerais pas en Europe.

René prit la clef là où elle était d'habitude. Une guerre avait torturé l'Europe, mais la clef était encore dissimulée sur la boiserie horizontale de la porte. L'air était humide. La maison semblait flotter sur le fleuve comme un bateau qui nous emportait ailleurs. Cette impression m'était familière ; je l'avais maintes fois ressentie dans le passé. Peut-être avait-elle naguère suscité mon désir de voguer vers la France ? Tout était à sa place, rien n'avait changé depuis mon départ. Je ne naviguerais jamais vers mon cher passé. J'étais condamnée à vivre ici.

René empila des bûches dans la cheminée. Infiltrées dans le chalet, les brumes lourdes de septembre y avaient déposé un arôme d'algues. J'avais souvent décrit le Saint-Laurent à mes amis d'Europe : ce fleuve est une mer. René m'invita à allumer le feu. J'aurais souhaité qu'il fût conscient qu'un symbole grave se cachait dans ce geste. Il était si bon, si ‹notaire›. Paternel, il voulait me faire plaisir en me donnant la permission de jouer avec le feu ! Oh ! René, comment aurais-tu pu te douter que tu allais me sauver? Une jeune femme de la ville de Québec ne pouvait s'en aller rejoindre dans le désert de l'Arizona un Indien qu'elle avait aimé dans une chambrette de la rue Gît-le-cœur à Paris parce que c'était la fin de la guerre, la fin de la violence, parce que c'était le commencement de la paix, le premier jour du bonheur. Oh! René, comment aurais-tu pu te douter que tu allais épargner à mes chers parents un gros chagrin? Tu allais empêcher que le secret dévoilé de ma faute parisienne éclabousse la réputation de mes parents. Tu allais me protéger. Grâce à toi, je n'aurais pas à cacher mon péché dans un de ces couvents où se réfugiaient les filles engrossées par leur oncle, leur père ou le curé de la paroisse. René, tu sauverais mon enfant. Tu lui épargnerais d'être parqué parmi ces autres enfants qui ne seraient jamais plus libres sous le soleil à cause de la tache du péché de leur mère qui les marquait. Il n'était pas bon alors d'être un enfant sous la dictature de cette croix que mes parents adoraient. Tu allais me soustraire au péril, René Goupil, et je te méprisais pourtant de n'être pas Tony, le fils de cette grande romancière française attiré par la petite Canadienne comme l'oiseau-mouche par la fleur colorée. Je te dédaignais, toi le notaire, qui tenais les yeux baissés vers la terre comme si tu lisais un testament ou un palimpseste au lieu de tenir le front haut comme ce bel Indien qui était fier d'être revenu vivant de la guerre et de serrer dans son bras unique la taille d'une Blanche au pays des Blancs. Pâle notaire, tes pas semblaient encore entravés par ta soutane de séminariste. Dans la ville de Québec, entre les murs de laquelle régnait une église qui méprisait notre séjour terrestre et s'opposait au vote des femmes, paisible notaire, il fallait que je fasse l'effort de ne pas te détester. Je pleure aujourd'hui à la pensée que je ne t'aimais pas ce jour-là. Tu méritais que je t'aime plus que mes souvenirs. Ils étaient ce que je ne serais jamais plus ; tu étais ce que je deviendrais.

Le feu dans la cheminée réchauffa la pièce. Nous avons retiré nos imperméables. Les flammes craquetaient dans le silence. Le fleuve défilait comme un long après-midi bleu. Sans bateau, il était beau comme un arbre sans feuilles. L'autre rive semblait s'éloigner lentement de nous. Nous ne parlions pas. Nous n'osions pas choisir des mots. Peut-être n'avions-nous rien à nous dire. Nos âmes sans doute s'échangèrent quelques phrases silencieuses puisque soudainement nous nous sommes trouvés dévêtus devant les flammes. Elles ‹dansaient comme des diables›, a dit René, plus tard. ‹Comme des anges›, ai-je corrigé. Nos corps se sont unis sur la peau d'ours noir étalée ; notre âge adulte finalement se joignait à notre adolescence. Je pleure comme une pécheresse en écrivant ces mots car ce n'était pas à René que je pensais quand il s'essoufflait sur moi. À cet instant, mes yeux étaient pleins de larmes, mais je devais lui sourire.

Après les caresses fougueuses, René était embarrassé. Il n'avait pas appris au Grand Séminaire ni à la faculté de droit les mots qu'une femme nue aime entendre. Décontenancé, troublé, coupable d'avoir aimé comme une bête, il évitait mon regard. Il ne connaissait pas cette femme tant elle avait changé depuis l'adolescence alors qu'avec elle il se tenait silencieux sous le pin pour écouter la voix des tourterelles tristes. Mal à l'aise comme Adam au paradis après avoir croqué la pomme du Mal, René, tout à coup, a proclamé :

— Blanche, je veux t'épouser !

Le soir, nous étions invités à dîner chez les Goupil. Nos parents, d'habitude, ne trempaient jamais leurs lèvres dans l'alcool. Des prêtres qui sifflaient un verre de vin tous les matins, à la messe, leur avaient prêché que l'alcool était distillé par le diable lui-même sur le feu de l'enfer. Au dessert, le père de René exhiba une bouteille. Il n'aurait pas été plus fier s'il avait déposé le saint Graal à côté du gâteau au chocolat.

— Sabrons le champagne en l'honneur de votre fille qui nous est revenue...

— Et qui ne nous quittera plus jamais, précisa ma mère.

— Buvons en l'honneur de nos enfants qui se sont retrouvés comme s'ils ne s'étaient jamais quittés...

— Papa, interrompit René, je voudrais dire quelque chose...

Nos deux mères échangèrent un sourire satisfait; leur intuition maternelle avait déjà tout deviné.

— Que veux-tu donc nous dire, mon fils? demanda sa mère avec une sirupeuse curiosité.

Mon père, à son journal, avait appris à se tenir au-dessus de la mêlée :

— Soyons patients, nous verrons bien.

Le père de René s'avéra moins prudent; il prophétisa :

— Je sens que ce sera une nouvelle qui ne sera pas mauvaise. Alors, que les coupes débordent!

— Ma nappe! Attention à ma belle nappe en dentelle de Bruges! implora sa femme.

— Madame Larivière, monsieur Larivière, commença René, j'ai l'honneur de demander la main de votre...

— Malgré notre surprise, trancha mon père, vous faites notre bonheur...

— Notre bonheur à tous, précisa son père...

— Dieu répond enfin à mes prières, soupira ma mère.

— À nos prières, corrigea sa mère.

— Dieu est juste, dit ma mère.

— Nous avons été de bons parents, jugea mon père.

— Nous avons bien élevé notre fille.

— Notre garçon est un bon garçon.

Nos mères se sont élancées, l'une dans les bras de l'autre. Plutôt corpulentes et fortes de poitrine, elles n'avaient pas les bras assez longs pour s'embrasser aussi fort qu'elles l'auraient souhaité. Elles pleuraient de joie. Nos pères n'osaient s'embrasser entre hommes. Ils se serraient la main. Puis ils buvaient une gorgée de champagne et se félicitaient une autre fois, ayant oublié qu'ils s'étaient déjà serré la main. Mon père cessa de boire, boutonna sa veste et, après un instant d'hésitation, décida qu'il était convenable de prononcer un discours :

— Que notre fille et votre fils poursuivent la tradition canadienne-française, qu'ils maintiennent l'héritage catholique et français. Que chaque génération enrichisse le patrimoine ! Ainsi et ainsi seulement sera assuré l'avenir de notre peuple canadien-français sur ce continent anglais et protestant. J'espère que vous ne refuserez pas d'accomplir le devoir quotidien que Dieu assigne aux couples qu'Il a unis.

Il dut se taire. Un sanglot l'étreignait.

— Ma chère fille ! s'exclama la mère de René.

— Mon cher fils ! déclara ma mère.

— Buvons une autre coupe ! proposa mon père.

Le père de René refusa en mettant sa main au-dessus de sa coupe :

— Il faut parler d'organisation dès maintenant, conseilla-t-il. L'organisation d'une élection dans le comté est plus simple que celle d'un mariage. Nous avons peu de temps : quelques mois à peine pour organiser un beau mariage. Peut-être Son Excellence notre archevêque acceptera-t-il de consacrer l'union de nos enfants...

— Est-il quelque chose de plus beau qu'un mariage en juin ? suggéra ma mère.

Je l'interrompis :

— En juin, la terre a l'air d'être follement amoureuse de l'été, vous avez raison, mais nous voulons nous marier en octobre.

— En octobre ?

— Mais septembre est déjà avancé, précisa la mère de René.

— En octobre ! C'est impossible. Tu n'as même pas assez de temps pour choisir ta robe.

— Et Son Excellence notre archevêque sera à Rome en audience privée avec notre saint-père le pape.

— Un mariage demande du temps...

— Et la réception...

— En octobre...

— Et pourquoi en octobre ?

— Je ne sais pas quoi porter pour un mariage en octobre...

— Juin est un si joli mois.

Nos parents, si heureux, étaient soudainement furieux.

— René, mon amour, dis-je, explique à nos chers parents pourquoi nous tenons à nous marier en octobre...

Il devint pâle. Je crus qu'il allait s'évanouir ou bien s'enfuir. Il me dévisagea avec une certaine terreur. Allait-il briser la promesse qu'il m'avait faite quand nous étions allongés sur la peau d'ours devant la cheminée ?

— Pourquoi en septembre ? bafouilla-t-il. Non, je veux dire : pourquoi en octobre ? Parce que nous nous aimons. Blanche et moi, mes chers parents, nous nous attendions depuis si longtemps. Même au Grand Séminaire, quand je lisais ma Bible devant le crucifix, je ne pouvais empêcher mes pensées de rêver à elle.

— Il y a eu Paris, la guerre, toutes ces années... Nous nous sommes retrouvés comme nous étions dans notre adolescence.

— Nous voulons des enfants.

— Nous nous marions en octobre et vous serez grands-parents à l'été ! proclamai-je.

Mon père s'inquiétait :

— Que vont penser nos amis de ce mariage à la hâte ?

— Vont-ils croire que notre fille se marie parce qu'elle est obligée ? dit ma mère.

La mère de René la rassura :

— Nos amis savent que Blanche n'est revenue qu'hier. Personne ne va imaginer que nos bons enfants ont eu le temps de commettre la faute qui les forcerait à un mariage hâtif.

— Que l'amour triomphe ! proclama mon père.

Il leva son verre. Le champagne était épuisé et son verre était vide. Il le porta à ses lèvres. Mon pauvre papa voulait tellement célébrer ! Il avait tant attendu cet événement ! Même en ne buvant rien, il s'étouffa. On dut l'allonger sur la moquette. Nous avons cru que son cœur ne résisterait pas.

Je pourrais marcher la tête haute sur la Grande Allée. J'avais trouvé un père pour mon enfant. Je serais l'épouse d'un notaire de bonne réputation. Je serais une femme comblée. J'aurais de beaux vêtements, une bonne. J'aurais des loisirs. Je serais libre de cultiver la poésie. À cette époque, une femme ne demandait pas d'être heureuse ; il suffisait de le paraître.

Le mariage eut lieu en octobre. Il fut béni par Son Excellence l'archevêque, notre oncle, qui avait retardé son voyage à Rome. Pendant la cérémonie, je m'efforçai d'être radieuse. J'aurais voulu sourire. J'ai pleuré comme un ciel d'avril ! À la sortie de l'église, une neige prématurée nous accueillit comme une avalanche de fleurs blanches. Son Excellence l'archevêque s'envola le lendemain. Il emportait avec lui mon anneau. Il demanderait à Sa Sainteté le pape la faveur d'une bénédiction particulière.

Mon fils, Jean-René, est arrivé dans ce monde à la mi-mai. Mon père, en le voyant, s'est écrié :

— Celui-là sera fort ! Regardez-le ! Il veut encore téter ! Regardez-le ! Ses yeux, son nez, sa peau ; on dirait un petit Indien ! Ah ! celui-là est un Larivière de souche !

Mon mari, penché sur le berceau, récitait la table de multiplications : deux fois un égale deux ; deux fois deux égale quatre ; deux fois trois…

— René, tu vas faire pleurer ton fils, lui reprocha sa mère.

— Maman, plus on commence tôt son éducation, plus l'enfant se développe, argua-t-il.

— C'est vrai qu'il veut encore téter ! s'étonna mon beau-père. Ce petit Canadien français va faire son chemin. Rappelez-vous ma prophétie !

— Notre fils va porter le nom de René, comme son père : il sera Jean-René ! annonçai-je.

J'avais envie de pleurer. Mon fils ne serait jamais serré par ce bras musclé qui avait si chaudement abrité sa mère. Je remarquai que l'haleine de René était imprégnée d'alcool. Fier d'être devenu père, sans doute célébrait-il l'événement à la manière des hommes. C'est ce que je pensai en ce jour exceptionnel. L'odeur d'alcool dans sa bouche n'allait plus s'évaporer. Il n'a jamais cessé d'être tranquillement ivre.

*
* *

Je reprends la rédaction de *Bouteille à la mer* après une longue interruption. Durant plusieurs jours, une migraine insoutenable, un supplice, a anéanti mes pensées et mes souvenirs. Devant moi, la page blanche semblait fuir, poussée par un vent démonté. Si je me levais, le plancher était soulevé de vagues furieuses. Le médecin m'a conseillé du repos. René m'a conduite à notre maison de l'île d'Orléans. Je me suis fait transporter sous le grand pin, ce vieux sage centenaire. Toute une semaine, j'ai contemplé le fleuve où se reflétaient tant d'images de mon passé. La douleur m'a quittée comme quelque chose qu'on oublie.

En revenant dans la maison de la Grande Allée, j'ai relu ce message. J'ai été une jeune femme dure comme l'os. J'étais une petite bête sauvage. J'ai capturé René comme une proie. La société d'alors bannissait les jeunes filles coupables du péché de l'amour et punissait leur enfant. Je voulais donner à mon enfant une existence libre et totale. J'avais peur de souffrir. À la souffrance j'ai préféré ne plus jamais être heureuse. Ai-je été malheureuse? Quand on accepte de ne pas rechercher le bonheur, on n'est jamais heureux et on n'est jamais malheureux.

Mon fils a été beau comme l'enfance, beau comme l'adolescence. Je l'aime comme j'aime mes souvenirs de jeunesse. René Goupil m'a aimée. J'ai essayé de l'aimer. Il a été pour mon fils un père attentif. Mon fils l'aime comme le plus doux des pères.

Mon fiancé Tony, qui a fui dans la mort pour ne pas mourir à la guerre, est souvent venu habiter mes songes. Mon bel Indien de l'Arizona, qui lui s'est battu, a traversé mes pensées chaque fois que je m'attardais à regarder ce petit Indien qu'il avait confié à mon ventre. Jean-René grandissait en se croyant un petit Blanc comme tous ses amis qui l'appelaient l'Indien.

Quelques lettres me sont venues de l'Arizona. Je n'ai pas osé déchirer les enveloppes. J'en ai brûlé quelques-unes. Peut-on brûler le passé? J'en ai reçu d'autres. Je les gardais quelques jours pour les regarder, les soupeser, les toucher, les sentir. Je n'étais pas tentée de les ouvrir. Et je les retournais en Arizona avec la mention ‹INCONNUE›.

Je dois faire vite. Le médecin m'a avertie : ‹Si votre douleur revient, cette fois, elle ne va plus vous quitter.› La nuit dernière, ma douleur s'est manifestée; je l'ai reconnue. Je m'empresse de terminer ma confession que je vais lancer comme une bouteille à la mer. C'est la mer qui décidera de porter ma confession à mon fils ou de la noyer dans l'oubli. Je n'ai jamais trouvé le courage de lui dévoiler toute la vérité. Ne pas lui révéler mon secret, était-ce folie, était-ce sagesse?

Mon cher Jean-René n'aura pas la curiosité ni la patience de parcourir ces pages que je confierai aux Archives de la Bibliothèque nationale. Il ne supportait pas que j'écrivisse des poèmes. Un lecteur inconnu prospectant le passé à la recherche d'un filon de poésie se penchera peut-être un jour sur mes modestes fleurs de mots. Qu'il écoute avec respect cette voix d'une âme disparue avec la souffrance qui était sa petite musique de nuit. »

24

La magie de l'histoire métamorphose les mots sur le papier en expérience humaine. Durant tout l'après-midi, Blanche Larivière a révélé son secret à Robert Martin. Les mots qu'elle a écrits l'ont ressuscitée ; elle ne mourra plus jamais. Ses pleurs ne couleront plus dans le silence. L'historien fera connaître sa symphonie inachevée. Blanche Larivière ne doit plus être une inconnue. Robert Martin a ouvert la porte de la geôle dans laquelle l'indifférence l'a oubliée. Il demande qu'on lui fasse une photocopie de chaque pièce de ce dossier.

— Monsieur Martin, vous avez trouvé quelque chose au sujet de votre fermier Dubois ? demande le commis.

— La vie est pleine de découvertes, se contente de répondre l'historien.

L'autobiographie de Blanche Larivière a été interrompue en 1963, ainsi que l'indique la date à la fin du texte. Elle en avait interdit l'accès jusqu'à la mort de son mari, René Goupil, survenue en 1975. Jusqu'à aujourd'hui, presque vingt ans plus tard, calcule Robert Martin, personne n'a manifesté

179

de curiosité à l'égard de la poétesse. Au Québec, l'oubli dans lequel on ensevelit les poètes après leur décès ressemble en tout point à l'indifférence qu'on leur manifeste quand ils sont vivants, constate-t-il.

Le prochain confident de Blanche Larivière devra être son fils, Jean-René Goupil. Il le trouvera !

— Comme vous l'aviez demandé, monsieur Martin, nous ne vous avons pas dérangé, dit le commis. Vous avez reçu trois messages téléphoniques.

Deux proviennent de Miss Camion, dont un est qualifié d'urgent. Le troisième vient de son bureau : un assistant de recherche. Il s'empresse de composer son numéro :

— Robert, j'ai découvert dans la vallée de Borrego en Californie un monument élevé à la mémoire de Peleg Smith, annonce l'enthousiaste assistant.

— C'est Dubois qu'il faut dénicher ! Je ne m'intéresse pas à Smith, s'impatiente l'historien.

— Peleg Smith a découvert des gisements d'or extrême-ment riches dans la vallée de Borrego.

— C'est Dubois qu'il me faut, tranche Robert Martin, pas Smith !

— Laissez-moi vous expliquer. Je suis tombé sur une photographie d'un groupe de prospecteurs qui ont élevé un monument à Peleg Smith. Ils voulaient que l'on se souvienne de lui dans l'avenir. Ils ne voulaient pas que Peleg Smith soit oublié avec ses os dans la poussière du désert.

— Je veux qu'on me parle de Dubois !

— Sur la photo, je vous le dis, ils ont l'air de ce qu'ils étaient : de vrais bandits. Ils sont assis sur leurs ânes avec sacs, écuelles, poêle à frire, pic, tamis, leurs chapeaux tachés de sueur. Les noms de ces hommes sont inscrits à l'encre, en lettres moulées, au dos de la photographie : Clark, Beaty, Hilton et Duboi. Duboi sans *s*. Trois des prospecteurs fixent la caméra comme si elle était un revolver braqué sur eux. Le quatrième, Duboi (sans *s*), a tourné la tête, probablement vers sa prochaine destination.

— Tu crois que ta découverte nous fait avancer ?

— C'est une piste...

— Une piste... Toujours des pistes... Jamais de Dubois !

Maintenant, Miss Camion :

— Oh ! c'est toi, mon grand amour... Oui, je ne t'ai téléphoné que deux fois... J'ai pensé à toi au moins deux cents fois. As-tu passé une bonne journée ?

— J'ai découvert un document important.

— Tu as trouvé Dubois !

— Non, j'ai trouvé Blanche Larivière.

— C'était la femme de Dubois ?

— Non. Il n'y a aucun lien entre les deux.

— Tu cherchais Dubois et tu as trouvé Blanche Larivière !

— Mais non ! s'impatiente-t-il. Je cherchais Blanche et j'ai trouvé Blanche.

— Alors, Blanche était la fille de Dubois ?

— Non ! Tu ne comprends rien.

— Mon défunt mari avait l'habitude de me faire ce reproche.

— J'ai assez de complications avec mon ex-femme ; je ne veux pas en plus m'occuper de ton mari.

— Je ne comprenais rien à ses camions. Lui, il les comprenait mais il est mort. Et j'ai acheté aujourd'hui mon deux cent unième camion.

— Je m'excuse. Les hommes disent : « Tu ne comprends rien » quand ils perdent patience. C'est un réflexe. Je suis un peu secoué par ce que je viens de trouver.

— Donc ton travail sur Dubois avance...

— Je te raconterai tout.

— Mon grand amour, avec toutes les connaissances que tu as, ce doit être irritant d'être aimé par une personne comme moi qui n'est pas capable de comprendre comment tu trouves Blanche Larivière quand tu cherches Dubois. Tout ce que je sais, c'est faire rouler des camions... Tu as ton dîner avec tes anciens camarades d'université. Vas-y sans moi. Ils sont trop savants. Je suis prête à parier qu'il n'y en a pas un qui sait conduire un camion… Je dois te dire que mes gens du service des projets spéciaux sont un peu nerveux. Ils attendent ta première version. Ils ont besoin de quelque chose d'écrit sur le papier.

— Je ne peux pas écrire cette histoire comme on se fait une tartine. Le fermier Dubois, c'est l'Amérique invisible, l'Amérique vraie. Pas celle des coups de canon. Pas celle des grandes fortunes. Dubois, c'est l'histoire des hommes et des femmes qui ont laissé des traces qu'une brise ou une pluie efface dans la poussière. Alors, ne sois pas surprise si je tâtonne… Fais savoir à tes marchands qu'ils doivent laisser le chercheur chercher et trouver.

— Mon grand amour, j'aime tellement t'entendre parler comme tu parles. Sais-tu ce qui nous a occupés au bureau aujourd'hui? On a commandé trois cents douzaines de pneus… J'étais fière : j'ai très bien négocié. Pour me récompenser, je me suis acheté un gentil déshabillé que tu vas aimer! Amuse-toi bien avec tes anciens condisciples. Moi, je vais oublier mes camions et mes pneus. Mon grand amour, si j'entreprends la lecture de *Moby Dick*, est-ce que je vais comprendre quelque chose? Je vais baptiser un de mes camions Moby Dick. C'est une bonne idée?

— C'est une idée très originale… Je t'embrasse. À plus tard.

Robert Martin se hérisse lorsqu'on le bouscule. Depuis quelques mois, il virevolte comme un cerf-volant charrié par des bourrasques insensées. Il a été abandonné par sa femme, flagellé par les avocats, humilié par ses collègues (l'un d'eux n'a-t-il pas écrit que Robert Martin est « le mort-vivant de l'histoire »?), il a perdu sa maison, sa voiture, ses enfants, ses plus beaux livres, son chalet et son bateau. Il a fui aux États-Unis où il s'est lancé dans l'abracadabrante poursuite du fermier Dubois. Peut-être cette histoire n'a-t-elle pas plus d'importance que la caroncule du coq; pourtant, il a décidé que c'était désormais sa raison de vivre : sa raison pour ne pas mourir. Enfin, Miss Camion a foncé sur lui avec une benne débordante d'affection. Il a été emporté par ce cyclone emmiellé vêtu d'une robe à fleurs froufroutante. Ses quelques notes sur un fermier inconnu sont devenues un projet d'entreprise dans lequel grenouillent avocats, comptables, agents, vendeurs. L'historien n'était connu que de quelques dizaines de ses pairs ; il est devenu aussi populaire que le petit chanteur du succès de la semaine. Déjà l'on vend son livre, qui n'est pas encore écrit, au sujet d'un homme qui n'existe pas encore. Fugueur dans le passé, Robert Martin a été happé par le présent.

Ses camarades d'études ont des bedons mous, des fronts dégarnis, des bourrelets sous le menton. On se serre la main. On se tape dans le dos. On se moque des alluvions que le fleuve du temps a déposés sur les corps. On se répète les vieilles blagues. Robert Martin arrive en retard. On lui donne un verre. Les discussions politiques ont déjà commencé. « Ils ont eu le temps de boire », estime l'historien.

— C'est une constance historique : les minorités sont toujours accusées des pires fautes, affirme l'acteur qui vit de la transposition en patois local de films américains. Les Québécois forment un peuple. Ils veulent se séparer de l'État fédéral pour administrer leurs affaires comme un peuple normal. On nous accuse d'être racistes. Les Québécois sont le peuple le moins raciste du monde. Les racistes sont précisément ceux qui nous refusent le droit de former un peuple.

— J'ai une belle-sœur haïtienne, confie l'échotière de *La Presse*. Ses enfants sont bruns ; ils ont l'air de charmants petits chocolats. Je les reçois chez moi à Noël comme mes autres neveux. Est-ce que je suis raciste ?

— Moi, je ne vois aucune différence entre Jaunes, Noirs ou Juifs. Cependant, les Québécois sont un peuple fragile, minoritaire, une île francophone dans une mer anglophone. N'importe quel animal, n'importe quelle plante sont dotés d'un système de protection... Alors, dites-moi la raison pour laquelle nous n'aurions pas le droit de nous défendre.

— Notre peuple est fragile, réitère l'acteur. Nous devons laisser pénétrer dans notre race le moins d'intrus possible.

Ces gens-là sont différents. Ils ne s'assimilent pas. Ils font des quantités d'enfants. Seront-ils des étrangers parmi nous ? Avoir le courage de dire cette vérité, ce n'est pas être raciste, c'est être réaliste.

— Si on peut nous faire un reproche, c'est d'être trop larges d'esprit, avance celui qui est devenu le célèbre avocat des ouvriers. Ne fermons pas les yeux devant les faits. Au Québec, nous sommes blancs, nous parlons français parce que nous descendons des Français et nous sommes tradition-nellement imbibés de religion catholique. On peut appeler cela de l'homogénéité nationale. Si des éléments disparates et discordants s'insinuent, s'infiltrent et se multiplient, notre peuple perdra son homogénéité. Nous ne serons plus ce que nous sommes. Or nous voulons demeurer ce que nous sommes.

— C'est exactement ce que je prêche, assure l'acteur. Les Québécois doivent se protéger.

— Qui est-ce qui nous menace si terriblement ?

Robert Martin a posé sa question avec un léger sourire d'incrédulité.

Son esprit est émoustillé par les rêves de Dubois et des autres Canadiens français qu'il accompagne depuis des mois dans les sentiers neufs du territoire vierge de l'Amérique.

— Qui est-ce qui nous menace ? Tous ceux qui pensent que nous n'avons pas besoin de nous protéger, rétorque l'acteur.

— À une autre époque, les Canadiens français étaient moins frileux, rappelle l'historien. De 1850 à 1871, plus de six cent mille Canadiens français se sont lancés à la conquête de l'Amérique. Beaugrand, Faucher et tant d'autres ont débarqué au Mexique à vingt ans. J'ai retracé au Pérou un forgeron de Saint-Jean-Iberville, Derome. Nos ancêtres utili-saient une jolie expression : « Courir l'Amérique »…

— Et ces Canadiens français se sont tous noyés dans la mer anglophone, constate l'échotière. Il est impossible d'en repêcher un vivant.

— C'est ce qui arrivera si notre peuple ne se protège pas.

— Aux États-Unis, dit Robert Martin, les habitants ont oublié leur pays d'origine pour devenir citoyens de la liberté.

— Un jour, les arrière-petits-enfants de ceux qui ont oublié leur origine vont vouloir se souvenir, prophétise l'avocat. L'amnésie générale a constitué la force de ce pays ; elle sera la cause de sa destruction.

— Déjà, les Indiens retrouvent la mémoire de leur passé, rappelle l'acteur.

— Et les Noirs...

— Et les Latinos...

— Tous ces gens vont retrouver la mémoire...

La discussion s'enflamme. Robert Martin se retire. Il est incapable d'avoir autant de certitude et de conviction. Il se dit que ses camarades, comme d'habitude, se sont engagés dans cette discussion politique parce qu'ils veulent éviter de parler d'eux-mêmes : de leur désappointement, de leurs problèmes de famille, de leurs ennuis de santé, de leur inquiétude par rapport à l'avenir de leurs enfants. Peut-être sont-ils vraiment mal à l'aise dans ce grand Canada ?

— Robert, parle-nous de ton fameux Dubois. T'es plus seulement un petit professeur d'histoire ; t'es devenu un *business man* comme on dit en latin. Ah ! ah ! ah ! ah !

Le téléphone a sonné. C'est pour lui. Heureusement. Il est soulagé. C'est son avocat. On remarque qu'il a grimacé. Mauvaise nouvelle ? Il écoute. Il a l'air malheureux. On essaie de deviner de quoi il s'agit. Il a le visage du Christ sur la croix. Il prononce deux mots puis il écoute encore. Peu à peu ses camarades glissent vers le barman qui s'affaire, sérieux comme un recteur d'université.

La femme de Robert Martin, la trop jolie coiffeuse, lui demande de revenir à la maison. Elle est prête à reprendre sa vie avec lui. Elle s'excuse. Elle l'aime plus que jamais. Les enfants ne peuvent pas vivre sans leur père. Le fils s'est fait des amis dans un groupe qui dévalise les vieilles dames. C'est sa manière de protester contre la situation.

185

Il raccroche. Et décroche le combiné. Il doit parler à Miss Camion.

— C'est toi, mon grand amour. Tu t'ennuies déjà de moi ? Je suis désolée. Je ne serai pas chez moi quand tu vas rentrer... Je t'aime tellement... Tu sais, il faut que tu remettes ton manuscrit. Ton histoire de Dubois est la base de notre campagne promotionnelle : « Si le fermier Dubois vivait aujourd'hui, il nous confierait son déménagement au Colorado... » C'est pas mal, hein ? Au service des projets spéciaux, quelqu'un a eu l'idée que l'on pourrait embaucher un descendant du fermier Dubois pour une publicité à la télévision : « Nos camions vont partout en Amérique comme mon ancêtre, le fermier Dubois. » C'est pas mal, hein ?

Les idées de sa compagne roulent sur lui avec le poids de ses puissants camions.

— Mon grand amour, je suis désolée. Je ne serai pas à la maison quand tu vas rentrer. Amuse-toi. Tu travailles tant. Je dois partir pour Québec. Il y a une réunion au ministère des Transports demain. Je pars avec le comptable.

— Je dois t'annoncer quelque chose. Ma femme veut que je retourne chez moi.

— Les femmes changent souvent d'opinion.

— Elle veut tout recommencer.

— Mon grand amour, tu dois pas perdre le sommeil. Bois pas de café. Fais-toi plutôt un bon vin chaud avec des clous de girofle.

Robert Martin ne s'attardera pas longtemps avec sa classe. Il a décidé de caleter.

25

Accrochées au gravier en feu, de belles fleurs de soie blanche étincellent parmi leurs feuilles bleues. La brillance du jour est insoutenable mais Charlie Longsong garde les yeux ouverts. À son âge, on ferme les yeux le moins possible. Il gravit d'un pas sûr la route de la *Mesa*. Il va raconter ce qu'il n'a pas oublié afin que les jeunes générations se souviennent. S'il avait un fils, il lui raconterait tout ce qu'il sait... Il n'a pas bu de bourbon aujourd'hui même si son bras amputé le fait souffrir. La guerre ne desserre pas sa gueule enragée. L'alcool embrouille les histoires. Il ne veut pas léguer des histoires emmêlées avec la queue à la place de la tête. Les générations futures se demanderaient quel est ce vieux fou qui inventait ces histoires déraisonnables.

Vieil homme, il devrait marcher d'un pas accablé, hésitant, clopinant, mais ce matin, dans les nuages matinaux, sur le sable, sur les cactus, dans le bol d'eau qu'il a bu, il sent s'approcher des événements nouveaux. Son sang est fébrile dans son corps de vieillard. Serait-ce sa mort qui s'annonce ?

Escaladant la pente abrupte, Charlie Longsong se répète le drame qu'il va relater, une histoire très ancienne. C'était une *mesa* aujourd'hui disparue car elle connut trop de misère. C'était une *mesa* qui dominait le désert. Si près du ciel, ses habitants étaient fiers. Ils n'étaient pas des gens qui regardent vers le sol. Leurs yeux fixaient toujours l'avenir dans le ciel. Ce peuple n'avait jamais attaqué un autre peuple. Plusieurs fois, des ennemis avaient tenté de prendre d'assaut la *mesa*; jamais un ennemi n'avait réussi à poser le pied sur son roc. Jamais une flèche ennemie n'avait atteint la *mesa*. Les enfants grandissaient sans cauchemars et sans peur. Au lieu de guerroyer, les hommes cultivaient les champs et chassaient. Les réservoirs d'eau débordaient. Si près des nuages, il pleuvait abondamment et souvent. Il tonnait fort aussi, mais les dieux du tonnerre n'avaient jamais lancé leurs flèches de feu contre ce peuple de paix.

Leurs ancêtres avaient taillé dans la falaise les marches d'un escalier par lequel on descendait aux champs pour remonter avec des paniers combles de maïs ou de gibier. Cet escalier existait depuis les plus anciennes générations et les pas de ceux qui l'avaient monté et descendu en avaient usé le roc.

Un jour, en colère, les dieux se sont déclaré la guerre. Ils se sont lancé des flèches enflammées. Les nuages se cognaient. Le vent raclait la terre. Les habitants de la *mesa*, avec les enfants et les chiens, s'aplatirent sur le plancher de leurs *hogans*, serrés les uns contre les autres. Le vent arrachait les toits et les emportait comme fétus de paille. Il faisait rouler les pierres. Dans un geste fou de colère, l'un des dieux abattit son tomahawk sur la falaise dans laquelle l'escalier avait été taillé. Cela fit une grosse boule de feu et l'escalier s'écroula en une pluie de cailloux.

Au matin, le ciel redevint pacifique. Comme d'habitude, les fermiers et les chasseurs voulurent descendre dans le désert. Ils découvrirent que l'escalier avait été détruit.

Les plus jeunes, les plus braves, les moins sages estimèrent qu'ils pouvaient se passer de l'escalier. Les uns s'agrippèrent à la falaise comme des araignées et entreprirent de descendre vers les champs, loin, en bas. Les autres décidèrent d'imiter les chèvres et les béliers de montagne : ils sautèrent de bosse en corniche. D'autres, enfin, imitèrent les contorsions sinueuses du serpent entre les arbustes, les renflements, les arêtes, les saillies. Les uns après les autres, tous, comme des oiseaux sans ailes, s'abattirent dans le désert si profond qu'on ne pouvait les voir s'écraser. Le peuple de la *mesa* comprit qu'il était devenu impossible de descendre dans les champs où étaient l'eau et le maïs. On devait reconstruire l'escalier.

Les plus entreprenants s'attaquèrent au rocher. Le rocher était dur. Le soleil coulait comme de l'eau bouillante sur le dos des travailleurs. On avait soif. Les hommes se remplaçaient pour creuser, mais on comprit bientôt qu'on ne pourrait jamais atteindre les champs. Sans doute avait-il fallu des années et des années et des générations pour tailler l'escalier dans la falaise. Ils n'abandonnèrent pas. Les provisions diminuaient. En bas, le maïs brûlait sous le soleil. L'eau baissait dans les réservoirs.

Le jour arriva où l'on eut faim et soif. Il ne restait à manger que les chats et les chiens. Des oiseaux à long bec et aux grandes ailes noires tournoyaient au-dessus de la *mesa* dans le ciel rempli de lumière bleue. Les habitants moururent l'un après l'autre. Ce peuple avait été abandonné par ses ancêtres et par ses dieux. Quel mal avait-il fait ? On ne l'a jamais su, on ne le saura jamais. Les faucons noirs qui ont dévoré les dépouilles séchées au soleil ont emporté tous leurs secrets.

Cette histoire, Petit Homme Tornade l'a reçue de son père qui la lui a donnée quand il vivait encore. Il va la raconter aux enfants d'aujourd'hui. Pourquoi ce peuple a-t-il été puni ? On ne peut pas toujours comprendre. Il ralentit. Entendre le cliquetis du sol graveleux sous ses pieds est un privilège que seul un fou pourrait dédaigner.

Les jeunes de la *Mesa* devraient écouter une autre histoire aussi, d'un temps très ancien. Les Indiens de ce temps-là étaient libres sur leur territoire. Avant les *Bohanas*, personne n'allait plus vite que celui qui marche. Il fallait marcher très loin pour trouver des plumes de perroquet. Lui-même, Charlie Longsong, est allé très loin, il a même traversé la mer... Là où il est allé, il n'a pas aperçu de perroquet. Avec tous les bruits de la guerre, les oiseaux étaient allés faire leur nid ailleurs.

Dans ces temps anciens, les Indiens étaient fiers. Les Indiens marchaient comme ceux qui montrent au ciel qu'ils sont les maîtres de leurs terres. Quand ils célébraient des fêtes, leurs costumes chamarrés étaient d'une beauté qu'on a oubliée aujourd'hui. Pour orner et parer leurs chevelures, ils utilisaient des plumes rares. Les perroquets de régions très éloignées au sud étaient vêtus de plumes somptueuses plus précieuses même que la turquoise. Pour aller les cueillir, il fallait voyager durant quelques années. Rares étaient ceux qui revenaient de la chasse aux perroquets. Ils étaient souvent faits prisonniers par des tribus ennemies. Ou bien ils mouraient de soif. Plusieurs, égarés dans des forêts vastes comme la mer, ne trouvaient pas le chemin du retour. Certains étaient tués par des voleurs qui s'appropriaient leurs précieuses plumes. D'autres, trop honteux de revenir bredouilles, préféraient devenir esclaves dans une tribu étrangère.

En ce temps-là, les dieux n'avaient pas détourné le regard des pauvres Indiens qui ont perdu leurs guerres, leurs territoires et même leur mémoire. Les Indiens étaient fiers. Puisque les dieux les observaient, il fallait revêtir les plus beaux costumes décorés de perles, de turquoises, d'or et de plumes inestimables.

Assis sur le tapis tissé, Petit Homme Tornade avait beaucoup ri quand son père donna le récit d'un chasseur de plumes qui, à son retour à la *mesa*, fut reçu par un coup de vent.

Le chasseur traversa le désert de l'Arizona, il escalada des montagnes, il franchit des vallées, il traversa d'autres montagnes ; il nagea dans des torrents, il fut pourchassé et capturé ; il s'enfuit. Finalement, il atteignit la jungle où, disait-on, dans des arbres géants, nichaient des perroquets beaux comme des couchers de soleil. Les immenses feuilles des arbres recouvraient la terre comme une eau verte. Attaqué par des fourmis grosses comme des chats, mordu par des araignées aux pattes grosses comme des bras d'homme, le chasseur se tapit sur une branche et surveilla sa proie. Plusieurs fois, il fut bousculé par le passage du long corps froid d'un serpent qui lui aussi était à la chasse. Sans dormir, sans manger, l'Indien guettait. À la longue, son corps prit les couleurs des feuilles et des branches. Alors, les perroquets cessèrent de se méfier et ils vinrent se percher près de lui.

Le brave chasseur en attrapa plusieurs. Il arrachait leurs plus belles plumes, puis les relâchait après s'être excusé :

— Pardonne-moi, l'oiseau. Les dieux t'ont donné des plumes magnifiques et ils ne m'en ont pas donné. Ils t'ont donné des ailes et ils ne m'en ont pas donné. Tu as tout reçu et je n'ai rien reçu. Alors, il est juste que tu partages ton plumage avec moi.

Le chasseur voulait offrir à son chef les plumes les plus somptueuses qu'il ait jamais vues car il rêvait d'épouser sa fille. Finalement, son sac fut rempli. Il devait revenir au plus vite chez lui. S'il restait trop longtemps éloigné de sa tribu, la fille de son chef oublierait son amour.

À travers la jungle, les marécages, la boue, les rivières, les déserts, les nuages de moustiques affamés, les plaines et les montagnes, il revint chez lui. Le long de son chemin, pour défendre son trésor multicolore, il se battit, il fut blessé, il tua plusieurs fois.

En arrivant à la *mesa*, le chasseur se précipita vers la tente du chef qui, à ce moment-là, consultait quelques vieux sages qui l'aidaient à interpréter les signes dans le ciel.

— Grand chef, interrompit le chasseur, j'aime votre fille et je veux la prendre pour femme. Voici le trésor que je veux vous offrir en échange.

Il ouvrit son sac. La *mesa* était élevée. Les vents aimaient y venir danser. Au moment où l'intrépide chasseur qui avait bravé tous les dangers déposa au pied du chef le sac de plumes splendides, une bourrasque souffla. Les plumes, les plus précieuses plumes qui aient jamais été aperçues sur la *mesa*, furent enlevées dans un tourbillon qui les aspira vers le ciel. Les voyant s'envoler comme une neige à l'envers, l'un des vieux sages consola le chasseur :

— Il y a sans doute un dieu qui a jugé que tes plumes sont bien belles et qui les veut pour lui. Ce n'est pas honteux de vêtir un dieu.

Le chef était un homme plus terrestre :

— Pourquoi donnerais-je ma fille à un fou qui offre ses plumes au vent plutôt qu'au père de celle qu'il aime ? se moqua-t-il. Pourquoi donnerais-je ma fille à un homme qui n'est même pas capable de maîtriser des plumes ?

Le brave chasseur tourna le dos et repartit vers la jungle lointaine...

Cette histoire est très ancienne. Charlie Longsong est heureux de ne l'avoir pas oubliée. Un vieil homme ne possède rien d'autre que les histoires qu'il n'a pas oubliées. Montant vers la *Mesa*, dans cette lumière qui flamboie comme si la nuit n'allait jamais plus revenir, il sait qu'il est devenu vieux. Mais il est encore un homme car il a des souvenirs. Et des pensées... Les pensées n'ont pas d'ailes, n'ont pas de pieds ; elles voyagent comme des dieux. Peut-être les dieux sont-ils la pensée des humains ?... Ce n'est jamais pour rien que l'on songe à quelqu'un. Ces derniers temps, il a beaucoup pensé à Blanche Larivière. Devrait-il raconter aux jeunes gens de la *Mesa* cette drôle de baignade avec elle ?... C'était de l'autre côté de la mer, à Paris, près de la rivière dont il a oublié le nom, entre deux grandes rues, une fontaine, comme un étang, avec des statues... Partout, on agitait des drapeaux. Cela ressemblait aux jupes des filles quand elles dansent. La musique coulait dans les rues. Des chants venus de loin roulaient sur la ville comme un tonnerre joyeux. Le soldat qui avait perdu un bras à la guerre, l'Indien venu de l'Arizona, l'homme du Nouveau Monde, ne se sentait pas perdu dans l'Ancien Monde car il était guidé par une jeune femme venue, comme lui, du Nouveau Monde. Le soldat Longsong dansait devant une fontaine avec l'infirmière qui l'avait soigné. Beaucoup de gens s'y baignaient. Beaucoup y dansaient. Certains avaient encore la carabine à l'épaule. Certains portaient l'uniforme. D'autres étaient nus comme l'homme à sa naissance. Plusieurs tenaient des fleurs. Tout était musique et rires. À la fin, Blanche Larivière l'a poussé et il est tombé dans la fontaine. Ils ont tous deux roulé dans l'eau. Il n'aimait pas l'eau. Ce froid sur son corps lui rappela ce matin où il était dans la péniche sur la mer furieuse, aveuglé par la fumée noire des explosions. La falaise à vaincre était quelque part devant eux...

Blanche et lui étaient trempés comme après un mois de pluie. Les chaudes et dures rondeurs du corps de l'infirmière forçaient le tissu mouillé de sa robe. Le vieil homme devrait-il raconter cette histoire? Les jeunes gens ne savent pas qu'ils sont comme ce vieil homme a déjà été. Ils ne savent pas qu'ils deviendront comme il est. S'il avait leur âge, il serait incrédule aussi. Il a peine à croire que cette aventure soit arrivée au jeune homme qu'il a été.

Dans leurs voitures cabossées, dans leurs *pick-up*, sur leurs motos, les jeunes gens d'aujourd'hui tournent en rond. Appuyés contre les murs des *hogans*, ils attendent que le temps passe. Ils sont convaincus qu'il ne leur apportera rien. Quand ils marchent, leurs yeux cherchent quelque chose mais sans aucun espoir de jamais trouver. Lorsqu'il avait cet âge, Petit Homme Tornade traversa l'océan. À cet âge, il faut partir pour quelque part. Sans être jamais partis, les jeunes gens d'aujourd'hui ont toujours l'air de revenir d'ailleurs.

Devrait-il leur révéler le secret que, dans cette tribu, les vieux transmettent aux jeunes hommes quand le temps en est venu?

Il existe dans un endroit caché, connu d'une seule personne, une caverne dans laquelle, depuis des milliers d'années, brûle un feu qui n'a jamais été éteint. Ce feu brûle depuis le premier jour où les Indiens sont arrivés sur cette Terre qu'aucun humain n'avait encore marquée d'une trace. Depuis l'instant où il a été allumé, ce feu a toujours vécu. Comme les Indiens, il n'est jamais semblable mais il est toujours le même. Quant aux *Bohanas*, ils n'ont pas vraiment dépouillé les Indiens parce qu'ils n'ont pas réussi à s'emparer de ce feu éternel. Maîtres du feu qui ne meurt pas, les Indiens sont encore les maîtres de leur territoire. C'est un feu qui dure. C'est un feu qu'aucune tempête n'a réussi à éteindre. Certains disent que ce feu flambe dans une caverne inaccessible. D'autres diront que ce feu immortel se cache dans le cœur des Indiens.

Voilà ce que Charlie Longsong racontera aujourd'hui.

26

La femme de Robert Martin lui demande de revenir frapper à sa porte. Quand elle va ouvrir, il sera heureux de la regarder hésiter devant ses bras tendus. Alors, elle va pousser les enfants vers leur père. Il sait que son cœur va s'agiter. Il va la trouver encore trop jolie.

Il est tard dans l'avant-midi. Miss Camion le redemande au téléphone :

— Mon grand amour, je suis retenue à Québec, je ne peux rentrer aujourd'hui...

— Tu sais, ma femme veut vraiment que je retourne avec elle à la maison. Je n'ai pas dormi de la nuit... J'ai pensé…

— T'es-tu préparé un vin chaud aux clous de girofle comme je te l'avais conseillé ?

— Je pensais surtout au fermier Dubois. Il est partout et nulle part. C'est l'homme invisible. Dubois n'a pas d'histoire. Il est comme l'Amérique. C'est un trou de mémoire... Je ne sais plus si je veux encore écrire ce livre...

— Tu dois l'écrire. Tu n'as pas le choix. Tu as des contrats.

— J'ai envie de retourner avec mes enfants et ma femme.

— Mon grand amour, retourne avec elle s'il le faut...

— Mais nous sommes ensemble, nous avons commencé quelque chose...

— Mon grand amour, la seule chose que tu as l'obligation de terminer, c'est l'histoire de ton fermier Dubois.

— Avec toi, j'ai perdu le goût de l'indifférence. J'ai réappris à être passionné.

— Tu aimes encore ta femme. Son agressivité démesurée est une preuve qu'elle ne voulait pas vraiment te quitter. Et je sais, moi, que tu étais toujours avec elle. Mon grand amour, tu dis son nom en dormant avec moi.

— Je te demande pardon. Je suis un historien. Dans notre discipline, nous ne distinguons pas toujours le passé du présent.

— Retourne avec ta femme.

— Je ne veux pas te blesser.

— Je sais tout ce que tu m'as donné... Retourne avec ta femme... Ma compagnie continuera de soutenir ton projet.

— Je ne sais plus si je dois continuer ce livre...

— Mon grand amour, si tu ne le termines pas, tu me détesteras.

— Je suis égaré...

— Crois-tu que ton fermier Dubois s'est jamais perdu ?

— Tu as raison. L'histoire de l'Amérique est l'histoire de gens égarés qui n'ont jamais retrouvé le chemin du retour.

— Voilà ce que tu dois dire dans ton livre, mon grand amour.

— Il me semble que ta voix n'est pas comme d'habitude.

— C'est probablement l'air de Québec... Nous nous reverrons demain. Ce soir, je fais des additions avec mon comptable. Demain, nous célébrerons ton retour chez ta femme. Je te promets de porter la robe la plus fleurie que tu aies jamais vue.

— Un peu décolletée aussi ?...

— Nous nous séparons, mais nous allons célébrer comme si nous restions ensemble ! Mon grand amour, le fermier Dubois est un peu notre fils.

— Il n'est pas encore né...

Ballotté par les rafales qui bousculent sa solitude, Robert Martin devrait penser à son propre sort. C'est plutôt l'étrange autobiographie de Blanche Larivière qui l'obsède, ce manuscrit qu'il a découvert sur « les plages de l'oubli » selon les mots d'un de ses poèmes.

Le fils de Blanche Larivière-Goupil n'est pas difficile à retracer. Dans l'annuaire du téléphone de Québec, sous le nom de Goupil, Robert Martin lit : « Goupil et Fils, notaires ». Une minute plus tard, Jean-René Goupil lui fait des reproches :

— Blanche Larivière est une poétesse oubliée, comme elle voulait l'être. C'était une femme discrète. Pourquoi ne laissez-vous pas ma mère dormir en paix ? Elle le mérite. La poussière s'est accumulée sur ses petits livres. Je vous conseillerais de ne pas la soulever. Quand ma mère était vivante, on lui a préféré d'autres poètes. Elle en a souffert dans son orgueil de femme. Ma mère est une héroïne de la Seconde Guerre mondiale. Sa poésie est demeurée inconnue tandis qu'on a canonisé une poétesse qui s'est aperçue qu'elle avait des os sous la peau. Bonne Sainte Vierge ! Ses thuriféraires l'encensaient comme si elle avait découvert l'Amérique... Ma mère a eu une bonne vie ; laissez-la dormir en paix... Monsieur Martin, êtes-vous l'historien qui a écrit le fameux livre sur le fermier Dubois ? Je ne l'ai pas lu encore, mais ma femme l'a acheté et elle l'a commencé.

— Oui, se décide-t-il à dire simplement, sans rien rectifier, je suis l'historien.

— Ma mère était une bonne mère, une épouse tranquille. La poésie était l'une de ses distractions. L'autre était la broderie. Elle s'occupait aussi de plusieurs bonnes œuvres : entre autres des filles-mères. S'il vous plaît, laissez-la reposer en paix.

— Notaire Goupil, j'ai découvert un document que je dois vous remettre.

— Je vais vous donner mon numéro de télécopieur.

— Notaire Goupil, je dois vous remettre ce document en main propre.

Dans le combiné, la respiration du notaire s'arrête. Robert Martin n'entend plus qu'un silence. Puis, un mot sec qui claque :

— Combien ?

— Quoi ? s'étonne Robert Martin.

— Combien me demandez-vous ?

Robert Martin est estomaqué :

— Notaire Goupil, je ne suis pas un extorqueur !

— Vous n'obtiendrez pas un sou de moi.

— C'est un document très particulier. Il n'arrive pas souvent à un historien d'avoir les larmes aux yeux en lisant un document.

— Monsieur Martin, venez à ma maison de l'île d'Orléans. Elle est facile à reconnaître. Elle est en pierre, derrière des rangées d'érables. C'est une maison historique. Mon père m'a confessé avoir fait l'amour à ma mère pour la première fois dans cette maison.

Un solide rire gras s'étend de l'île d'Orléans jusqu'à Montréal.

Le lendemain, Robert Martin découvre la lente tranquillité, la douce beauté de l'île d'Orléans qui irritent l'homme du désordre rapide de Montréal. Dans *Bouteille à la mer*, Blanche Larivière décrivait sa maison. Robert Martin a l'impression d'être déjà venu ici. Il sonne. Il s'attend à ce qu'un petit homme de notaire, court, courtois et rondouillard lui ouvre. Un grand gaillard de cinquante ans aux épaules larges remplit la baie de la porte. La poignée de main est puissante.

— Excusez ma main gauche, dit le notaire. Mon bras droit fait la grève depuis un accident il y a quelques années. Quand on est jeune, en moto, sur les routes américaines, on fait un peu de vitesse, naturellement. L'extase m'a coûté mon bras droit. Excepté pour l'amour, un homme n'a pas vraiment besoin de deux bras... Isabelle, crie-t-il, amène-toi et apporte-nous une bouteille. Alors, vous l'avez, ce document ?

La peau de cet homme n'a pas la couleur blême des papiers dans un bureau de notaire. Elle est cuivrée. Ses cheveux sont noirs, sans aucun fil argenté. Son nez, ses yeux sont comme ceux d'un Indien, évalue-t-il. Il n'a absolument pas l'air d'un notaire avec son veston de daim à franges et ses bottes de cow-boy. Pourquoi Robert Martin s'attendait-il à ce que le fils de Blanche Larivière ressemblât à son mari ?

— Je dois d'abord vous expliquer...

— Je vais d'abord vous montrer les lieux, parce que telle maison, tel homme, si je peux dire.

Le notaire entrouvre une porte. Les murs de la pièce sont couverts de carabines, de fusils, de mousquets... Ces objets sont de toutes les époques... Il distingue des arbalètes, des tromblons, même une pertuisane bien frottée...

— Je suis un collectionneur d'armes à feu. Avec mon bras gauche, je suis un assez bon tireur. Venez.

Dans la salle de séjour qui s'étend devant une costaude cheminée, Robert Martin s'étonne :

— Vous avez une peau d'ours !

— Oui, c'est une... peau d'ours, dit le notaire qui n'a pas compris l'étonnement de l'historien.

Les mots du manuscrit de Blanche Larivière prennent sens dans le présent. Cette magie l'étourdit.

— Nous avons toujours eu une peau d'ours devant la cheminée. C'est très agréable pour l'amour.

Au-dessus de l'âtre règne un jeune Indien. Robert Martin ne peut regarder la peinture sans éprouver un subtil vertige. Tant de signes évidents entourent le notaire. A-t-il jamais essayé de les déchiffrer ?

— J'ai aussi une collection de motos. Je vous montrerai.

Dans le tableau, le jeune Indien a le visage dur comme le roc. Il a accumulé trop de sagesse pour son âge. Il a l'air triste comme s'il percevait l'avenir. Son costume est décoré de perles multicolores. Il est coiffé de plumes. Il porte au cou un pendentif en forme de soleil.

— Collectionnez-vous les tableaux ?

— Ce qui m'excite, c'est la réalité. Sa représentation me laisse indifférent. J'ai vu bien des sculptures. Aucune n'avait la beauté d'un simple caillou de l'île d'Orléans. Cette peinture-là me vient de ma mère. Aussi loin que je puisse me souvenir, cette peinture était accrochée à cet endroit. À la fin, quand elle était malade, ma mère m'a dit : « Garde-la avec toi. Tu vas l'aimer de plus en plus, tu verras. Le bel Indien va te parler. » Elle était bizarre, parfois, ma mère, avec sa poésie... Elle avait raison. Je ne sais pourquoi mais cette peinture m'accroche, si je puis utiliser ce mot...

Une toute jeune femme apporte une bouteille de vin et des verres qu'elle pose sur la table devant la cheminée :

— Tous les Canadiens français ont un peu de sang indien dans les veines, enchaîne-t-elle. Je pense que mon mari n'a que du sang indien. Forcément, cette peinture lui parle.

— Je vous présente Isabelle. Quand je l'ai rencontrée, elle faisait du stop. Elle venait de France. Nous étions en Arizona.

— En Arizona ! s'étonne Robert Martin.

— Je l'ai prise sur ma moto et je ne l'ai jamais laissée repartir.

— Je n'étais pas rassurée. Il était gentil, mais je voulais savoir qui il était. Il répondait qu'il était un vieux notaire. Je ne voulais pas croire qu'il était vieux ni qu'il était un notaire.

— Isabelle passait ses vacances en Amérique et elle a rencontré le Destin, c'est-à-dire moi...

Le notaire s'esclaffe de la bonne blague qu'il a faite à Isabelle en changeant sa vie.

— À cause des livres de mon enfance et des films western, j'ai voulu voir l'Arizona... Je me suis toujours intéressée aux Indiens d'Amérique, dit Isabelle. Avec leurs secrets anciens et leurs rites magiques, ils pourraient peut-être aider l'homme blanc à sauver la planète.

Jean-René Goupil remplit les verres :
— Santé !

— À la vôtre !... Votre mère a écrit sur les Indiens, rappelle Robert Martin.

— Oui. Je me souviens d'un poème au sujet d'une Blanche et d'un Indien qui s'étaient rencontrés à Paris ou quelque chose comme ça. Ce poème m'a fait détester toute la littérature française ! Mon grand-père dirigeait un journal ; mon père était le neveu de l'archevêque. Notre famille avait de l'importance. Pour exprimer son respect à notre égard, immanquablement, le professeur de littérature distribuait une fois par année un poème de ma mère à toute la classe. Ensuite, je me faisais lancer à la tête ses vers à l'endroit et à l'envers ! J'ai reçu des coups à cause de ses maudits poèmes. Il faut dire que j'en avais donné quelques-uns !

27

Robert Martin rentre à son hôtel à Québec. Il affectionne ce bon vieux *Château Frontenac* qui domine la ville ancienne et le fleuve. Cet édifice qui imite un château ancien convient à un historien. Sans le service des projets spéciaux de Miss Camion, il ne pourrait s'offrir de loger sous ce toit prestigieux. «Merci, Miss Camion! Merci, fermier Dubois!» Si tous les plans réussissent : succès en librairie, traductions, film, tournée de conférences, vente de poupées et de marionnettes à l'effigie de Dubois, Robert Martin remettra sa démission à son doyen et il pourra inviter sa femme dans des hôtels encore plus luxueux. L'amour renaîtra dans l'âme de la trop jolie coiffeuse.

On glisse une enveloppe sous sa porte. Un message reçu au télécopieur... Aime-t-il vraiment Miss Camion? Elle ressemble à une bonne journée d'été avec du soleil et des fleurs. Quand elle est venue à lui, il était si meurtri. Miss Camion l'a-t-elle aimé? Elle l'a emmené loin de son chagrin. Ses chauds tourbillons de tendresse l'ont guéri. Il va retourner avec la trop jolie coiffeuse.

« Dernière trouvaille », précise le message. Pauvrement transcrite par le téléscripteur, c'est une lettre que son assistant de recherche lui communique. L'écriture est maladroite mais très appliquée. L'auteur avait sans doute des doigts de travailleur. La lettre est datée du 28 septembre 1881.

« Cher père et bonne mère, je suis dans un endroit qui s'appelle Santa Fe. Il y a plusieurs Indiens et un bureau de poste. Il y a aussi un autre établissement dont je ne parlerai pas à cause du respect dû à ma bonne mère qui m'a bien élevé. Ma santé est bonne et je suis sorti du Colorado avec un sac assez pesant. Les mines sont vidées. Je suis devenu charpentier parce que ici il se construit une maison par jour et souvent deux. Les autres maisons sont en terre à la manière des Mexicains. On plante des arbres aussi. Quand j'aurai fini de construire la ville, si je ne me fais pas voler mon bien, je vais retourner au Colorado. Bonne mère, je suis mûr pour me marier et ce n'est pas la tendresse qui va manquer ni les économies. Je veux me faire fermier. J'ai décidé d'arrêter de marcher. L'Amérique n'a pas de bout. Je vais vous dire ce qui est arrivé. Ça va vous donner une raison de plus de prier pour votre fils. J'étais dans un endroit qui s'appelle French Town, à Santa Fe. J'étais dans un bar. Bonne mère, c'est un endroit où on boit. Le jour, on travaille et le soir, on boit. On boit parce qu'on a soif. Un inconnu m'a dit qu'il venait du Canada et qu'il s'appelait Duval. Il m'a dit qu'il avait tout perdu. Des bandits ont attaqué son train, pris les armes des voyageurs et leurs sacs et vidé leurs poches. On aurait pas dû tant boire, Duval et moi. On a décidé de se venger. Puisque Duval avait été volé dans un train, on a décidé d'attaquer un autre train pour qu'il se rembourse. Bonne mère, priez pour moi même si on n'a rien volé. Duval et moi, on était assis dans le wagon comme des voyageurs ordinaires. On étudiait les gens. On examinait les sacs qu'ils transportaient avec eux et surtout comment ils étaient armés. Une bande de bandits ont été plus rapides que nous. Ils ont envahi notre wagon en tirant au plafond. Duval ne voulait pas être dévalisé une deuxième fois même s'il avait les poches vides. Moi, je ne voulais pas être dévalisé une première fois. On a sauté chacun par une fenêtre. On est tombés dans une rivière parce que le train traversait un pont. On sait pas nager. On a coulé au fond. Heureusement, le fond n'était pas très creux et on est sortis de là mouillés comme des poissons. Duval et moi, on s'est dit que nos mères devaient avoir dit des prières pour notre protection. Merci, bonne mère. Ensuite, on a marché longtemps. Les serpents n'étaient pas nos amis. Je vous raconte tout ça, bonne mère, pour que vous ne vous inquiétiez pas trop de votre Canadien errant qui parcourt les pays étrangers. Je veux m'en retourner vers le Colorado. Ma santé est encore bonne, vieille mère, et je serai capable de m'occuper d'une terre et d'une femme. J'aimerais cultiver des fleurs. L'avenir penche du côté des fleurs. Votre fils affectueux, Jos Wood. C'est mon nom dans ce pays. »

Jos Wood serait-il Dubois ? La technique de l'historien commande à Robert Martin d'envisager toutes les possibilités. Son instinct de chasseur de documents l'assure que cette lettre est importante. Son cœur s'agite. Pourquoi Wood (Dubois ?) veut-il cultiver des fleurs ?

— Trouvez-moi d'autres lettres de Jos Wood ! ordonne-t-il à son assistant de recherche au téléphone.

Il sort. Une promenade dans l'air printanier de Québec est un délice enivrant. Avec ses vieilles pierres, Québec n'a jamais l'air d'être vraiment ancienne. Il est libre. Il n'a pas à travailler ce soir. Miss Camion est à Ottawa avec son comptable. La trop jolie coiffeuse doit se préparer pour le grand retour.

Le concierge le prévient qu'il a reçu un autre message. C'est un autre document que lui a télécopié son assistant. L'écriture est malhabile :

« Chers parents de Jos Wood au Canada, je ne sais pas si vous êtes encore vivants sur la Terre ou si le bon Dieu est venu vous moissonner, mais je dois vous annoncer que votre défunt fils Jos a reçu une balle au cœur. J'ai été forcé de lui mettre moi-même la balle à cet endroit. Je vous assure que je ne suis pas un tueur mais un homme presque toujours honnête. Si j'étais un assassin, je vous demanderais vos prières et je vous ferais des excuses. On était des amis, votre fils et moi. On s'était rencontrés à la mission de Santa Fe. Aujourd'hui, on a joué aux cartes. Il perdait. Il m'a accusé de tricher. Je suis un *gambler* et un ivrogne mais pas un tricheur. Je ne triche jamais quand je joue avec un ami. Il s'est mis en colère parce qu'il perdait. Il a tiré sur moi, mais m'a manqué. J'ai dit : ‹Je pensais qu'on était des amis.› Il a dit : ‹Tu triches.› Alors j'ai tiré aussi. Je demande vos prières pour lui et pour moi. Je ne suis pas un tueur. Je suis devenu un fermier qui aime la paix. Votre fils a été enterré sans les sacrements sur une butte. De là, il a une très belle vue mais il ne pourra pas cultiver sa terre. Il l'a pariée quand on jouait et il l'a perdue. Pardonnez-moi là où vous êtes, je ne peux pas me rappeler le nom du village originaire de Jos Wood. J'ai un nom canadien-français mais vous comprendrez pourquoi je ne le signe pas au bas de cette lettre. Quand le missionnaire va venir, si c'est un catholique, je vais lui demander d'aller jeter de l'eau bénite sur la butte de mon bon ami Jos Wood. »

Aucune date n'est inscrite sur la lettre. Il faudra chercher encore et encore. Le passé est aussi insaisissable que l'avenir. Pourquoi s'étonner alors de ce que le présent soit si fluctuant ?

Sorti de l'enceinte du *Château Frontenac*, Robert Martin déambule vers la Grande Allée, les tempes vibrantes. Le nord et ses forêts, le sud et ses champs répandent sur la ville une odeur de campagne qui se mêle au parfum d'algues du grand fleuve. Dans son île d'Orléans, à quelques kilomètres, au milieu du Saint-Laurent, Jean-René Goupil lit la confession de sa mère. Cet homme doit pleurer comme il a pleuré à sa naissance. Québec est si paisible. L'historien marche avec délices.

Miss Camion est un gros rayon de soleil. Cette femme a du bonheur sur les os. « Merci, Miss Camion, notre bout de voyage a été heureux ! » Pourquoi est-il si près des larmes ?

« On n'a jamais véritablement écrit l'histoire, soliloque-t-il. On a raconté la vie de ceux qui ont laissé des documents mais l'histoire la plus fondamentale n'a pas été écrite. On ne peut pas écrire l'histoire de la poussière soulevée par les pas des gens qui poursuivent leur rêve. L'histoire vraie de l'Amérique est celle des gouttelettes au bout de l'aviron des voyageurs, celle des feuilles d'automne froissées par le passage des chasseurs et des bûcherons, celle de l'aiguille que piquent dans le vêtement déchiré les doigts patients d'une femme. » Cette théorie qu'il va proclamer dans l'introduction de son livre sera citée dans les congrès. Que ses collègues à l'université crèvent de leur soumission au conformisme intellectuel !

Il ralentit devant les maisons cossues de la Grande Allée. Les notables qui les ont construites, au début du siècle, étaient conservateurs, douillets et nostalgiques de l'Europe. « Ils étaient aussi pompeux », déduit Robert Martin en s'attardant aux tourelles, aux encorbellements. La maison de Blanche Larivière a-t-elle été humiliée par les notables d'aujourd'hui qui se sont faits aubergistes ? Il demandera à Jean-René Goupil où se situait le numéro 33.

Dans le parc des Plaines d'Abraham, des couples d'amoureux se tenant la main marchent vers le fleuve. « Ils vont s'allonger sous les étoiles », pense-t-il. Pourquoi n'a-t-il pas leur âge ? Robert Martin est seul ce soir. Il se sent aussi vieux que s'il était le père de l'histoire. En cet endroit, le 13 septembre 1759, une courte bataille a eu lieu. La France l'a perdue. L'Angleterre l'a gagnée. Les Canadiens français ont dû se soumettre aux Anglais. La balle qui a percé la poitrine du général Montcalm a crevé le rêve d'une Amérique française. À ce souvenir, l'historien ressent au cœur un pincement douloureux. À quoi ressemblerait le Canada si cette bataille avait été gagnée ? Aucun livre d'importance n'a été écrit sur cette nuit où la destinée d'un peuple et d'un continent a été changée. Voilà un projet auquel il devrait se consacrer plutôt que de pourchasser un fermier Dubois qui refuse de se laisser ressusciter.

Tant de projets seraient passionnants. La vie de Blanche Larivière, par exemple... Comment son mari a-t-il pu se croire le père de ce fils qui a les traits d'un pur enfant aborigène d'Amérique ? Comment a-t-il pu ne pas remarquer que son enfant n'a pas le teint pâle de ceux qui, de génération en génération, se penchent sur les contrats de mariage et les testaments ? Le notaire Goupil, père, a dû croire qu'il y a un siècle ou deux son ancêtre n'avait pas dédaigné l'Indienne.

Quant à son introuvable fermier, les assistants de l'historien ont interrogé beaucoup de familles Dubois. Aucune n'a conservé un souvenir de lui. Le long des sentiers et des routes d'Amérique, toujours empressé d'arriver ailleurs, Dubois a-t-il oublié d'où il venait ? Fasciné par l'avenir, il se délestait du passé. Son rêve était plus excitant que sa mémoire ; voilà le grand principe sur lequel s'est édifiée l'Amérique. Le fermier Dubois n'avait pas le culte du passé ; voilà pourquoi il n'a rien fait pour que l'on se souvienne de lui.

L'an dernier, Robert Martin s'est évadé aux États-Unis à cause de son chagrin d'amour. Se pourrait-il que le fermier Dubois ait fui aux États-Unis pour oublier la souffrance que lui causait une femme ? Se pourrait-il que son périple ne soit

qu'un vaste roman d'amour ? On croit qu'il était un chercheur d'or. Découvrira-t-on qu'il était à la recherche d'une
femme ?

Les étoiles sont vives au-dessus du *Château Frontenac*.
Certaines de ces étoiles sont mortes depuis longtemps, mais
leur lumière est encore belle. Le fermier Dubois est comme
l'une de ces étoiles. Il est mort depuis longtemps, mais la
flamme à la mèche de son fanal brille encore dans le passé.
Robert Martin a emprunté cette pensée à un roman qui fut
célèbre en son adolescence. Ah ! qu'il voudrait n'avoir pas ce
livre à faire et lire, lire à se rendre ivre ! Le passé est contenu
dans le présent comme le présent dans le passé. L'historien
notera cette phrase en rentrant au *Château Frontenac*. Il ne
doit pas l'oublier. Il la placera en exergue sur une page. Cette
promenade n'a pas été inutile.

Il note aussi dans son carnet :

« Des centaines de milliers de Canadiens français ont
émigré aux États-Unis. Les uns sont devenus aventuriers, chercheurs d'or, mineurs, chasseurs, marchands
de fourrure, explorateurs ; les autres sont devenus
esclaves dans les usines, au service de la mécanisation
accélérée de l'époque. Ceux qui étaient d'honnêtes
catholiques soumis se sont trouvés dans les usines. Les
mécréants, les incroyants sont devenus de libres chercheurs d'or qui, souvent, en ont trouvé ! »

Cette idée est séduisante. Quelques vieilles barbes vont
s'étouffer en lisant cela...

28

Maudite poésie !
— Jean-René Goupil dévore le manuscrit que lui a remis l'historien. Il tourne les pages avec l'avidité d'un cow-boy qui happe sa soupe. Soudainement, lui qui, par profession, a le respect du papier et des mots, lance sur le parquet les pages où la plume de sa mère a dansé en caractères fleuris.

— La poésie a rendu ma mère folle ! En plus de tout ça, ma mère m'a donné le nom d'un missionnaire qui a réussi à se faire torturer par les Peaux-Rouges ! Quel crétin il devait être ! Maudite poésie !... Mon pauvre père a enduré tout ça ! Mon pauvre père qui n'était pas mon père...

Il sait tout. Il n'essuie pas les larmes dans ses yeux. Son père n'était pas son père. L'homme qu'aimait sa mère ne sait pas qu'il a un fils. Jean-René Goupil ne connaît pas son père.

— Au lieu d'écrire des vers, elle aurait dû tricoter. Personne ne devient fou à tricoter.

Ainsi son père serait un Indien de l'Arizona. Devrait-il croire sa mère ? Son pauvre père, le notaire, l'a crue et il n'a jamais eu droit à la vérité. Pourquoi la croirait-il? Parce qu'elle est morte. Pourquoi y a-t-il des gens qui doivent mourir pour dire la vérité? Jean-René Goupil a quelques fois traversé l'Arizona sur sa motocyclette. Son père était-il l'un de ces vieux Indiens qui le regardaient filer avec sa petite amie sur le siège arrière, sa chevelure comme une flamme dans son dos?

Ce manuscrit lui a appris qu'il vient à peine de naître. L'enfance d'un homme n'est-elle pas de suivre son père, d'apprendre ce qu'il sait et ce qu'il ne sait pas? Par son silence, sa mère lui a dérobé ce segment de son histoire. Ce que son faux père lui a enseigné ne vaut pas mieux qu'un mensonge. Un homme ne peut étudier la vérité que de son père à qui il ressemble :

— Maudite poésie !

Jusqu'à sa mort, sa mère a été soumise à un homme qu'elle n'aimait pas. Elle l'a imposé à son fils. Et son fils qui ne connaît pas son père véritable est condamné à être aussi malheureux que sa mère. Toujours, il sera un orphelin comme elle n'aura été qu'une veuve.

— Elle a tué mon père !

Depuis la chambre où elle se repose parce qu'elle a voulu le laisser seul, Isabelle entend ce cri. Puis un bruit de bottes qui martèlent le plancher de bois. Des portes sont poussées brusquement. Jean-René Goupil sort. Et claque une détonation.

— Mon Dieu !

La jeune femme se sent défaillir. Un grand malheur vient-il de s'abattre dans l'île d'Orléans? Le coup se répercute dans l'écho et roule comme une lourde charrette sur un pont de bois. Un autre coup de fusil! La jeune femme s'élance, ravivée. Ce qu'elle a cru si tragique n'est pas arrivé! Un autre coup! Puis, une autre explosion. Et une autre. Et une autre. La jeune femme distingue dans la nuit son mari qui fait feu sur les étoiles :

— Maudite poésie !

Ses munitions épuisées, Jean-René Goupil se laisse tomber dans l'herbe pour pleurer. Sa jeune femme, sa toute dernière femme, Isabelle, s'approche pour le consoler avec de tendres gestes maternels. Son homme est aussi âgé que son propre père. Les doigts caressent le front et les tempes. La main se pose sur la poitrine où le cœur frémit de toute sa peine. Il est comme un enfant qui ne comprend pas les mystères du monde.

— Dis-moi la cause de ton chagrin.

La bête blessée se raidit :

— Je ne connais pas mon père. Je ne sais même pas qui je suis.

Bousculée par ses mots, sa peine, elle chancelle mais elle est vive aussi :

— Dis-moi comment je peux t'aider...

— Je sais le mal qu'une femme peut faire à un homme.

Il la considère comme s'il la détestait. Puis, il se lève, s'élance vers sa jeep qui rugit et bondit en projetant les gravillons.

— Jean-René ! appelle-t-elle.

Il ne peut pas entendre. Préoccupée par le désarroi de son homme, blessée par son silence autant que par ses paroles, elle rentre. Le document qu'il lisait est épars sur la peau d'ours devant la cheminée. Page à page, elle découvre les secrets de la mère de son homme.

C'est étonnant, dans le hall distingué du *Château Frontenac*, d'entendre quelqu'un hurler. Les clients cessent de chuchoter. Ils tournent les yeux vers un homme de haute taille vêtu comme un cow-boy qui court vers un petit homme maigre à lunettes qui attend l'ascenseur. Le grand apostrophe le petit qui hume une fleur. Quelques dames se mordent les doigts. Le petit va se faire écrabouiller. Les clients n'ont plus de tenue ! On se conduit dans les hôtels comme dans les tavernes.

— Est-ce que je t'ai demandé, crie le grand au petit, de m'apporter tes vieux papiers ?

La main puissante du cow-boy agrippe les épaules de l'intellectuel qui pâlit :

— Est-ce que je t'ai demandé de m'annoncer que mon père n'est pas mon père ?

Le petit homme à lunettes est projeté au sol.

— Est-ce que je t'ai demandé de venir me dire que ma mère a fait une virée à Paris avec un Indien ?

Le cow-boy s'est jeté sur le petit homme qu'il secoue contre le plancher. Les lunettes ont glissé. Heureusement, la moquette est épaisse. Le gardien de sécurité, qui a remarqué la taille de l'attaquant, accourt lentement. Robert Martin ne sait pas se battre. Il ne veut pas se battre :

— Je pensais que vous seriez intéressé...

L'autre est déchaîné. Apeuré, forcé de se défendre, Robert Martin réussit à assener un vigoureux coup de genou. L'os anguleux écrase les testicules du cow-boy qui lâche sa victime. La scène est terminée.

Un photographe passait là par hasard. Il a reconnu l'historien national, l'auteur du célèbre livre sur le fermier Dubois. Sa pellicule a saisi quelques étapes de l'assaut. Demain, Robert Martin et Jean-René Goupil seront en première page du *Journal de Québec*. Maintenant que la paix est revenue, le gardien de sécurité s'interpose et, d'un ton autoritaire, leur ordonne de cesser les hostilités.

— Est-ce que j'avais besoin de savoir que le pauvre mari de ma mère a été cocu chaque jour de sa vie ?

— Votre mère a aimé son mari ; autrement, elle serait partie chez votre père en Arizona...

— Ma mère a préféré habiter une maison sur la Grande Allée plutôt qu'une cabane dans le désert...

Le spectacle n'est plus intéressant. Les curieux se dispersent. Le gardien de sécurité s'assure qu'il ne subsiste aucun risque de violence. Le cow-boy et l'historien sont face à face. Ils sont mal à l'aise.

— Les historiens, reproche le notaire, devraient laisser dormir ce qui dort.

— Il n'y a pas de passé. Tout est du présent, assure Robert Martin en replaçant ses lunettes.

— Les historiens devraient laisser l'oubli faire son travail. Si on a trop de souvenirs, on habite le passé. Il faut occuper le présent.

— Même si vous n'aviez pas lu *Bouteille à la mer*, les faits seraient les mêmes : vous êtes le fils d'un Indien que votre mère a aimé.

— Pour un homme, avoir un père, c'est déjà trop. En avoir deux...

— Sans le manuscrit de votre mère, vous n'auriez jamais compris pourquoi votre mère vous a confié ce tableau du beau chef indien.

— Je pense à tous ces livres qu'elle s'acharnait à me donner ! Je ne voulais pas les ouvrir. Elle m'enfermait pour que je les lise : *Le Dernier des Mohicans*, *Le Tueur de daims*, des livres avec des Indiens sur la couverture. Dans ma chambre, elle avait rempli une tablette entière avec ses livres d'Indiens... Maintenant, je suis content de savoir. Je suis en colère, mais content. Plus content qu'en colère. J'ai un nouveau père. Une nouvelle vie commence. On va célébrer l'événement dans le *wigwam* ! Venez, je vous offre du champagne ! La seule chose triste, c'est que mes parents ne sont pas là pour fêter la naissance de leur petit Indien !

— Donc, vous faites la paix avec moi ? demande précautionneusement l'historien.

— Ma mère m'avait donné un livre : *Fils de Peau-Rouge* ou quelque chose comme ça... C'était un petit Indien que de bons Blancs avaient adopté à la suite d'une escarmouche où ses parents avaient été tués. Elle m'a raconté cent fois cette histoire que je détestais. Dans ces livres, il y avait quelque chose que je ne voulais pas savoir. Je le comprends ce soir.

La bouteille de champagne est posée sur la table. Est-ce le temps d'annoncer au notaire qu'en Arizona, il y a un vieil Indien qui répète encore aux échos le nom de Blanche Larivière ? Robert Martin lève sa flûte et la fait tinter contre celle du fils inconnu de ce vieil homme. Non, le temps n'est pas encore venu de lui apprendre ce qu'il sait.

— À la santé de mon père !

— Bienvenue dans votre deuxième vie ! C'est un privilège. La plupart des humains n'en ont qu'une seule.

— J'aimais celle que j'avais. J'aurais voulu qu'elle ne se termine jamais. En fait, je n'ai jamais accepté que la vie ait une fin. Les humains devraient être éternels... On devrait tous avoir mille pères et mille mères.

À leur troisième flûte, ils sont devenus amis. Robert Martin confie :

— J'aurai droit, moi aussi, à une deuxième vie... Ma femme m'avait quitté l'an dernier. Elle me réclame maintenant. Je retourne. Je recommence. Je me sens nerveux comme si elle était une inconnue.

— Les femmes sont toujours des inconnues. Si chaque femme équivaut à une vie, alors, mon cher historien, je suis éternel !

À la cinquième flûte, Robert Martin se souvient encore de ce qu'il lui reste à faire. Premièrement, quitter Miss Camion et retourner avec sa femme. Deuxièmement, accélérer les recherches pour son livre sur Dubois. Ce projet est devenu lourd comme un chariot trop chargé dans les ornières de la piste de l'Orégon. Brusquement, il annonce :

— Je vais dormir. Il est tard. Très tôt demain, je rentre à Montréal. Je reviendrai. J'ai d'autres manuscrits de votre mère à vous faire lire.

— D'autres manuscrits ? Pourquoi ne les avez-vous pas tous apportés aujourd'hui ?

— Les historiens ont pour les papiers des précautions de notaire. Au revoir.

— Je suis convaincu que je n'ai pas bu suffisamment, conclut le fils de l'Indien.

Robert Martin est monté à sa chambre. Ivre, il est déjà endormi. Jean-René Goupil conduit sa jeep dans la nuit qui ressemble à un grand fleuve tranquille. Il se sent comme un nouveau-né qui ouvre les yeux sur la planète.

29

Blanche Larivière accumulait les photographies durant ses voyages à Paris. Elle les collait ensuite dans d'épais albums noirs devant lesquels elle rêvait de longs moments, absente comme si elle n'était pas revenue à Québec. « Que sont devenus ces albums ? se demande Jean-René Goupil. Les a-t-elle aussi confiés aux Archives de la Bibliothèque nationale ? » La seconde femme de son père, le notaire, les aurait-elle fait disparaître pour effacer les traces de la poétesse dans la vie de son mari ? Enfant, il était jaloux de ces photographies. Quand sa mère les regardait, elle partait de nouveau en voyage. Il demeurait aussi seul que lorsqu'elle prenait l'avion avec son père, son faux père. Sur les photographies, elle se tenait devant un vieux mur de pierre, un château des siècles passés, une église romane ou bien la tour Eiffel. La plupart du temps, elle était seule. Parfois, elle tenait le bras de son mari. Ils faisaient ce voyage religieusement tous les deux ans. Jean-René demeurait alors avec sa grand-mère à l'île d'Orléans. Sur les photographies, les deux voyageurs souriaient toujours. Jean-René se souvient : cela le rendait triste ; il en déduisait que ses parents l'avaient oublié.

Le notaire ignorait qu'avant lui un guerrier indien avait marché avec sa mère sur les pavés usés par les pas des générations, devant ces édifices noircis par la suie du temps. Sa mère entendait-elle alors dans sa mémoire la voix de l'Indien ?

Il le sait maintenant : la poétesse a partout semé des signes. Il doit à tout prix récupérer les photographies. Penchée sur ses albums, sa mère, recueillie, semblait prier. Alors que le notaire, un peu engourdi par le vin, somnolait en lisant les nouvelles du monde, faisait-elle une visite dans le temps passé à celui qui lui avait donné cet enfant si jaloux de ses rêves ? Ses photographies seraient-elles comme les miettes que le Petit Poucet laissait tomber quand il errait dans la forêt ?

Quel nom désormais devra-t-il inscrire sur la plaque de la porte de son cabinet de notaire ? Longue Plume Larivière ? Œil-de-faucon Longsong ? Flèche pointue Goupil ? Il préfère Petit Homme Tornade, notaire... Son père véritable est-il encore vivant ?

Des liens combien mystérieux attachent les humains ! Sa mère dans les neiges et les vents du nord ; son père dans un désert de l'Arizona ; le temps s'est déroulé entre eux comme le fleuve entre ses deux rives. Jean-René Goupil n'a jamais pu aimer une femme comme sa mère a aimé son Indien. Est-ce parce qu'ils étaient séparés que son amour a été si durable ?

C'est à son père, le notaire, qu'il devrait songer. Le pauvre homme a dû souvent sentir sa femme brûlante d'amour. A-t-il soupçonné qu'elle ne brûlait pas pour lui ? Il réchauffait son âme dans le vin. Il a dû s'apercevoir que son fils lui ressemblait moins qu'au chef indien de la peinture sur la cheminée. Son brave notaire de père n'a-t-il jamais reconnu, pendant leurs promenades dans les rues de Paris, l'ombre d'un Indien qui les séparait ?

Poétesse délicate, sa mère n'a voulu blesser personne. Elle a écrit sa confession et l'a cédée au hasard... Elle espérait que le hasard soit lent. Peut-être souhaitait-elle que la vérité n'atteignît pas son fils. Jean-René Goupil est perturbé, agité, bouleversé, mais il ne souffre pas. Dans son désert de l'Arizona, le vieil Indien souffre-t-il, s'il est vivant, de ne pas savoir qu'il a, chez les Blancs du nord, un fils qu'il a fait à une belle Blanche, un soir, à Paris, pour célébrer la paix ?

L'île d'Orléans a sombré dans la mer nocturne et les deux faisceaux de sa jeep peignent la route comme un songe. La jeep emporte Jean-René Goupil et il dérive avec elle. Aujourd'hui, il est mort. Aujourd'hui, il est né. Aujourd'hui, il est devenu son propre demi-frère. Il est devenu à lui-même un inconnu. Il n'est plus celui qu'il était hier. Ses pensées sont emmêlées comme ses larmes à ses rires :

— Quand je vais annoncer à mes amis de notre club de golf sélect que je suis un Indien !...

Il s'esclaffe comme a dû rire le premier homme sur la Terre quand il a découvert qu'il n'est pas nécessaire de pleurer toujours. La passion de poser des pièges aux lièvres, écureuils et porcs-épics ; sa patience avec ses filets pour capturer les oiseaux ; sa ruse à la pêche quand, libéré de l'école enfin, il lançait son hameçon derrière les aulnes mouillés en juillet et août ; cela était-il l'héritage de son père indien ? Devant son fils qui revenait à la maison boueux, égratigné, trempé, avec ses prises, son père, le notaire, s'est souvent exclamé :

— Celui-là, c'est notre petit sauvage.

Sa mère n'ajoutait rien. Il avait raison. Quel triste amour ils ont dû partager... Juste avant de mourir, elle a chuchoté, sa petite main osseuse et jaune dans celle de son mari : « Je ne suis pas triste parce que je meurs ; je pleure parce que je te quitte. » Jean-René Goupil se rappelle bien ses paroles. Elle parlait de cette manière parce qu'elle était une poétesse mais les poétesses qui n'aiment pas ne doivent pas parler avec des paroles aussi touchantes. Si elle n'avait pas aimé son père, le notaire, aurait-elle supporté, chaque matin, sept jours sur sept, d'ajuster son nœud papillon toujours incliné du même côté ? Elle a aimé ce petit homme qui se croyait un père tout comme elle n'a jamais cessé d'aimer celui qui n'était plus là. Quelle douleur ce doit être de n'aimer qu'un souvenir !

Bien sûr, elle se consolait avec sa poésie qui était sans doute une autre façon d'aimer. La poésie devait remplacer la « chair absente » comme disait un poème de Blanche Larivière. Le professeur de littérature avait lu ces abominables vers en classe. Jean-René Goupil avait soutenu que le poème de sa mère n'était pas véritablement de la poésie parce que, argumenta-t-il, sa mère n'était pas folle et il faut être fou pour écrire de la poésie. Le professeur l'avait envoyé répéter ses principes poétiques au préfet de discipline.

— Papa !

Ce cri de sa propre voix le fait sursauter. Son père, le notaire, est enseveli dans la terre de l'île d'Orléans. Son père, l'Indien, est-il encore vivant ? Si loin de l'île d'Orléans, comme son père décédé il ne peut entendre ce fils qui l'appelle.

Ressemble-t-il à son père ? À la mort de sa mère, Jean-René Goupil avait à peu près l'âge du jeune Indien quand le cœur de Blanche Larivière battait pour lui. Dans la chambre d'hôpital, quand elle posait le regard sur son fils, voyait-elle celui qu'elle avait aimé en cette nuit où la paix était revenue sur Paris comme un printemps extraordinaire ?

La jeep s'arrête devant sa maison. Il ne veut pas rentrer à cause des larmes dans ses yeux. Ses pensées s'agitent dans un désordre fébrile. Il va marcher dans le sentier qui mène au vieux pin. Les pierres sont humides de rosée. Il s'adosse au tronc de l'arbre. Le fleuve semble être un peu de jour qui traîne encore dans la nuit. Tant de fois, il est venu à cet endroit réfléchir quand il était malheureux. Tant de fois, il s'est réfugié sous les branches de ce vieux pin quand son sort lui semblait malaisé.

Donc, il est le fils d'un Indien du désert. Est-ce pourquoi il ne voulait pas s'engager dans le chemin bourgeois que lui indiquait son père, le notaire, qui avait suivi les pas de son propre père et du père de celui-ci ? Est-ce la raison pour laquelle le petit Jean-René se rendait à l'école comme on subit une punition ? Il détestait les livres autant que les médicaments que sa mère le forçait à avaler. Quand il se penchait sur une page, les mots fuyaient comme des insectes apeurés. Il n'aimait que ce qui n'entrait pas à l'école. Son père, le notaire, était désespéré. Son fils ne répondait pas à l'appel de la vocation héréditaire. Sa mère ne s'affolait pas. Leur enfant, expliquait-elle à son mari, avait beaucoup de curiosité. S'il apprenait à lire dans le grand livre de la nature, il en arriverait bien à comprendre les livres des humains. Sa mère savait d'où venait son fils. Ce soir, il reconnaît sa bonté patiente.

Lorsqu'il eut atteint l'âge de s'inscrire à l'université, il choisit l'École de notariat. Dès que sa famille fut rassurée, mourant d'ennui, il enfourcha sa motocyclette et disparut sur les routes de l'Amérique. Quelques années plus tard, il fut rattrapé par le mystérieux atavisme familial. Il revint à l'université. Comme tous les mâles de sa famille adoptive, il est devenu notaire.

Il a toujours cru savoir ce qu'il fuyait. Il avait refusé un avenir qui l'attendait comme un vêtement trop étroit. Ce soir, il comprend : il cherchait la seule personne qui pût lui enseigner une autre façon d'être, son père, l'Indien inconnu. Appuyé contre le pin, il sent dans son dos une force qui monte dans la nuit. Les branches sous la brise sont gonflées comme une voile.

Il avait toujours été incommodé que son père, le notaire, fût de si courte taille. Au séminaire, lorsque les parents étaient invités, il souffrait d'être vu à côté d'un père qui avait trop tôt cessé de grandir. Il a toujours su qu'il était le fils d'un géant.

Quand il chevauchait sa motocyclette, son âme soupçonnait qu'il était le descendant d'une race qui ne tolère pas les frontières. On a tenté de l'éduquer comme on éduque les fils de notaire, lui, le fils d'un Indien de l'Arizona. On a voulu l'encarcaner comme on encarcane les fils des bourgeois blancs.

Ce soir, tout s'explique. Et tout devient mystère. Cet étranger qu'il ne connaît pas, le dos contre le pin, le regard rivé sur le fleuve, c'est lui : l'homme qui n'a pas de nom.

Ses pieds sont posés sur une pierre qui était au fond de l'eau quand la mer recouvrait l'île d'Orléans, voilà des millions d'années. Dans son dos pèse la patience centenaire du pin. L'éternité de la pierre vibre sous les semelles de ses bottes de cow-boy urbain. Son corps est ramassé autour de son cœur agité sous la nuit chargée de rêves. Il n'est pas complètement ici, en ce point de la Terre. Une autre partie de lui l'appelle loin au sud.

Il se souvient d'une furieuse colère contre ses éducateurs. Après des jours et des jours de voyage en motocyclette, il aboutit devant une antique cité indienne construite à l'abri d'une falaise de grès. C'était une cité de pierre avec des tours, une cité planifiée, élégante. Personne ne lui avait enseigné que les Indiens, qui criaient comme des chiens affamés dans les films américains, possédaient la science de bâtir des villes. Les pierres encore posées les unes sur les autres, les murs écroulés et les chambres désertes gardaient un silence terrible. Ses éducateurs ignoraient ces villes disparues d'Amérique. Pourtant, ils connaissaient tout des villes anciennes de Rome et d'Athènes. Devant la cité indienne, Jean-René Goupil se souvenait encore « des triglyphes, des métopes et des griffons » ornementaux de l'architecture grecque. Il se souvenait, il se souvient encore du « nombre d'or » auquel obéissait la construction d'un temple grec. Il se souvenait, il se souvient encore que les colonnes d'angle des temples grecs étaient de sept centimètres en hors-plomb ; autrement, les colonnes auraient semblé pencher vers l'extérieur. Il se souvenait, il se souvient encore que les colonnes d'angle des temples grecs étaient plus épaisses que les autres de soixante-quatre millimètres pour éviter que, rongées par la lumière, elles ne paraissent plus grêles que les autres.

De quel bagage inutile ses éducateurs ont bourré sa mémoire ! En face de la ville indienne détruite et désertée, il maudissait l'ignorance que ses maîtres lui avaient transmise. Jean-René Goupil a été éduqué comme s'il avait été un Blanc et on enseignait aux Blancs que les Indiens dormaient sous les arbres.

Sous ce pin qui fut le témoin de ses chagrins d'enfant, de ses malaises d'adolescent, de ses inquiétudes, de ses colères, de ses rêves, il jure qu'il est heureux d'être un Indien. Son âme se soulève comme la croûte terrestre quand éclate un volcan. Un nouveau souffle l'envahit : c'est l'histoire de l'Amérique, celle des Blancs et celle des Indiens, qui surgit en lui.

Il y a une cinquantaine d'années, en Europe, à la fin de la Seconde Guerre mondiale, l'histoire des Blancs et l'histoire des Indiens se sont unies dans le corps d'une jolie Blanche de la ville de Québec. Ce soir, l'histoire des Blancs et l'histoire des Indiens se rencontrent dans son propre corps. Cependant, Jean-René – Jean-René Sans Nom puisqu'il ne veut plus s'appeler Goupil – ne sera pas silencieux comme l'a été sa mère. Il crie comme s'il voulait qu'au ciel quelqu'un entende sa voix :

— Je suis un Indien !

Il n'y a pas d'écho. Seule une petite bête a bougé dans les broussailles. Le silence bleu percé d'étoiles n'est pas troublé. L'eau du fleuve marmonne en allant à la mer. Sa jeune femme accourt :

— Jean-René !... Jean-René !... Tout va bien ?

Il se tait.

— Jean-René, j'ai lu le manuscrit de ta mère. C'est incroyable... Jean-René, il ne faut pas pleurer...

— J'ai envie de te faire l'amour. Tout de suite. Ici, sur la grève. Sous le ciel.

— Oh ! Petit Homme Tornade, avec tous ces cailloux...

— Faisons quelque chose de sauvage ! Ce que je ressens, je veux le partager avec toi.

— Allons à l'intérieur.

— Les Indiens font l'amour à la belle étoile...

— Allons à l'intérieur. Je te promets...

Sur la peau d'ours, sans le savoir, déchaînés, ils répètent le cérémonial si humain que Blanche Larivière et René Goupil, le notaire, ont accompli dans la fièvre, un demi-siècle plus tôt, à cet endroit même. Ensuite, apaisés, en sueur, ils reviennent lentement de leur voyage au pays de l'amour.

— Mon faux père ne s'est jamais douté que ma mère faisait ça en pensant à un Indien de l'Arizona...

— Petit Homme Tornade, ne sois pas cynique. Les cyniques ont toujours tort. Ta mère a tenu à te donner une famille. À cette époque-là, crois-tu que ta mère aurait pu ramasser ses petites robes parisiennes, te prendre dans ses bras et, te donnant le sein, partir à la recherche de l'Indien qui avait fait trembler ses chevilles? Tu ne devrais pas reprocher à ta mère de ne pas avoir aimé son mari. C'est toi qu'elle a aimé.

Jean-René Goupil n'essaie plus de retenir ses larmes. Ce sont des larmes d'enfant.

30

Robert Martin file sur l'autoroute. Le matin est neuf sur cette étendue verte et plate qui sépare Québec de Montréal. Une journée comble l'attend. Aujourd'hui, il retourne chez sa femme, chez lui. Il va retrouver ses enfants, sa maison, ses livres, son lit, son chalet, son voilier. Aujourd'hui, il va la voir devant lui. Elle lui ouvrira la porte. Elle l'invitera dans sa maison. Elle lui tendra les bras. Sa trop jolie coiffeuse aura sur son visage un sourire beau comme un soleil après la tempête.

Il franchit des zones de brouillard. La nuit se sépare du jour en s'effilochant. Ici et là, des arbres sont enflammés par le soleil levant. L'historien peut songer à ce qui le préoccupe. Son livre sur le fermier Dubois est devenu un piège. Il est captif. Les gens du service des projets spéciaux de Miss Camion exigent un synopsis afin de pouvoir s'attaquer aux produits dérivés, comme ils disent. Il a reçu une avance considérable. Le travail ne progresse guère. Est-ce sa faute si le fermier n'a pas laissé un journal intime comme Blanche Larivière ?

Il retournera avec sa femme et ses enfants. Comme après un long voyage. Ils ont habité ensemble toutes ces années. Il retournera malgré le chagrin, les humiliations, les accusations. Il retournera parce qu'il n'y a peut-être pas d'autre manière de guérir ses blessures. Pourquoi est-il nerveux à la pensée de rentrer chez lui ? Il a peur. Comme il avait peur la première fois qu'il a téléphoné à une jeune fille de son école pour l'inviter au cinéma. Sur sa bicyclette, en route vers une cabine téléphonique où ses frères et sœurs ne l'entendraient pas, ses mains tremblaient sur le guidon. Quand elle lui répondit, sa gorge se serra sur ses mots... Revenant de Québec vers Montréal, malgré les années qui ont égratigné son visage et son âme, il est toujours ce même garçon qui craignait de se faire répondre non.

Le jour est jeune. Il n'a pas repris toute son emprise sur les humains. La pensée de l'historien est libre de vagabonder comme les brumes. Il songe à l'émouvante confession de Blanche Larivière. Les archives ne sont pas un cimetière. Non seulement les documents racontent-ils ce qui a été, mais ils annoncent ce qui sera. Le passé est le cœur battant du présent. Malheur aux gens, malheur aux peuples qui n'ont pas d'histoire. Ils sont condamnés, malheureux esclaves, à porter sur leurs épaules le présent des autres. La route est longue. Le voilà qui délire un peu... N'y aurait-il pas une étude à faire sur le délire des aventuriers en Amérique ? Durant des mois, ils filaient en canot sur des rivières inconnues et menaçantes. Durant des mois, ils voyageaient parmi des paysages qui se déployaient comme l'éternité. À cause de la solitude, à cause de l'anxiété, à cause de la vastitude, ces gens devaient devenir soûls de rêves. La mort ne pouvait-elle pas surgir de derrière une pierre ou un arbre ? Ces gens devaient devenir fous à cause de la soif, à cause de la faim, à cause du temps qui s'amenuisait, à cause de la distance qui s'allongeait. On ne comprendra rien à l'histoire de l'Amérique si on ne s'est pas aperçu qu'elle a été établie par des gens saisis par le vertige. Ils avaient le vertige des émigrants venus de loin qui descendaient de leur bateau le front brûlant de misère et d'espoir; ils avaient le vertige de ceux qui ont traversé des forêts où même les oiseaux s'égaraient; ils avaient le vertige des mineurs qui creusaient dans le rocher noir à la lueur de cette flamme d'or oscillant dans leur désir. Quel vertige a conduit Dubois dans les montagnes du Colorado? Voilà ce qu'il faut raconter : le vertige du fermier Dubois!...

La traversée du pont vers Montréal n'a pas été trop douloureuse. D'abord il s'arrête à la Bibliothèque nationale. La porte est verrouillée. «Heureusement que l'Amérique existe déjà car ce n'est pas avec ces endormis que l'on pourrait bâtir un continent!» Robert Martin regrette cette réaction. Voilà qu'il pense maintenant comme un chef d'entreprise. Miss Camion aurait fait la même remarque...

Il doit lui téléphoner avant de passer à son appartement ramasser ses livres, ses papiers et ses vêtements. Une voix encore ensommeillée lui répond :

— C'est toi, mon grand amour!... Ah! j'aimerais tellement que tu viennes me raconter tout, tout... Je... je suis en réunion avec mon comptable. La Californie nous cause bien des problèmes. Dès que mon comptable est parti, je suis à toi... Rappelle-moi, mon grand amour.

— Je n'ai pas réveillé ton comptable, j'espère...

Il raccroche. Ces mots que ses lèvres ont bredouillés, il ne voulait pas vraiment les dire. Pourquoi est-il soudain si triste? Ne rentre-t-il pas chez sa femme, chez lui, retrouver ses enfants? Sa vie normale lui est rendue.

Sa femme a quitté un modeste professeur d'histoire méprisé par son doyen. Quand la trop jolie coiffeuse lui ouvrira la porte, elle verra revenir le «seul historien qui a su gagner le cœur du peuple», ainsi qu'écrivait *L'Écho des montagnes*, «un historien qui a reçu plus de droits d'auteur, pour un livre qu'il n'a pas encore écrit, que tous les autres historiens pour l'ensemble de leurs œuvres publiées». Il devrait chanter de joie ce matin.

Avec tous les tracas dont l'accable ce Dubois, comment pourrait-il ne pas être soucieux ? Que se passe-t-il au bureau ? Il téléphone :

— Nous détenons une autre pièce du casse-tête, confie un assistant de recherche. Le fermier Dubois a peut-être été prêtre. On a trouvé un abbé Joseph Dubois... Attendez que je rattrape mon papier... Ici... C'est un articulet dans un journal de Boston. L'abbé Joseph Dubois était professeur de latin dans un collège de Boston. En 1863, le premier juin, le journal nous apprend que Dubois a été rejeté du collège, avant les grandes vacances d'été, pour cause d'hérésie.

— Vous avez dit Boston ? Mais notre fermier habitait au Colorado !

— On a déjà identifié des traces de Dubois au Yukon en 1869. L'hérétique ne pouvait plus enseigner dans les collèges catholiques. Il doit disparaître, se faire oublier. La fièvre de l'or au Yukon est exactement ce qu'il lui faut.

— Je fais de l'histoire, pas du roman...

— Notre correspondant nous a envoyé la photocopie d'une plaquette écrite par Joseph Dubois, prêtre...

— Une plaquette ? N'a-t-on pas déjà un écrit de Joseph Dubois : une plaquette sur la chasse à la baleine ? Comparez les dates... Plaquette après plaquette, va-t-on découvrir les œuvres complètes de Dubois, un auteur inconnu ?... Si vous pouvez établir un lien entre ces deux brochures, je tiens mon bonhomme et mon livre est fait !

— La plaquette s'intitule *Le Miracle de la lévitation à la portée du pieux chrétien*.

— Un esprit préoccupé de lévitation ne s'en va pas garder les vaches au Colorado.

— Écoutez... Vous avez le temps ? demande l'assistant de recherche qui n'attend pas la réponse pour continuer... Dubois établit une liste de prophètes qui prenaient leur essor comme des oiseaux : Énoch, le père de Mathusalem, qui s'envola au ciel ; Élie qui s'échappa de la Terre dans un char de feu ; Habacuc, qu'un ange tira par les cheveux de Judée en

Babylonie pour qu'il apporte de la nourriture à Daniel emprisonné dans une cage aux lions...

— Tu as dit Habacuc ? Je n'ai jamais entendu parler de lui. Et on est bien loin du Colorado.

L'assistant de recherche n'écoute pas :

— ... et surtout Jésus-Christ, à Béthanie, qui est monté au ciel sous les yeux de ses amis. Dubois énumère aussi un groupe de saints personnages qui volaient comme des hélicoptères quand ils priaient : saint Antoine le Grand, saint Ladislas, saint Bernard de Clairvaux, saint Dominique, le frère prêcheur, saint Stanislas, saint Jean de la Croix, saint Joseph de Copertino, saint Étienne, roi de Hongrie, qui monta dans les airs avec sa tente pendant qu'il priait devant son armée réunie ; saint Dunstan, l'évêque de Canterbury, qui, en lévitant, se frappa la tête contre la voûte de sa cathédrale ; et sainte Colette de Corbie, qui monta si haut dans le ciel qu'on la perdit de vue : «*oculi evanescens*», précise la plaquette. Et il y en a beaucoup d'autres...

— C'est assez.

— Écoutez la conclusion de l'abbé Joseph Dubois, prêtre :

« De tout temps, les humains ont désiré échapper à l'attraction terrestre ; ils ont voulu voler tout aussi bien éveillés qu'en rêve. L'âme des humains est aussi légère que Dieu l'a créée. Dans son envol, l'âme a le pouvoir d'entraîner avec elle le corps où elle se réfugie temporairement. Les humains ont toujours voulu voler, ils ont toujours volé et, dans l'avenir, ils voleront certainement. »

L'abbé Dubois était un prophète... Écoutez encore ça. Un peu plus loin, il écrit que certains missionnaires ont rapporté, dans leurs relations de voyages, qu'un modeste cactus, le peyotl, contient une substance que les Indiens « absorbaient et qui les faisait s'envoler du royaume de la Terre ».

— On est à des années-lumière de notre fermier Dubois qui a acheté un troupeau de cinquante-neuf bêtes au Colorado.

— Écoutez... Une nuit, l'abbé Joseph Dubois est réveillé par un bruit inquiétant. Vite, il allume sa chandelle. Que voit-il dans sa chambre ? Un homme inconnu, éberlué, maigre, sale, qui ne sait plus où il est. L'abbé Dubois constate que l'homme est inoffensif. Il lui dit : « D'où arrives-tu ? Raconte-moi d'où tu viens. » L'intrus explique qu'il voyageait depuis des semaines dans les montagnes d'un pays qui s'appelle le Colorado. Il se nourrissait de ce qu'il pouvait tuer ou cueillir. Voici la dernière chose dont il se souvienne. Il s'était adossé à son sac pour se reposer un peu. À côté de son sac, il a remarqué une belle grosse fleur avec des pétales jaunes striés de lignes rouges. Il avait faim. Il a mangé cette fleur. Et tout à coup, il se retrouve ailleurs, dans une chambre avec quelqu'un qu'il ne connaît pas. Et il n'a pas son sac. Dans sa brochure, l'abbé Dubois poursuit :

> « L'Amérique est un continent sans fin ; ses habitants veulent atteindre toutes ses frontières, parcourir ses vallées, escalader ses montagnes, franchir leurs déserts, traverser leurs forêts. L'inconnu hébété dans ma chambre avait découvert par hasard la fleur qui fait voler. Celui qui offrira à l'Amérique la fleur à voler deviendra riche. »

— La fleur magique poussait au Colorado, résume l'historien. Parmi tous les endroits possibles en Amérique, le fermier Dubois s'est établi au Colorado. Il y a là un lien. Malheureusement, l'épisode du voyageur volant n'est absolument pas crédible. Mais ne fermons aucune porte... Tout est possible, même l'incroyable.

— Nous avons attrapé notre Dubois ! assure l'assistant de recherche. Le fermier est allé au Colorado pour chercher la fleur qui fait voler. J'en suis sûr.

— Comparez le style et le vocabulaire de cette brochure avec ceux de la première brochure. Comparez-les aussi avec la lettre que Jos Wood a écrite à ses parents, vous vous souvenez ?

— Écoutez ce que dit Dubois :

« Je puis certifier que l'odyssée mirifique du voyageur
était véridique. Me basant sur les détails de sa confession qu'il me fit sincère, totale et complète, voici
quelles sont les caractéristiques de cette fleur précieuse »...

Ici, la page a été malheureusement déchirée.

— Cherchez d'autres copies de la plaquette, bon Dieu !
Pourquoi m'obligez-vous à vous dire ça ?

— Un lecteur intéressé a dû arracher la page au lieu de la
copier. Pour moi, tout est clair, assure l'assistant de recherche.
Après avoir chassé la baleine, le jeune Dubois devient jour-
naliste, il s'éduque, il devient prêtre et professeur de latin, il
défroque, il part à la conquête de l'or au Yukon pour se
donner une assise financière et il part en direction du
Colorado avec l'idée bien arrêtée de découvrir la fleur qui fait
voler, de la cultiver et de la mettre sur le marché pour faire
planer l'Amérique.

— Je vous le répète, s'impatiente Robert Martin, j'écris
de l'histoire et non pas un roman.

— L'Amérique est un roman !

— J'ai déjà viré des assistants parce qu'ils avaient des
idées aussi simplistes.

Robert Martin est ennuyé de voir ses assistants de
recherche, l'un après l'autre, sombrer dans le rêve quand il
s'agit de raconter l'Amérique.

— Vous ne devez pas imaginer ni inventer ce qu'a pu
être le fermier Dubois. Il faut trouver ses traces.

— Des traces... Chaque fois qu'on croit apercevoir
Dubois quelque part, il se montre ailleurs. Des traces...
D'après des notes qui nous sont venues de la Bibliothèque de
Montpelier, au Vermont, un certain J. Dubois a participé à la
guerre de Sécession.

— Cinquante mille Canadiens français auraient participé à cette guerre. Dubois était peut-être l'un de ces braves.
C'est un autre chapitre oublié de notre histoire. Parlez-moi
de ce Dubois.

— J. Dubois était un employé des moulins à textile de Winooski, au Vermont. Il s'est engagé comme artilleur dans le régiment léger du Vermont qui faisait partie de l'armée du Potomac. Il semble qu'il aurait participé à la bataille de Wilderness, en Virginie du Nord, le 4 mai 1864.

— Je ne veux plus d'hypothèses ni de suppositions. Je veux des faits : réels, prouvés, vécus.

— Wilderness : c'était une forêt de chênes et de pins empêtrés dans une broussaille impénétrable. Les combattants s'y prenaient comme des moustiques dans une toile d'araignée. Des brigades entières s'y sont égarées. Elles ne savaient plus dans quelle direction tirer. Il était impossible d'apercevoir les drapeaux ennemis. Quand un obus tombait, on ne pouvait savoir d'où il venait... Il y aurait de bonnes raisons de croire que Dubois a participé à cette bataille.

— Ne vous contentez pas de chercher, trouvez ! L'histoire ponctuée de *peut-être* ressemble à cette tapisserie rapetassée qu'est un roman. Faisons de l'histoire, que diable !

— Notre discipline est une science. La vie n'est pas scientifique. Le pur hasard nous a fait trouver la lettre suivante :

« Depuis ma dernière lettre il y a plusieurs mois, nous sommes arrivés à Wilderness. Les ennemis étaient partout et ils étaient furieux. Je me cachais le nez et tout le reste derrière un chêne. Soudainement des balles ont craché sur l'écorce. Mon cœur a battu comme un diable dans l'eau bénite. On était entourés par les ennemis cachés dans les broussailles et la boucane. J'avais la gorge serrée, la bouche sèche. Je me suis accroché les pieds dans un soldat tombé de l'autre côté du gros chêne. Il avait un trou dans le front juste au-dessus de l'œil gauche. Sa cervelle coulait par le trou de la blessure. Je lui ai fermé son œil droit. Sa peau était encore chaude. Je ne sais pas son nom. En plus, il pleuvait ce jour-là. »

La lettre est signée soldat J. Dub... Le reste du nom s'est dilué dans une tache grasse. C'est probablement Dubois.

— Je vous l'ai dit : je ne veux plus entendre de *peut-être* ou de *probablement*.

— Vous voyez, nous ne perdons pas notre temps.

— Avec l'information douteuse que vous me donnez, est-ce que je peux écrire une seule page de l'histoire du fermier Dubois ? Trouvez-moi des faits !

Ainsi se termine la conversation. « Éduquée par la télévision, cette jeune génération manque de rigueur, réfléchit Robert Martin. Heureusement, elle est ardente. »

La Bibliothèque nationale a enfin ouvert ses portes. On rassemble les documents de Blanche Larivière et on les photocopie pour les expédier au notaire de l'île d'Orléans. Pendant qu'il attend, Robert Martin feuillette le volume trente des *Cahiers des dix* où sont publiées des lettres d'un Canadien français sur la piste de l'Oregon. Tout sera bientôt prêt.

— Allô, notaire Goupil ? Comme promis, je vous envoie les documents de votre mère. Quelle est l'adresse de votre bureau ?

— Je reste dans l'île, aujourd'hui... Je ne sors pas. Monsieur Martin, est-ce que je peux vous considérer comme mon frère ?

La voix se casse. Malgré tous les paysages explorés, malgré toutes les femmes, malgré tous les jours dévorés, le notaire, le cow-boy, est un enfant dans le corps d'un homme :

— Je n'ai jamais eu de frère.

L'historien sait ce que ressent un homme qui pleure. Durant sa fugue aux États-Unis, il a pleuré le long des routes :

— Oui, je veux bien être votre frère... Mon frère... Écoute bien ce que je vais te dire. Ce n'est pas un rêve. Il y a en Arizona un vieil homme qui sait prononcer très clairement le nom de Blanche Larivière.

— T'as pas besoin d'inventer ça pour me faire plaisir.

— Je répète. Écoute bien, mon frère. J'ai rencontré en Arizona un vieil Indien qui se rappelle le nom de ta mère.

— Mon frère, tu as vraiment décidé de chambarder ma vie.

— Je n'ai rien décidé.

— Es-tu un sorcier ? Un intrigant ? Un grenouilleur ? Un vantard ?

— Tu m'insultes.

— Insulter son frère, c'est pas une insulte.

— Dès que tu es prêt, nous partons pour l'Arizona !

Posant le combiné, Robert Martin voudrait reprendre les mots qu'il a prononcés. Pourra-t-il partir en Arizona ? Que dira sa femme ? « À peine revenu au foyer, tu veux déjà me quitter. » Il déteste cette sensation de n'être pas libre. Devrait-il consulter son avocat avant de rentrer chez lui ? Non. La situation est claire. Sa femme qui l'a rejeté, maintenant, le réclame. Il passe à la salle des toilettes, où les hommes ont souvent de profondes pensées. Devant le miroir, il ajuste sa cravate, replace ses quelques cheveux. Il va rentrer chez lui sans sonner comme s'il revenait simplement après une journée de travail.

Dans la voiture, son cœur bat trop fort. Que dira-t-il ? Devrait-il choisir à l'avance ses mots et ses phrases ? Après avoir poussé la porte, il laissera plutôt parler son cœur comme on se débat quand on tombe à l'eau. Il a oublié les fleurs. Il faut des fleurs. « Laissons parler les fleurs. » Des roses. Les fleurs de l'amour. Des fleurs avec des épines... Un détour pour trouver un fleuriste.

Quand il pose les fleurs sur la banquette arrière, il se rappelle que la trop jolie coiffeuse aime le chocolat. Quand il place la boîte de chocolats à côté des fleurs, il pense qu'il a oublié d'apporter du champagne. C'est une grande journée. C'est un recommencement. Une nouvelle saison. C'est comme s'il l'épousait ! Voilà ce que Robert Martin dira quand il faudra parler.

Quelle circulation ! La ville est bloquée. À force d'être coincées dans les voitures, sans bouger, les jambes des citadins vont s'atrophier. Dans quelques siècles – avec l'augmentation de la population, la circulation sera multipliée – les embouteillages vont se prolonger et les citadins deviendront impotents. Peut-être des ailes leur pousseront-elles ?... Robert Martin devrait acheter des cadeaux pour ses enfants. Pour sa femme aussi. Elle était heureuse quand il lui faisait la surprise d'un foulard ou d'un parfum... Pourquoi pas un chemisier ? Un autre détour...

Ce soldat de Wilderness, abattu derrière un chêne, avec un trou au front... L'histoire de ce soldat sans nom, voilà de l'histoire véridique. Elle est véridique parce qu'on ne peut pas la raconter. Ce que l'on peut raconter, c'est du récit, ce n'est pas de l'histoire. Les premiers ministres, les généraux qui laissent derrière eux des archives espèrent que l'on écrira leur histoire. Ce n'est pas de l'histoire. La seule histoire, l'histoire véridique, est celle des personnages sans voix qui n'ont laissé aucune trace. L'histoire du Soldat inconnu : voilà l'histoire authentique d'un pays. À sa manière, Dubois est un soldat inconnu. Ah ! voilà un raisonnement percutant pour son livre. La communauté ronflante des historiens en sera secouée. Son doyen va tomber de sa chaise rembourrée.

Comme un chien qui a une docile habitude, sa voiture est revenue devant sa maison. Robert Martin se sent timide. Son cœur bat trop vite. Il a chaud. Il frissonne. Ses jambes hésitent. Il ramasse les fleurs, les chocolats, le champagne, les cadeaux. Il marche vers la porte. La pelouse manque d'arrosage. La peinture des fenêtres est écaillée. Il essaie de ne pas penser. Il a l'impression de revenir d'un long voyage. Rien n'a changé. Le jointoiement de la brique devra être refait. Ces travaux sont coûteux. Il est chez lui. Il aime sa maison. Il aime sa trop jolie coiffeuse. Mieux vaut ne pas essayer de comprendre ce qui s'est passé. Cela n'aurait pas dû arriver. Il aurait dû revenir plus tôt. Il n'aurait pas dû attendre qu'elle l'invitât.

La porte s'ouvre. Elle sort. Elle fait deux pas. Elle le regarde. Il apporte des fleurs, des chocolats, du champagne, des cadeaux. Elle a subtilement changé. Son visage semble s'être arrondi. Elle a les yeux cernés. Ses cheveux ne sont plus comme avant. Il présente les fleurs. Les mots sont coincés dans sa gorge. Il dit bêtement :

— Elles sentent bon.

— La seule odeur que je sens est celle d'une autre femme.

— Je reviens, plaide-t-il.

— Tu reviendras quand son parfum se sera évaporé.

Sa trop jolie coiffeuse rentre vivement dans la maison. Elle claque la porte. Robert Martin entend la clef tourner dans la serrure. Le rideau cesse de bouger.

— Ce n'était pas une bonne façon de revenir, conclut-il.

Ses bras sont chargés de présents. Doit-il les rapporter avec lui ? Il se sent ridicule. N'est-elle pas sa femme ? N'est-ce pas sa maison ? N'a-t-elle pas fait savoir elle-même qu'elle souhaitait son retour ? Avec tous ses cadeaux, il ressemble à un colporteur. On lui a fermé la porte au nez. Il mérite plus de respect. Il laisse tomber sur le gazon tout ce qu'il tient et il tourne le dos.

Il remonte dans sa voiture. À son bureau, le travail l'attend. Il doit examiner ces nouveaux documents sur le fermier Dubois. Heureusement, il y a le passé !

31

En Arizona, c'est la fin de juin. Derrière un cactus, une pelote d'abeilles se battent toutes contre toutes. Charlie Longsong a souvent observé cette guerre d'abeilles. Elles se battent jusqu'à ce qu'il ne survive qu'un seul mâle. Le vainqueur peut alors s'accoupler avec la femelle qui l'attend au milieu des mâles sans vie. Petit Homme Tornade a fait la guerre, lui aussi, mais il ne se rappelle pas pourquoi les hommes se détruisaient.

Très loin, haut dans le ciel, prenant sa source dans un nuage noir, une sombre rivière bouillonne. Encore très éloignée, la pluie viendra. Ce sera bon. La terre a soif. Charlie Longsong va préparer son baril pour recueillir l'eau du ciel. Quand la pluie arrivera, il va se laisser laver. Il retourne à son *hogan*. Il attendra, assis sur le seuil de sa porte, qu'elle vienne.

À mesure qu'elle s'approche, la terre s'assombrit. Pourtant, là-bas, de chaque côté de la rivière grise, le ciel bleu éclaire le désert. Cette ondée va réveiller les plantes et remplir les *arroyos*. Quelque chose va survenir. Les nuages

236

sont chargés de signes. Il a le pressentiment que ce temps n'est pas comme les autres temps. L'air est parfumé. Il fait le geste des animaux qui lèvent leurs narines au vent pour identifier la présence étrangère sur leur territoire. Aujourd'hui, le temps qui passe a une senteur inaccoutumée. L'air est rafraîchi. La pluie sera abondante. Il fera une généreuse provision d'eau. Il espère que son toit va résister. Parfois, la pluie est pesante.

Bientôt, la pluie devant lui n'est plus une rivière, c'est un mur de colère, un mur presque noir, qui lui cache le désert et les montagnes. Ce n'est pas de la pluie, c'est de la grêle qui sautille sur le gravier. Les grêlons sont gros comme des œufs de poule. Est-ce que son toit va s'écrouler? C'est comme une pluie de cailloux. Les grêlons s'entrechoquent et cliquettent. La colonne de grêle gronde en s'avançant. Charlie Longsong rentre dans son abri et il s'enroule dans une couverture de laine qu'il se pose d'abord sur la tête. Les grêlons tapent. Son toit ne se rend pas. Ils rutilent sur le sol qu'ils recouvrent. Le ciel se vide. Charlie Longsong n'a jamais vu une grêle si forte, si acharnée. Puis la tempête s'apaise. Le mur sombre s'efface comme de la fumée poussée par le vent. Les nuages noirs se noient dans la lumière intense qui est revenue. Charlie Longsong laisse tomber sa couverture de laine. En juin, son désert est blanc comme si l'hiver était à ses pieds. Un homme n'a pas perdu sa journée s'il a pu admirer une telle tempête de grêle. Cet homme a vu ce que les dieux sont capables de faire en quelques instants. La lumière du jour qui s'est allumée sur la Terre n'a pas été perdue car cet homme, après avoir été témoin d'une force si puissante, ressent le besoin de se taire pour le reste de la journée. La grêle est venue l'avertir que de grands événements se préparent. Tout ce qui arrive a une raison d'arriver.

Depuis le matin, Charlie Longsong pense à son histoire des serpents. Pourquoi cette histoire s'est-elle infiltrée dans sa mémoire aujourd'hui? Les serpents vont porter aux dieux les messages des Indiens. Est-ce que les serpents apporteraient aussi aux Indiens les messages des dieux ? Il n'a pas encore raconté aux jeunes de la *Mesa* l'histoire du *Bohana* Dooboy. Il l'avait racontée à Blanche Larivière, il s'en souvient comme si c'était hier. Elle avait beaucoup ri, surtout quand il dansait sur le lit pour imiter Dooboy. Les jeunes de la *Mesa* vont s'amuser quand il va danser en racontant son histoire. C'est la plus drôle qu'il connaisse. Elle lui a été donnée par son père. Le père de son père la racontait. Le père de son père a vu de ses yeux Dooboy danser pour les serpents.

Dans ce temps-là, les *Bohanas* avaient tué tant de serpents qu'il n'en restait presque plus en Arizona. Quand ils apercevaient un serpent, ils croyaient qu'il fallait lui briser la tête. Ils n'aimaient pas mieux les serpents que les Indiens.

Un jour, Dooboy se présenta sur la *Mesa*. Comme les missionnaires, il ne portait pas d'arme. Son âne transportait un appareil pour prendre des photographies. Tout ce qu'il demandait, c'était de planter son appareil devant les Indiens, devant leurs maisons, leurs femmes, leurs enfants. Alors il faisait éclater une explosion au-dessus de sa tête et repartait avec sa boîte remplie d'images. Les Indiens voyaient beaucoup de ces photographes qui suppliaient les hommes de revêtir leurs affûtiaux de cérémonie même si ce n'était pas un jour de cérémonie, ou leur costume de guerre même si c'était un temps de paix. Ils encourageaient les chefs à emprunter un air sévère. Ils persuadaient les femmes de porter leurs atours les plus précieux. Ils lançaient des bonbons aux enfants. Les photographes n'étaient pas aussi dangereux que les missionnaires ou les arpenteurs. Ils ne voulaient prendre que leur image. Au début, les Indiens, très prudents, n'aimaient pas se faire dérober leur image. Avec les années, ils avaient apprivoisé l'appareil des photographes. Bientôt ils avaient ressenti une certaine fierté à poser.

Plusieurs se demandaient si ces hommes sans arme, qui ne repartaient avec aucun butin, étaient réellement des hommes ou bien s'ils étaient du même sexe que les missionnaires catholiques. Aucun d'eux n'a été aussi fameux sur la *Mesa* que Dooboy.

En ce temps-là, le chef était inquiet. Il craignait de n'avoir pas assez de serpents. Si la danse des serpents n'avait pas lieu, ils ne sauraient pas quelles sont les prières des Indiens. Dans leur pays de l'obscurité, ils ne pourraient pas transmettre aux dieux leurs demandes.

Afin d'éviter cette catastrophe à la tribu, le chef commença dès l'automne à cueillir des serpents pour l'été suivant. Au hasard de ses chasses ou de ses promenades, s'il en rencontrait un, il l'agrippait et le glissait dans son sac. Et le chef vidait son sac dans une cabane inhabitée à l'entrée du village. Les serpents y seraient gardés jusqu'au jour de la cérémonie. C'était de la prévoyance. Le vent de novembre souffla bientôt.

Les reptiles rentrèrent sommeiller dans leur antre, sous le plancher de la cabane. Au début de décembre, une pluie fine, après le coucher du soleil, se changea en une neige qui ressemblait à une poussière blanche. À l'aube, le soleil apparut, mais la neige résista. Les vieux, à la fenêtre, comprenaient que l'hiver s'annonçait froid.

Cet hiver-là, la terre devint dure comme de la glace. Le vent bousculait les pauvres Indiens. Une fine couche de poussière blanche recouvrait le sol et tourbillonnait. C'est ce jour-là que survint le photographe Dooboy. Il arrivait de très loin au nord. On n'avait jamais entendu personne parler comme lui. À cause du vent froid qui transperçait sa tente, ses couvertures et ses vêtements, il n'avait pas dormi depuis trois jours. Il demanda s'il pouvait se mettre à l'abri dans la cabane inhabitée à l'entrée du village. Ainsi, il aurait des murs contre le froid et un toit contre la neige. Un Indien n'aurait pas refusé l'abri à un *Bohana*. On ne savait pas que le chef hébergeait déjà des invités dans la cabane. Le soleil roulait sur l'autre versant du pays, ne laissant qu'une trace de lumière.

Dès qu'il entra dans la cabane déserte, Dooboy remarqua la hotte d'un foyer. Ce gîte serait aussi confortable qu'un hôtel. Il ne lui restait qu'à trouver quelques bouts de bois. Avec un feu, il ferait chaud comme sous un ciel de juin.

Bientôt, il fut en sueur. Il enleva sa chemise. Torse nu, il cuisait un lièvre sur le feu qui crépitait. On entendait Dooboy chanter de plaisir dans une langue qu'on ne connaissait pas. Malgré tout, la journée était bonne. Il avait cueilli de belles images, il dormirait sous un toit, il y avait de la chaleur et la viande était juteuse. Il avait déjà bu quelques gorgées de bourbon. De joyeux souvenirs se réveillaient.

Soudain, il lui sembla entendre rôder autour de la cabane. Un long glissement contre le mur. C'était probablement un curieux qui voulait l'observer. Non. Il écouta encore. Cela ressemblait à un bruit de fantôme qui claquait des dents.

— Là! Là! se cria-t-il à lui-même en pointant le doigt vers un coin obscur.

Il perdit la parole. Glissant de l'ombre, un serpent à sonnettes venait vers la table se joindre au festin. Dooboy ne pouvait se précipiter vers la porte sans passer par-dessus le serpent qui lui barrait le passage de toute la longueur de son corps. Dooboy sauta pour s'agripper à une poutre qui traversait la cabane. D'un autre coin obscur, un autre serpent s'amenait. Puis un autre. Et un autre. Finalement, le plancher fut couvert de reptiles engourdis qui s'approchaient lentement pour soulager leur faim.

Avec la chaleur du feu allumé par le photographe, les invités du chef croyaient qu'avril était déjà revenu. Ils sortaient de leur repaire.

D'épouvante, Dooboy s'époumonait comme un enfant qui a perdu sa mère. Sa voix parvint aux habitants du village. On ne comprit pas son appel au secours. Il utilisait des mots d'une langue que personne ne connaissait. On se dit plutôt qu'il était un fameux fêtard. Quelques-uns, plus curieux, se rendirent à la cabane qui était toute secouée par les gémissements du pauvre Dooboy. Prudemment, ils s'approchèrent de la fenêtre. Ce qu'ils virent leur parut si amusant! Étouffés de rire, ils appelèrent les autres. Chacun son tour, l'on vint observer ce qui se passait à l'intérieur de la cabane.

Sans doute parce qu'il avait trop bu, le photographe Dooboy, à moitié déshabillé, s'adonnait à une curieuse danse, accroché à une poutre du plafond. Les *Bohanas* ont de bien étranges manières, mais celui-là était encore plus particulier. Se tordant de rire, les curieux retournèrent chez eux, laissant Dooboy danser et chanter à la manière de sa tribu, pensait-on.

Dooboy, suspendu à sa poutre depuis des heures, était paralysé, épuisé, presque mort. À la fin, les serpents faisaient semblant de ne plus s'apercevoir qu'il était là. Peut-être attendaient-ils simplement qu'il tombe comme un fruit de l'arbre ? Le feu s'apaisa, devint braise, puis cendre. Le vent glacial de la nuit lentement pénétra dans la cabane. Bientôt, il y fit aussi froid que dehors. Les serpents, à regret, après cet été trop court, retournèrent à leur trou. Le jour était revenu depuis longtemps quand Dooboy sortit en courant de la cabane, à demi nu par ce froid piquant. Il n'avait même pas ramassé sa chemise. Il laissa aussi derrière lui un vieux sac de toile dans lequel on trouva un livre comme celui du missionnaire, du papier barbouillé d'écriture que personne ne pouvait lire et des photographies du grand chef Geronimo.

En se rappelant cette histoire si drôle, Charlie Longsong sourit. Quand son père la racontait, il devait souvent interrompre son récit parce que les gens riaient trop de ce *Bohana* qui dansait avec les serpents. Pourquoi se l'est-il racontée à lui-même aujourd'hui ? Il a oublié pourquoi il l'a commencée. De l'autre côté de la mer, l'histoire du Dooboy et des serpents a beaucoup amusé Blanche Larivière. Ensuite, elle hésitait à descendre de son lit. Elle n'osait plus poser les pieds sur le plancher de sa chambrette. Elle craignait les serpents qui auraient pu sortir de l'ombre.

— Petit Homme Tornade, vous êtes brave !

Depuis quelque temps, Charlie Longsong sent que des événements se préparent. Autour de lui, quelque chose se trame comme l'araignée tisse sa toile. Devenu un vieil homme, il devrait avoir appris la sagesse de ne plus rien attendre que ce matin où ses yeux ne s'ouvriront plus sur le désert. Mais il est fébrile, il espère, il est aux aguets comme

Petit Homme Tornade lorsqu'il guettait le retour de son père après cette bagarre où enfant, si petit, il avait tiré son coup de feu.

Quelque part dans les nuages, son père sait que son fils, le vieil homme, languit. Ne serait-il pas temps qu'il revienne le visiter sur sa jument noire ? Si le temps de Charlie Longsong s'achève, son père ne devrait-il pas l'emmener avec lui dans les nuages avec les ancêtres ? Puisqu'il n'a pas de fils, Petit Homme Tornade n'est encore qu'un enfant. C'est pourquoi il est en droit d'appeler son père.

Et si le temps avait préparé la venue dans le désert de Blanche Larivière qui descendrait du nord parce qu'elle veut, avant de mourir, revoir le soldat au bras amputé qui l'a fait danser près d'une fontaine dans cette ville immense de l'autre côté de l'océan ? Et si Blanche Larivière, qui l'avait invité dans sa petite chambre avec une fenêtre ouverte sur le ciel de la rue Gît-le-cœur, voulait revoir Petit Homme Tornade avant de fermer elle aussi les yeux ? Et si elle venait lui dire qu'elle a toujours pensé à lui ?

32

Assis côte à côte dans l'avion, deux hommes ont les larmes aux yeux. Ils ont beaucoup bu et beaucoup parlé. Robert Martin a raconté son divorce et sa fugue aux États-Unis quand il espérait que la route, quelque part, s'arrêtrait au bord d'une falaise où il tomberait à jamais. Il a décrit son vertige de s'enfoncer dans une Amérique sans fin, lui qui avait surtout voyagé dans les livres. Il a dépeint son émotion lorsqu'il a lu le nom de Dubois, sa signature appliquée, sur la première page d'un registre qui n'était qu'un cahier d'écolier, dans le musée d'un village déserté. L'historien, qui avait perdu son amour, ses enfants, sa maison, trouvait un Canadien français comme lui, égaré comme lui dans les montagnes touffues du Colorado. Dubois fuyait-il comme lui un chagrin? Pour la dixième fois peut-être, il raconte à son nouveau frère comment, s'enfonçant dans l'Amérique comme dans l'oubli, il a rencontré un vieil Indien qui lui a prononcé de manière inoubliable le nom inconnu pour lui de Blanche Larivière.

Depuis ce voyage, le passé a envahi sa vie. Il a entrepris une recherche sur le fermier Dubois. Il n'a pas encore réussi à relever des traces qui soient sûrement les siennes. Par ailleurs, cette poétesse dont il a entendu pour la première fois le nom en Arizona lui a révélé ses plus intimes secrets. Grâce aux documents retrouvés, le fils de Blanche Larivière va rencontrer son père authentique. Tout ce passé va devenir présent. Tout ce passé va se transformer en avenir. Non, le passé n'existe pas...

— Ma fillette, que je n'ai pas revue depuis l'été dernier, m'a dit un jour : « Le passé, c'est quand il y avait des fées. »

Avec un son de glissade sur la neige, l'avion descend dans la mousse des nuages. Jean-René Goupil a le nez collé à son hublot. Quand il jouait au chevalier des temps modernes sur sa motocyclette, il a exploré cette région. Il a flâné autour de ces mégalithes ouvragés par la ripe des siècles. Après, il se moquait de ses amis sculpteurs, les traitant d'insectes bricoleurs. À ses amis peintres, il disait : « Aucun artiste ne sait composer une couleur comme la lumière sur la paroi d'un canyon. » Souvent, il s'est arrêté pour se pencher au-dessus d'une falaise et y boire un peu d'éternité. Il se souvient d'une délicieuse nuit d'amour, près de sa motocyclette, protégé par un éperon rocheux qui ressemblait à un vieux moine en prière. Ah ! s'endormir dans une nuit si belle que le grès se change en ombre fragile...

De son hublot, Jean-René Goupil interroge la terre qui semble monter vers lui. Il est comme un enfant qui vient d'être expulsé du ventre de sa mère. En bas, sur cette terre grise, dans son désert, son père inconnu vit-il encore ? Arrive-t-il trop tard ? Ressemble-t-il à cet homme ? Que lui dira-t-il ? Son père voudra-t-il l'accueillir ? Combien de frères et de sœurs comptera-t-il ? Il regrette d'avoir détesté la poésie de sa mère, d'avoir eu honte des chagrins qu'elle étalait en vers dans les journaux de Québec. Au Petit Séminaire, son estomac se nouait quand le professeur de littérature distribuait un poème de sa mère, toujours encadré de maudits dessins de fleurs. Il enviait ses compagnons qui avaient des mères

normales qui n'écrivaient pas de poésie et qui n'en lisaient
pas.

Le jour où il a enfourché sa motocyclette pour se lancer à
l'aventure, il croyait s'échapper de sa famille, se libérer de ce
père qui n'était qu'un notaire trop court, trop timide, trop
faible, trop craintif, ennuyeux avec ses habitudes et ses rituels
prévisibles. Sans le savoir, il cherchait son père authentique.
Sans le savoir, il obéissait à cette force d'attraction qui le
dépose aujourd'hui dans un petit aéroport de l'Arizona. De là,
il partira à la recherche de l'Indien qui connaîtra le nom de
sa mère. Jean-René Goupil est un peu jaloux de Robert
Martin. Ce drôle de petit homme qui ressemble à un bouquin
n'aurait pas dû lire avant lui les écrits de Blanche Larivière.

L'historien souhaiterait ne pas être ému. Il ne veut pas
être triste. Sa trop jolie coiffeuse l'a de nouveau rejeté. Il
voudrait avoir un cœur de pierre. Il déteste se sentir bouleversé. Pour ne penser à rien, il tourne machinalement les
pages du magazine *Time*. Un titre l'aveugle comme un éclat
vif du soleil. Il relit : « Du Bois, le Moïse des Noirs ». Il relit
encore. Du Bois, William, Edward, Burghart est né en 1868.
Du Bois, le Moïse, était noir. La photographie le prouve avec
évidence. L'article précise que Du Bois, le Moïse, avait du
sang hollandais, africain et français. Le fermier Dubois pourrait avoir eu un fils noir. Le Moïse des Noirs est un personnage considérable. L'historien devrait en savoir plus à son
sujet mais il le sait, son ignorance de l'histoire américaine est
aussi vaste que ce continent. Du Bois qui a obtenu un doctorat de l'université Harvard en 1895, lit-il, a allumé la conscience des intellectuels noirs de son temps. Il a redonné à ses
frères leur histoire dont ils avaient été dépossédés. Ainsi, il
leur a redonné la fierté. Le fils noir d'un fermier blanc
n'aurait pas pu redonner aux Noirs leur histoire perdue... Il
faut vérifier les dates et les faits. Le fermier Dubois serait-il le
père du Moïse des Noirs ? Si c'était vrai ! Non, ce n'est pas
possible... Si c'était vrai, quel chapitre extraordinaire cela
ferait ! Quel beau paradoxe américain ! Le fils noir d'un
fermier blanc, le fils noir d'un Canadien français, devient le

guide des Noirs en marche vers leur libération ! Le fermier Dubois, père de ce Moïse moderne ? Il faut vérifier les faits.

Des larmes coulent sur les joues du large visage de Jean-René Goupil. Il essaie de les dissimuler en écrasant son nez contre le hublot. Cette terre grise, personne ne semble l'habiter. Seule une voiture perdue suit la route noire. À cause de la confession de sa mère, il cherche son père, mais peut-il croire à cette histoire d'un vieil Indien qui se souviendrait du nom de sa mère ? La rencontre qu'a faite l'historien est tout à fait invraisemblable. Tant de hasard défie la logique. Il a peut-être mal entendu. Le vieil Indien parlait dans sa langue et Robert Martin a cru saisir le nom de Blanche Larivière. Sa femme venait de l'abandonner ; quand on souffre des maux que cause l'amour, on n'écoute pas toujours très bien. Enfin, se souvenir du nom de Blanche Larivière n'est pas une preuve de paternité. Le vieil Indien est certainement mort. Ils arrivent trop tard. Le notaire a tenu à croire qu'il pourrait serrer la main de son père, mais ce n'est pas possible. Les événements ne s'ordonnent pas selon ce qu'on souhaite... En même temps, il appréhende ce moment où il va apercevoir son père, marcher vers lui, lui tendre la main, ce moment où il va l'entendre parler. Robert Martin et lui se dirigent vers un mirage dans le désert.

Le notaire voudrait se souvenir de ce poème que le professeur de littérature avait distribué. Toute la classe avait ri parce que sa mère disait des mots d'amour à un Indien. L'ombre de l'avion rampe dans le désert. Il souhaiterait tant pouvoir réciter quelques vers de sa mère...

Même dans les détails quotidiens, Robert Martin se comporte en historien. Pendant son voyage, l'an dernier, s'abandonnant au hasard des routes américaines, il soulignait au crayon-feutre vert sur la carte le trajet parcouru. De l'aéroport, il est donc facile de se diriger vers ce point du désert où tout a commencé, à ce poste de traite où, pour la première fois, il a aperçu l'Indien manchot.

— Est-ce que tu sais que ton père a un seul bras ?...

— Mon père est un héros de la guerre !

Jean-René Goupil ne croit pas à cette histoire qui va bientôt finir comme toutes les histoires qu'on s'invente parce qu'on refuse la réalité. Mais pourquoi est-il agacé lui aussi par une douleur constante au bras droit ? Pourquoi a-t-il eu cet accident qui lui a brisé le bras droit ?

— C'est un signe, dirait la poétesse, sa mère.

Les notes de voyage de l'historien ne seront pas inutiles. Elles ont fixé avec précision quelques repères. Se hâtant, ils n'ont aucune curiosité pour le Walnut Canyon. Ils sont impatients d'atteindre une route secondaire, soulignée en vert sur la carte, qui longe le Painted Desert. Le père de Jean-René Goupil surgira-t-il d'entre les cactus ? Robert Martin a griffonné quelques paragraphes sur ce désert l'an dernier. Cela est sans intérêt. Il avait trop de chagrin ; il ne voyait rien. Le monde n'était qu'une grande blessure d'amour. Ces pages de son carnet lui serviront peut-être pour camper les paysages de sa biographie du fermier Dubois. Aucune hypothèse ne devrait être rejetée avant d'avoir été vérifiée. Il n'est pas illogique que le fermier Dubois soit le père du Moïse des Noirs.

— Ici, est-ce qu'un homme a le droit de pisser dans la nature ? demande Jean-René Goupil qui ouvre la portière comme si la voiture était déjà immobilisée.

Robert Martin range la voiture sur l'accotement. Son compagnon s'éloigne parmi les arbustes poussiéreux. Pourquoi sa trop jolie coiffeuse lui a-t-elle demandé de revenir si elle ne veut plus de lui ? Essayait-elle de le faire souffrir un peu plus ? Elle a réussi. Il n'a pas cessé de l'aimer. Si elle lui demande encore de rentrer à la maison, il refusera carrément. Mais il ne peut pas se cacher qu'ensuite il retournera acheter des chocolats et du champagne pour elle. Miss Camion ne sait pas encore ce qui s'est passé. Cette femme... Il y a plus de vie en elle que dans tout un siècle ! Dieu qu'il a été heureux avec cette femme ! Une vraie femme qui sait faire grandir un homme...

Jean-René Goupil revient tout penaud :

— Je dois être un peu nerveux. J'avais une envie maudite mais j'ai pas été capable de pisser sur les cactus de mon père.

La voiture redémarre.

— Mon frère, sais-tu écrire ?

— Je suis même pas officiellement indien et tu as déjà des préjugés contre moi.

— J'ai des préjugés contre les notaires. Prends mon carnet dans la poche de mon veston en arrière et écris clairement ce que je te dicte :

« Dubois était-il le père du Moïse des Noirs ?... Si mon hypothèse se révélait exacte, la marche vers la libération des esclaves aurait commencé par l'errance d'un modeste fermier blanc, canadien-français, exilé en Amérique. Point d'exclamation ! »

— Comment est-il, mon père ? coupe Jean-René Goupil, bousculant l'historien dans sa rêverie.

— Hein ?

Étonné de se trouver presque immobile au milieu de la chaussée, il se remet vigoureusement en route.

— Mon père, il est comment ? répète le cow-boy de l'île d'Orléans, qui frissonne à l'air conditionné.

À l'extérieur, la brise passe comme un fer à repasser sur une chemise. Robert Martin récite les vers que Jean-René Goupil s'est efforcé de ne pas apprendre au Petit Séminaire :

«Ô mon jeune frère indien
Tu as quitté ton désert
Pour le grand rite du feu
Et tu as pris mon cœur
Rue Gît-le-cœur
Et tu m'as donné le tien
Ô mon jeune frère indien... »

— Même récité par toi, mon frère, c'est touchant.

Les montagnes qui ferment l'horizon sont vêtues de lumière. Le mauve, le marron, le rouge se superposent sans se recouvrir ni se mélanger. Ces montagnes émiettées par le temps ont constitué le désert. C'est du gravier piqué d'herbe brûlée. Du lierre jaunâtre s'y accroche et rampe. Des taillis de sauge argentés ici et là. Aucune habitation. Là-bas tourne, comme une toupie, un de ces tourbillons de poussière qui s'enroulent dans le vent : la « poussière du diable », disaient les pionniers.

— Dans ce pays, remarque le notaire, il faut aller loin pour acheter de la bonne bière froide.

— On n'est pas venus ici pour la bière...

— Est-ce que mon père est un beau vieillard noble ?

— Tu veux savoir s'il est beau comme sur la peinture de ta cheminée ?

— J'essaie de comprendre comment toute cette affaire va bouleverser mes habitudes... Avec un nouveau père, forcément, tout va être différent. Je ne serai plus celui que j'étais. Alors, comment est-ce que je vais être ? Il m'a fallu presque cinquante ans pour m'adapter à ma première identité. Je ne peux pas sauter dans ma seconde comme dans un pantalon neuf. Depuis que je suis monté dans l'avion, je n'ai qu'une question : À quoi ressemble mon père ? Je ne ressemblais pas à mon père, le notaire... C'était le meilleur père que je pouvais avoir : il trouvait toujours le moyen de me donner raison... Si je ressemble à mon père l'Indien, est-ce que j'ai vraiment envie de lui ressembler ? Arrête ici, j'ai encore besoin de lâcher un peu d'eau.

Robert Martin préférerait être ailleurs, à débusquer le mystère du fermier Dubois. D'autre part, il ne pouvait refuser à son nouvel ami de le guider vers son père inconnu. Une inconfortable incertitude serre son estomac. Rien n'assure que le vieil Indien est le père de Jean-René Goupil. La mémoire joue fréquemment de vilains tours. Avec une malveillante liberté, elle sélectionne les souvenirs qu'elle préfère retenir. La mémoire a une merveilleuse ressemblance avec le rêve. Serait-il prêt à jurer, la main sur la Bible, que le vieil Indien disait vraiment le nom de Blanche Larivière ? Les souvenirs sont souvent les fruits que désire le présent. Robert Martin connaît suffisamment l'histoire pour en être convaincu ; c'est la raison pour laquelle l'histoire est réinventée à chaque génération. L'histoire ment malgré elle. Écrire l'histoire, c'est mentir un peu. Plus il s'approche des lieux réels, plus le doute perturbe l'historien.

Pourquoi a-t-il été incapable de téléphoner à Miss Camion après avoir été repoussé par sa trop jolie coiffeuse ? Il voulait lui parler. Il avait besoin de se confier. Il avait soif d'entendre sa voix charnelle, pleine de lumière et d'oiseaux. Il désirait sentir la force de cette femme qui fonce vers l'avenir comme un camion en robe fleurie. Plusieurs fois, il a soulevé le combiné pour lui parler. Il ne pouvait pas. Il était intimidé. Comme si elle avait été une inconnue... Il lui était impossible de confier sa peine. Miss Camion, se disait-il, était occupée ailleurs. Il craignait qu'elle aussi le repousse.

Le cow-boy de la Chambre des notaires de Québec revient à la voiture :

— J'ai inondé le désert. Les fleurs vont se mettre à pousser. Bon Dieu ! je vais voir mon père pour la première fois... moi qui suis déjà grand-père... Je suis bien plus nerveux que la première fois que je me suis déshabillé après avoir déshabillé une fille. J'étais terrorisé. J'étais convaincu qu'elle me dirait non. Penses-tu que mon père va me dire non ?

— On doit d'abord le trouver. Maintenant, il faut faire attention... Moi aussi, j'ai toujours eu peur de me faire dire non par une femme...

— Des centaines de femmes m'ont dit non. Ça fait toujours mal... Celles qui disent non, on se souvient d'elles...

— Tiens, rends-toi utile. Voici la carte. Guide-moi. Si on se fourvoie ici, tu ne verras jamais ton père. On doit être tout près...

À l'ouest, devant eux, le soleil transforme la montagne mauve en un temple fabuleux.

— Dans ce désert, il n'y a pas de point de repère, ronchonne Robert Martin. Tout est pareil et rien n'est semblable.

Il est impatient. Il a hâte d'arriver. Il a hâte d'en finir. Il veut renouer avec le fermier Dubois. Pourquoi s'est-il jeté dans cette aventure de trouver le père de son compagnon ? Il avait encore besoin de fuir son chagrin comme il l'a fui l'an dernier sur les autoroutes américaines. Fuir. Fuir. Il déteste savoir qu'il ne cesse de fuir. Cette conscience lui donne une irritation sous-cutanée. Jean-René Goupil constate sa mauvaise humeur :

— Puisque tu me le demandes, je vais t'aider à t'orienter, suggère-t-il. Je suis un peu de la place, après tout... Au Petit Séminaire de Québec, quand mes chers camarades voulaient m'insulter, ils m'appelaient le « maudit sauvage »... Je me défendais... Je me battais comme un maudit sauvage.

Ils roulent de courbe en hésitation, avec des retours, des discussions, penchés sur la carte :

— Pourquoi est-ce que j'aurais dû souligner plus précisément mon trajet ? Je n'avais aucune envie de revenir sur cette planète perdue qui ressemble à la Lune. Il n'y a rien ici. Tu vois bien qu'il n'y a rien...

— Pardon ! Je te demande pardon ! Il y a mon père. Mes racines sont ici. Ce n'est pas rien.

Après des carrefours où ils n'ont pas d'autre choix que de laisser le hasard décider de la direction à prendre, ils suivent des chemins de gravier bordés de sauge et de cactus. Après des bifurcations incertaines, dix fois ils doivent rebrousser chemin, essayer une autre direction, un autre chemin non identifié.

— Ce paysage est ennuyeux comme un mois entier de pluie, juge l'historien.

— C'est mon pays. Aie du respect ! mon frère.

Une sinueuse traînée de poussière rampe entre les arbrisseaux secs. L'ombre maigre d'un coyote apparaît près d'un cactus, furetant dans le vent. Les balais d'essuie-glace ont barbouillé le pare-brise. Descendu derrière les montagnes, le soleil lance des flèches aveuglantes. Robert Martin soupire :

— Ça ressemblait à ça. Avec la boutique d'antiquités à côté... C'est le poste de traite. Oui. C'est ça. Je me souviens du cactus haut comme un sapin. Il était juste là. On est rendus. Terminus !

— Penses-tu qu'ils ont des chiottes ? J'ai jamais été aussi nerveux.

Robert Martin éclate d'un rire à s'étouffer. D'abord étonné, Jean-René Goupil est entraîné dans ce fou rire larmoyant. Rien de drôle n'a été dit, mais ils rient parce que les mots ne peuvent exprimer ce qu'ils ressentent. Et si les mots le pouvaient, les deux amis n'oseraient les prononcer à cause de leur pudeur de mâles ; il est plus facile de grimacer comme des gamins que de trembler comme des hommes devant l'inconnu. Les rires s'apaisent. Les compagnons s'essuient les yeux. Et tout recommence. Comme deux touristes ivres, ils entrent dans le poste de traite.

Robert Martin croit d'abord reconnaître la caissière... Non, ce n'est pas la même. L'été dernier, elle taquinait les chalands. Elle avait les cheveux longs. Et les rayonnages ne sont pas disposés de la même manière. Il ne se souvient pas d'avoir vu, l'an dernier, ces carabines enchaînées au mur. Ces tables n'étaient pas là. L'historien est confus. Sa mémoire est imprécise. Et s'il ne se souvient pas de l'an dernier, comment pourrait-il reconstituer le parcours de Dubois au siècle passé ?

— Je me suis fourvoyé, concède-t-il. On n'est pas au bon endroit. Cherchons.

Les clients, attablés devant leur Coke, ne parlent pas. Ils ont l'air d'avoir presque cent ans. Ils dévisagent Jean-René Goupil comme si personne n'était passé là depuis longtemps.

— Veux-tu me dire ce que les petits vieux ont à me dévorer des yeux ? Ils n'ont jamais vu un sauvage ?

Ils l'examinent avec une curiosité insistante. Ils ont ce plissement des yeux que l'on a quand on reconnaît lentement une personne qui revient d'un passé lointain. Jean-René

Goupil bombe le torse pour se faire plus impressionnant. Les vieux chuchotent. Ils parlent de lui. Sûrement.

— Mademoiselle, voulez-vous me dire où est-ce qu'on est rendus ?

La caissière les évalue du regard :

— Ça dépend... Où voulez-vous aller ?

— Nous cherchons un vieil homme avec un bras coupé.

— Charlie Longsong ?

— Il prétend que votre magasin lui appartient...

— C'est Charlie Longsong. Il est beaucoup plus sage depuis quelque temps. Il doit sentir venir sa mort.

— Mademoiselle, qu'est-ce que les vieux ont à me regarder ? demande Jean-René Goupil.

— Les hommes, crie la caissière pour se faire entendre même de ceux qui sont sourds, pourquoi examinez-vous le monsieur ?

— Il ressemble à quelqu'un qu'on a connu dans le temps...

— Une ressemblance, c'est rien d'autre qu'une ressemblance, conclut la caissière.

— Est-ce qu'on peut voir ce M. Longsong ?

— C'est par là... À trois cents pieds d'ici, vous prenez la route de gravier à droite et ensuite, attention à votre gauche, vous allez voir trois gros cactus qui se tiennent serrés ensemble. Regardez bien ; là, vous devriez apercevoir des traces de camion s'il fait pas trop noir. Suivez-les lentement en faisant votre prière. Si Charlie Longsong a raté son tir parce qu'il est trop ivre, vous allez pouvoir apercevoir sa cabane. Voulez-vous que je prévienne le croque-mort au cas où ?...

Avec une pointilleuse attention, ils suivent les indications de la caissière : ils roulent pendant une centaine de mètres, ils tournent à gauche, ils aperçoivent trois cactus.

— C'est ici, mon frère.

Robert Martin s'impatiente :

— Comment est-ce que tu peux savoir ? Il y en a partout, des maudits cactus !

Il regrette sa mauvaise humeur, mais il ne dit rien pour s'excuser.

— Je me sens comme je me sentais dans le ventre de ma mère quand elle me portait depuis neuf mois et trois jours... Tu vois les traces de camion ? Suis les traces... Attention au cactus. Attention ! Va pas frapper l'opopanax.

— L'opopanax ? Qu'est-ce que c'est que ça ?

— Je constate que ta mère n'était pas une poétesse, ignare !

— Les traces disparaissent dans les broussailles.

— Continue d'avancer, on va les retrouver.

— Je déteste ça. On avance comme des aveugles. On ne sait pas ce qu'il y a devant... On n'est pas sur la Grande Allée à Québec...

La nuit opaque enserre la voiture malgré les faisceaux lumineux. Fouettés par la lumière des phares, la foule des cactus défilent comme d'étranges pèlerins. La voiture est secouée, se tord dans les fondrières et les ravines à sec. Les cailloux grattent le réservoir. Parfois, une roue s'enlise dans le gravier, tourne à vide, s'agrippe de nouveau. Ils avancent. Ils n'arriveront jamais nulle part.

— Que c'est difficile d'avoir un père ! philosophe le notaire.

— C'est ton père... Je ne t'ai jamais demandé, moi, de venir m'aider à trouver mon père...

— Je ne refuserai pas de faire la même chose pour toi, mon frère, quand tu auras mis la main sur le journal intime de ta mère.

— Prouve-moi que tu es un vrai Indien ; dis-moi laquelle des constellations est la Grande Ourse ou la Petite Ourse...

— Je n'ai pas envie de passer mon savoir à un Blanc...

Des broussailles griffues égratignent les parois de la voiture. Des petites bêtes aux yeux étincelants détalent quand la lumière les effleure. L'historien est fatigué. Malgré l'air conditionné, sa chemise est trempée dans son dos. Il déteste conduire une voiture. Et le voilà à la conquête du désert.

Quelle équipée idiote! Sa voiture est éreintée elle aussi. Elle ne va pas tenir le coup. Elle va s'aplatir quelque part comme un âne qui ne veut plus avancer. Le souvenir de ses impressions dans le désert devrait lui être utile quand il écrira la vie du fermier Dubois.

Cette nuit est comme une forêt épaisse. Robert Martin est troublé par un bénin vertige. Il connaît cette sensation. Il se rappelle la première fois qu'il l'a éprouvée. Il était monté sur le toit de sa maison, quand il avait encore le droit d'habiter sa maison, pour récupérer le cerf-volant de son fils. Ah! comme il aimerait serrer ses enfants dans ses bras! Jean-René et lui vont passer la nuit dans ce désert. S'ils posent le pied dehors, ils risquent d'écraser la queue d'un serpent. Il est un homme civilisé : il tient un volant; il a écrit une thèse de doctorat. Pourtant, une terreur s'éveille en lui. Il en tremble presque. Robert Martin décide qu'il faut s'arrêter.

— Continue, insiste le cow-boy. On est bientôt rendus chez moi.

— Tu as attendu cinquante ans pour rencontrer ton père. Si tu acceptais d'attendre la clarté pour continuer notre route, ça ne ferait pas beaucoup de différence.

— Tu parles comme ça, mon frère, parce que tu as connu ton vrai père.

— Alors, allons-y chez ton père!

Il faudra ce soir qu'il fixe ses émotions dans son carnet de notes avant de s'endormir. Elles donneront à son texte sur le fermier Dubois cette authenticité de l'expérience vécue qui manque si souvent à l'histoire. Bringuebalant comme un chameau récalcitrant, la voiture crache, geint et se rebiffe. Affalé sur sa banquette, Jean-René Goupil réussit enfin à réciter sans se tromper :

«Et tu as pris mon cœur
Rue Gît-le-cœur
Et tu m'as donné le tien
Ô mon jeune frère indien
Nous avons fait la paix

255

Au mois d'août
Rue Gît-le-cœur
À Paris »

— Mets les freins ! Les freins ! crie-t-il. Les freins ! Tu vas écraser un homme.

Robert Martin ne voit que la lumière de ses phares.

— Il y a un homme !

Robert Martin ne voit personne.

— C'est peut-être mon père...

— Crie-lui : « Papa ! »... On verra bien... Où est-il ?

— Regarde à ta droite, un peu en dehors de la lumière. Il est armé. Vois-tu les reflets sur sa carabine ?

— On recule ? suggère l'historien. Nous, on n'est pas armés.

— Je vais lui demander son nom. On verra bien s'il est mon père... Merde ! j'ai oublié son nom. Comment est-ce qu'il s'appelle, mon père ?

— Merde ! tu m'as fait oublier. Tu m'énerves avec ta nervosité. Peux-tu compter combien il a de bras ?

— Papa ! risque Jean-René Goupil par la fenêtre.

Le silence que souffle la brise secoue les broussailles sèches en soulevant la chaleur endormie dans le sol.

— Sortons, propose Jean-René Goupil... Moi, je sors lui parler.

— Moi, je ne vois personne.

Le cow-boy de l'île d'Orléans pousse la portière. Les charnières geignent bizarrement dans ce calme insondable. Son corps se déploie avec une lenteur précautionneuse comme on entre dans l'eau froide.

— Salut ! Je ne peux pas vous voir. Je cherche mon père qui vit par ici.

Un coup de feu éclate. Jean-René Goupil a vu le feu craché par la carabine. Il se croit mort, mais il n'ose rouler au sol par crainte des serpents. S'apercevant qu'il vit encore, il revient à la voiture. Une autre détonation fouette le désert.

— On aurait dû foutre le camp d'ici il y a longtemps, regrette Robert Martin.

— Si on bouge, on risque de se faire trouer le pare-brise.

— Pourtant, je n'ai encore vu personne.

— C'est tout de même pas les cactus qui explosent! Arrête le moteur. Éteins les phares. On est mieux de ne pas bouger. Ça va le rassurer.

— Moi, je dis qu'on est mieux de déguerpir.

L'auto bouge à peine. Le phare avant gauche éclate dans un bruit de ferraille.

— Ton père n'a pas l'air trop content de te voir.

— Éteins ton autre phare avant qu'il nous le fracasse...

L'historien étouffe de chaleur. Le notaire est à l'étroit dans cette médiocre voiture :

— On aurait dû louer un char d'assaut.

— Si tu es si convaincu que l'homme invisible est ton papa, crie-lui donc le nom de ta mère pour le tranquilliser.

C'est la seule action raisonnable. Jean-René Goupil abaisse la vitre de la portière et articule en séparant les syllabes :

— Blan - che La - ri - viè - re !

Les montagnes qui se sont fondues dans la nuit renvoient sur le désert le nom de la poétesse qui aima un Indien de l'Arizona :

— Blan-che La - ri - viè- re !

Les deux voyageurs attendent la réponse, une autre décharge de carabine. Elle n'éclate pas. Ils attendent encore. Elle ne peut que venir. La carabine reste muette. Le silence s'allonge ; le temps s'alourdit.

— Remonte la vitre, les moustiques vont nous bouffer.

— Sans climatisation, on va crever.

— Il a mauvais caractère, ton vieux !

— On va cuire à l'étuvée comme des haricots chinois.

— Si tu étais vraiment le fils de ce tireur d'élite, il le sentirait dans ses gènes. Il voudrait te serrer dans ses bras.

— Dans son bras... Si je sors pisser maintenant, je risque ma vie.

— On aurait dû rester à l'île d'Orléans.

33

Ce matin, le soleil s'est allumé brusquement au-dessus du désert comme, au Petit Séminaire, la lumière du dortoir que la main perverse du surveillant déclenchait pour gifler les visages endormis. Dans la voiture déjà bouillante, les deux passagers se réveillent en grimaçant, l'un sur la banquette avant, l'autre à l'arrière. Leur regard embrouillé détaille le désert : les buttes, les taillis de sauge, les touffes de créosote, le bataillon désordonné des séquoias et une cabane couverte de tôle rouillée, un abri pitoyable construit d'un ramassis de débris. Assis dans l'ombre de la porte, un homme dort. Une arme est posée sur ses genoux.

— Qui de nous deux sort le premier ? demande le notaire.

— Tu portes des bottes de cow-boy ; c'est toi le plus brave, décide Robert Martin.

— C'est dans quel mythe de l'Antiquité grecque que le fils est tué par son propre père ?

— Je ne sais pas. Est-ce que ce n'est pas Chronos, le dieu du temps, qui avale ses enfants ?

— Mets de la musique comme dans les films, quand le cow-boy s'approche de l'homme armé.

La radio projette une sombre complainte de Johnny Cash qui raconte la triste histoire d'un jeune homme que sa mère suppliait de ne pas prendre un couteau quand il partait pour la ville. Il n'a pas obéi. Tout le désert écoute la tragédie austère. Le jeune homme va mourir à la fin. Jean-René Goupil reste dans la voiture.

— J'ai fait un curieux de rêve, dit l'historien. Cette nuit, j'ai senti une présence près de la voiture. J'ai regardé. Un cheval s'est approché de la voiture. J'étais bien réveillé. Ses sabots étaient silencieux. Puis, le cheval et son cavalier sont repartis au trot en direction de la Lune. C'était un rêve, mais je m'en souviens comme si j'avais vu de mes propres yeux.

Jean-René Goupil interrompt la ballade d'un cow-boy qui cherche une cow-girl qui ressemble à sa mère sur une photographie ancienne :

— Est-ce que j'ai parlé pendant mon sommeil ? demande-t-il. Tu as raconté mon rêve. C'est incroyable ! Est-ce que je t'ai raconté mon rêve ?

— Non. Ni ton rêve ni rien.

— C'est impossible. Toi et moi, on aurait fait le même rêve ! Je te jure que j'ai entendu un cheval qui s'approchait au galop. Ses sabots ne faisaient aucun bruit en frappant le sol, mais j'entendais le silence des sabots comme si ça avait été un bruit. Le cheval bougeait comme une ombre. Je l'ai entendu s'approcher de la voiture. Je n'ai pas osé remuer. Il en a fait le tour. Je m'étais de nouveau endormi. Puis, j'ai rêvé que j'étais sur le dos du cheval. Un cheval noir. C'est impossible. On a fait le même rêve ! J'étais sur le dos du cheval. Je me rappelle l'odeur : comme du cuir mouillé. Le cheval s'en allait du côté de la Lune... On a fait le même rêve. Ça ne se peut pas. L'un de nous deux a dû parler pendant son rêve...

— Il faut partir d'ici.

— Si je sors pas pisser, moi j'éclate.

— Je vais éclater avant toi.

Chacun pousse sa portière avec précaution. On s'efforce d'éviter tout grincement. On ne veut pas réveiller l'homme qui dort sur le seuil de sa porte. La poussière fait criailler les charnières. Il ne doit pas vraiment dormir : tous deux ont vu des westerns. Ils sentent son regard comme la pointe aiguë d'une flèche. Chacun de son côté, ils posent un pied sur le sol. Rien ne bouge dans la cahute. Ils déplient leurs corps ankylosés par cette nuit de mauvais sommeil. Engourdis, boitillant, ils se choisissent chacun un séquoia et courent se mettre à l'abri. Le bruissement des jets d'urine comme une ondée. Une sensation de béatitude envahit leur corps et leur âme.

Un coup de feu pète. Une balle siffle au-dessus de leur tête. Ils s'écrasent au sol.

— J'ai pas fini...

L'Indien s'approche, la carabine pointée vers eux. C'est un homme grand que l'âge a raccourci. Il tient sa carabine d'une seule main. Il marche avec l'assurance de celui qui veut demeurer maître chez lui. Il se plante près de la voiture et il les attend.

— Pourquoi m'as-tu amené ici ? reproche Jean-René Goupil.

— Levons les mains en l'air. Il faut lui montrer qu'on n'est pas aussi dangereux qu'on le paraît.

— J'ai faim. C'est l'heure du petit déjeuner. Demande à mon père s'il veut nous préparer du pain doré avec du sirop d'érable.

— Demande-le-lui ; c'est ton père.

Le vieil homme n'a pas l'air de vouloir abaisser son arme.

— Penses-tu que le vieux Christ veut nous tuer ? s'inquiète Jean-René Goupil après une brève analyse de la situation.

Le vieil homme pose le canon de sa carabine sur son épaule et il avance de trois pas vers eux.

— Je savais que vous alliez venir. Il faut se méfier des hommes dans la nuit. Je voulais vous voir dans la clarté du jour.

— C'est mon père ! triomphe le notaire.

— Dans ce temps-là, je n'étais pas plus haut qu'une tige de maïs qui n'a pas fini de pousser. Une nuit, des étrangers sont venus. Ils voulaient la terre de mon père. Ils cherchaient quelque chose dans la terre qui se vend pour beaucoup d'argent. Mon père voulait garder sa terre. Ils ont dit que mon père n'avait pas le droit de garder sa terre. Mon père s'est battu. Moi, je venais à peine de laisser le sein de ma mère. J'ai pris un fusil dans mes mains. Dans ce temps-là, c'était avant que j'aille à la guerre, j'avais encore deux mains. Pour défendre mon père, j'ai tiré un coup de feu. Il faisait noir. Mon père est tombé. Les étrangers se sont enfuis. Moi, j'étais tout petit. J'avais tué mon père. Cette nuit, pendant que je vous surveillais, je me suis endormi. Je suis un vieil homme et un vieil homme dort souvent. Mon père est venu visiter mon rêve. Il est arrivé sur sa belle jument noire. Mon père m'a parlé. Il m'a dit :

« Tu étais un brave Petit Homme Tornade. Tu t'es battu comme un brave petit Indien. Tu m'as bien défendu. Les *Bohanas* m'auraient tué, mais tu as tiré le premier, Petit Homme Tornade. Tu étais si petit ! Tu pouvais à peine attraper le bout de la queue de ma jument. »

Mon père s'est penché pour me prendre dans ses bras. Il m'a assis sur sa jument noire et il m'a dit :

« Viens avec moi, Petit Homme Tornade, je vais te promener sur ma terre. Tu l'as bien protégée. Personne n'est venu y creuser de grands trous. Serre-toi contre moi, Petit Homme Tornade, car je suis venu t'apprendre que tu as un fils. Je vais te montrer ton fils. Toi et moi, nous allons le regarder pour la première fois. Serre-toi contre moi, Petit Homme Tornade, car nous allons emmener ton fils avec nous. »

— Je suis le fils de Blanche Larivière.

— Rue Gît-le-cœur, récite le vieil Indien, le regard portant loin, jusque de l'autre côté de l'océan, jusque dans le passé de sa jeunesse.

Il a prononcé presque parfaitement ces mots français.

« Quelle histoire ! » songe Robert Martin. Au lieu de s'esquinter à rassembler les pièces de l'odyssée du fermier Dubois, il devrait plutôt écrire la biographie de la poétesse Blanche Larivière et de son amant, Petit Homme Tornade de l'Arizona. Après cet amer divorce, qu'il serait doux de raconter une histoire d'amour ! Il pourrait ainsi insérer la présence d'une femme dans l'histoire de l'Amérique. L'histoire de l'Amérique où ne s'agitent que des hommes n'est que la moitié de l'histoire. De l'histoire inachevée. L'Amérique ne s'est pas faite sans les femmes. Au cours de ses recherches sur le fermier Dubois, il n'a pas perçu souvent le friselis d'un jupon. Les hommes tels que lui étaient doués d'une nature ardente. Ils avaient le sang fort et chaud. En forêt, dans les mines ou les prairies, l'instinct animal rugissait. Ces hommes étaient des mois sans apercevoir de femmes. Se pourrait-il que Dubois ait été homosexuel ?... Aucune hypothèse ne doit être rejetée. Cependant, si tel était le cas, comment expliquer l'épisode du Yukon, où Dubois a fait la conquête de la chanteuse Emma Lamour ?

— Fils, raconte-moi d'où tu viens.

Le notaire a envie de dire : « À partir d'aujourd'hui, je vais avoir une histoire à raconter. » Cependant, il se tait. Avec son éducation d'homme blanc, il craint d'être ridicule. Pour ne pas parler, il fait quelques pas. Charlie Longsong s'approche et marche avec lui. En silence. Avec son père, il fait ses premiers pas dans le désert. Comme un authentique fils d'Indien. Mais il est un adulte... Il a une bedaine d'adulte et il est déguisé en cow-boy avec ses bottes pointues.

« Ce vieil homme est probablement mon père, raisonne le notaire, parce que j'ai le sentiment que nous n'avons rien à nous dire. J'avais le même sentiment envers mon pauvre notaire d'ex-père. » Pourquoi n'est-il pas demeuré simplement dans son île d'Orléans ? Il pourrait flâner dans son bateau au lieu de crever dans le désert. Du fleuve, il pourrait regarder le monde s'enterrer sous ses embarras.

L'Indien se dirige vers son *hogan*. Jean-René Goupil comprend qu'il est invité à le suivre. Pourquoi son sang tremble-t-il dans ses veines ? Pourquoi sa gorge se serre-t-elle ? Pourquoi éprouve-t-il ce malaise devant l'ombre de la porte ouverte ? Ce n'est qu'une cabane où la pauvreté a fait son nid. Il a vu des milliers de cabanes semblables partout dans le monde. Est-il effrayé d'entrer dans celle-ci parce qu'elle est la maison de son père ? Costumé en cow-boy des vastes espaces, le notaire hésite à poser sa botte sur le plancher de terre. « À s'approcher de la pauvreté, on en prend l'odeur », a-t-il appris. L'oiseau qui a volé très loin appréhende ce nid d'où son père ne s'est jamais envolé. Est-ce la raison pour laquelle ses jambes sont amorphes ? Le fils de l'Indien de l'Arizona étouffe de cette anxiété profonde, atavique, incontrôlable que l'on éprouve devant l'inconnu.

Si la mémoire n'était pas une machine à produire de l'oubli, Jean-René Goupil se souviendrait qu'un jour il a frissonné de ce même effroi. C'était le jour où sa mère s'efforçait de le mettre au monde ; lui se cramponnait car il préférait la chaude nuit familière à la lumière inconnue qui régnait au-dessus du fleuve Saint-Laurent.

Le notaire suit son père, ce géant amputé, courbé, raviné. Le vieillard exhale un relent de viande bouillie ou de fourrure mouillée. Blanche Larivière, cette dame distinguée qui écrivait à l'encre ses poèmes sur du papier bleu, n'aurait pas supporté son odeur.

— Fils, raconte-moi.

Jean-René Goupil a été élevé comme un Blanc dans une petite ville de Blancs. À l'adolescence, il s'est rebellé ; sa révolte était celle d'un petit Blanc qui s'accordait une brève récréation avant de rentrer paisiblement en classe. Pourtant, il n'a jamais été un petit Blanc. Il est le fils de cet Indien qui marche devant lui en faisant rouler le gravier sous ses pieds.

Cette cabane de troncs couchés, de contreplaqué, de carton et de tôle, voilà où l'ont mené toutes ces années. C'est de là qu'il va s'envoler vers ses nouveaux horizons. Le notaire sait qu'un homme n'échappe pas à son père. Il voudrait pouvoir lire la pensée du vieil Indien.

Jean-René Goupil a voyagé en Amérique latine. Il a lu l'histoire de ses peuples. Les Indiens étaient prévenus que l'homme blanc leur apporterait malheurs et misère. Il se rappelle qu'un grand livre maya, une sorte de Bible, prophétisait que les dieux reviendraient sous la forme d'hommes blancs barbus et que leur retour serait terrible car ces hommes blancs, armés d'éclairs, auraient le pouvoir de castrer le soleil et d'imposer l'ombre sur leur empire. Au milieu de son silence, le vieil Indien tremble-t-il devant son fils blanc ? Blanche Larivière a-t-elle étendu de l'ombre sur le désert de Petit Homme Tornade ?

Charlie Longsong pose sa carabine sur les deux clous au mur et il se dirige vers un coin de la cabane où il fait sonnailler une casserole et une poêle à queue.

34

Jean-René Goupil et Robert Martin ont englouti les crêpes de maïs que leur a préparées leur hôte. Le vieil Indien ne leur parle pas. Il leur sert du thé. La théière est enrobée de suie carbonisée, mais le thé est bon. C'est du thé sauvage cueilli dans le désert. Ils boivent dans des boîtes en fer-blanc. Sa vieille main ne tremble pas quand il verse le thé. Comment briser le silence ?

Charlie Longsong est assis avec eux sur le gravier, du côté où la cabane donne de l'ombre. Doucement, il commence à parler :

— Quand les *Bohanas* sont venus pour prendre la terre de mon père, j'étais un enfant. Un fusil était si pesant pour moi. Ils ont attaqué mon père. Je l'ai défendu. J'étais un enfant. Je voulais défendre mon père. J'avais du courage. J'ai tiré. Est-ce qu'un homme sensé peut demander à un enfant de savoir tirer comme un homme ? J'aurais dû être avec ma mère parmi les autres enfants. Mais j'étais au milieu d'une bataille d'hommes. C'était la nuit. Les couteaux brillaient. Les camionnettes rugissaient. Et les chevaux hennissaient.

Moi, je voulais aider mon père. J'ai tiré. Et j'ai atteint mon père. Voilà ce que je voulais raconter à mon fils. Mon père a crié. Moi, je n'aurais pas dû être là. La nuit était noire comme le milieu d'un rocher. Mon père n'avait pas peur de la mort, ni des menaces, ni des injures, ni des coups de feu. Mon père m'a dit : « Petit Homme Tornade, tu es jeune et je ne vais jamais te laisser seul sur la Terre. » Après ça, tout le monde s'est tu. Les *Bohanas* se sont enfuis dans leurs camionnettes sans allumer leurs phares. Les chevaux étaient devenus fous. Ils se sont évadés. Je suis resté seul. Il faisait si noir que je ne voyais pas mes orteils. Comme un enfant de mon âge, j'ai appelé mon père. J'ai crié. J'ai crié si fort le nom de mon père que j'ai eu du sang dans la bouche. J'ai perdu connaissance. Quand j'ai rouvert les yeux, la lumière était si brillante sur le désert que j'ai dû les refermer. La soif me rongeait l'estomac. Je me suis levé. J'ai regardé autour. Il y avait ma carabine. Des traces de pneus entrelacées. Des empreintes de sabots. Il y avait une tache brune sur le sable avec des mouches qui buvaient. C'était le sang qui avait coulé du cœur de mon père. Des centaines de fois, j'ai encore appelé : « Papa ! » Le ciel m'aidait car l'écho répétait aussi : « Papa ! » De l'autre côté des nuages et de plus profond que les racines des plantes, les dieux avaient décidé que, cette nuit-là, Petit Homme Tornade allait devenir un homme plus tôt que tous les autres enfants. Celui qui n'a pas reçu d'enfance ne peut pas donner une enfance. Mon père disparu, j'étais seul comme un homme est seul. Il ne m'a jamais abandonné, même si je lui avais crevé le cœur. Toutes ses paroles ont coulé avec son sang dans le sol du désert. Ainsi, il m'a souvent parlé. Voilà l'histoire que je tenais à raconter à mon fils... Fils, raconte-moi ton histoire.

— Je n'ai pas d'histoire...

Devant cet homme, Jean-René Goupil est mal à l'aise, intimidé. Son père est trop grand, trop lourd, étranger. Un doux vertige embrouille ses pensées. Dans ce brouillard, il se voit, les yeux embués de chagrin, suivre le cercueil de son père le notaire jusqu'à la fosse au cimetière : le cercueil de cet homme qu'il croyait alors être son père. En face de ce vieux géant cuit par la lumière du temps, il n'a rien à dire et il n'a pas les mots pour le dire.

— Ma mère, Blanche Larivière, lance-t-il, est décédée il y a une vingtaine d'années...

Petit Homme Tornade baisse la tête pour se recueillir dans un souvenir pieux. Quand il la relève, il darde le regard de ses petits yeux plissés dans ceux de son fils :

— Il y a eu la guerre. Puis, quand la bataille a été finie, il y a eu la musique et la danse. Quand la danse a été finie, on est retournés d'où on venait, les uns au sud, les autres au nord... Les uns se sont souvenus, les autres ont oublié...

«Voici le moment d'insérer la question la plus importante», évalue Jean-René Goupil. Pour la formuler, il l'a écrite sur papier. Il l'a travaillée, corrigée, reprise, polie plusieurs fois, imitant sans doute sa mère quand elle écrivait ses poèmes. Il l'a retournée tant de fois dans sa tête :

— Vous souvenez-vous du moment où vous m'avez fait avec ma mère, dans la chambre de la rue Gît-le-cœur à Paris ?

Le vieil Indien regarde au-dessus de lui comme s'il pouvait percer l'horizon et voir la rue Gît-le-cœur.

— Un homme de mon âge a accumulé beaucoup de souvenirs et beaucoup d'oubli. Le temps passe comme le vent et choisit ce qu'il charrie avec lui... Quand un homme cherche son père, il cherche celui à qui il ressemble. Celui qui ne ressemble pas à son père est un orphelin.

Jean-René Goupil n'insiste pas. Un vieil homme a le droit de se taire.

— Je vais vous emmener rue Gît-le-cœur à Paris.

— J'aimerais voir la falaise que j'ai grimpée à la guerre quand j'avais encore les deux bras qu'une mère donne à ses enfants. Mais un vieil homme ne doit pas retourner sur les traces de sa jeunesse. Un vieil homme doit aller là où il doit aller.

— Je vais vous emmener au 33 Grande Allée, à Québec, à la maison de Blanche Larivière.

— Attends.

Charlie Longsong disparaît dans son *hogan*. Jean-René Goupil se lève aussi. Le soleil est pesant. Son compagnon de voyage s'est éloigné pour le laisser seul avec son père. Le cowboy espère qu'il ne s'est pas perdu, lui qui est habitué à suivre les trottoirs. La lumière que le gravier lui renvoie au visage est intolérable. Son corps, autant que son âme, est sensible comme s'il avait été roué de coups. Il a soif. Pourquoi sa mère n'a-t-elle pas, comme les autres femmes, gardé pour elle ses petits secrets d'amour au lieu de changer ses frissons en poèmes immortels ? C'était bien inutile. Aujourd'hui, il n'y a plus rien d'immortel.

Charlie Longsong revient avec une poignée de papier sali qu'il tend à Jean-René Goupil :

— Fils, voici des lettres pour Blanche Larivière.

Les enveloppes portent la mention «INCONNUE. Retour à l'envoyeur.»

35

Dans l'avion qui les ramène au Canada, les deux compagnons n'ont pas envie de causer. Chacun est un peu souffrant. Robert Martin a perdu une année entière à tenter de reconstituer l'itinéraire insaisissable d'un fermier Dubois. Il a absolument besoin de parler à Miss Camion... Ah! dormir avec Miss Camion... C'est comme si une mer chaude vous roulait dans ses vagues jusqu'au large et vous ramenait au bord. C'est comme explorer les paysages des Rocheuses. C'est comme rouler à toute vitesse sur une autoroute... Miss Camion ne peut être satisfaite d'un comptable. Elle a faim de grands espaces. Voilà pourquoi elle aimait tellement ce projet du fermier Dubois. Sûrement, elle aimera encore plus la fresque romantique et bouleversante de la rencontre de Blanche Larivière et de Petit Homme Tornade, de leur amour durable et de leur séparation éternelle. Cette histoire vraie raconte toute l'Amérique. Dès qu'il arrivera à l'aréoport, il va téléphoner à Miss Camion, lui annoncer qu'il ne retournera pas chez sa trop jolie coiffeuse. Peut-être dormira-t-il ce soir avec Miss Camion?

Jean-René Goupil se sent triste comme s'il revenait des funérailles. Avec ses deux pères, il est plus orphelin qu'il ne l'a jamais été. Il sait ce qu'il fera à son retour dans l'île d'Orléans. Il marchera jusqu'au grand pin derrière sa maison, tout près du fleuve. Il s'assoira comme il l'a fait tant de fois, comme sa mère et son pauvre père, le notaire, l'ont fait aussi, avant lui. Devant le fleuve qui descend vers la mer, il lira les lettres de Charlie Longsong que sa mère n'a pas osé recevoir. Elles expliqueront le mystère de ce qu'il est.

Arrivé devant sa maison, Jean-René Goupil n'entre pas embrasser sa jeune femme, mais s'enfonce dans l'ombre des arbres feuillus qui jouent à repousser le soleil au-dessus de l'allée. Il s'assied contre le pin, frissonnant, avec ces lettres qui dévoileront les derniers secrets. Au moment de déchirer la première enveloppe, sa main hésite. C'est dans sa propre vie qu'il devrait plonger, non pas dans celle de sa mère ni celle du vieil Indien de l'Arizona. Jean-René Goupil doit entreprendre son aventure d'Indien intensément sur la planète Terre et ailleurs si possible !

«Le vent se lève, il faut tenter de vivre.» Cette pensée lui est venue de loin, d'un cours de poésie. Elle était étouffante, la classe du Petit Séminaire. De l'autre côté de la fenêtre, au-delà du Saint-Laurent, le monde s'ouvrait, tout grand et invitant.

Une à une, il laisse tomber dans l'eau précipitée les lettres qui vont être emportées et couler au fond de la mer, là où, dit-on, tout a commencé.

DERNIER ÉPISODE

Isabelle, sa compagne, lui a dit :

—Tu ne peux tout de même pas abandonner ton père tout seul dans le désert comme un vieux cactus.

Alors, arrive ce qui devait arriver. Jean-René Goupil est incapable d'expliquer pourquoi il a laissé son père dans sa misérable cabane en Arizona.

Charlie Longsong ne pense plus qu'à ce fils inconnu qui est apparu un soir et qui est aussitôt remonté vers le froid du nord comme s'il avait eu peur.

Jean-René Goupil essaie d'imaginer la solitude aride qu'a connue son père. Jusqu'à la fin de ses jours, il se sentira coupable s'il ne réussit pas à embellir les dernières années de cet homme à qui sa mère a donné un grand bonheur. Puisqu'il est le fils de Blanche Larivière, il a le devoir de lui prodiguer un second bonheur.

Charlie Longsong est le père d'un fils. Il songe à tout ce que son père a enseigné à Petit Homme Tornade. Il compte tout ce qu'il n'a pas enseigné à son fils. Il fermera les yeux pour le grand sommeil sans que son fils ait entendu son récit. Que racontera ce fils à ses propres enfants ?

Jean-René Goupil a besoin d'apprendre de la bouche de son père comment il est venu sur la Terre et comment c'était avant son arrivée. Il voudrait que son père guide ses premiers pas dans ce nouveau chapitre : seul un Indien peut dire à un Indien comment doit penser un Indien.

Charlie Longsong conclut que, si un homme a un fils, même loin, même perdu dans la neige d'un pays étranger, cet homme ne peut pas faire semblant de n'avoir pas de fils.

Jean-René Goupil est convaincu que Charlie Longsong languit de voir le pays où a vécu la femme qu'il a aimée, où elle a rêvé de lui, où elle l'a aimé dans un silence soumis.

Charlie Longsong regrette d'être resté dans son désert. Seul avec ces mille et mille étoiles qui dansent au ciel, il comprend maintenant qu'au lieu de s'enfermer dans son chagrin, sa douleur, au lieu d'endormir sa peine en buvant du bourbon, il aurait dû imiter cet Indien de la légende ancienne qui partit à la conquête des plumes précieuses d'un très rare perroquet. Comme lui, il aurait dû franchir le désert, traverser les forêts, escalader les montagnes. Il aurait dû trouver dans son cœur encore plus de courage que le chasseur de plumes puisque ce n'était pas un oiseau qu'il aurait trouvé mais une femme qui l'espérait.

Arrive ce qui devait arriver. Charlie Longsong et son fils, Jean-René Goupil, en Arizona sont assis ensemble dans le même avion en partance pour le Canada. À cet instant où les voyageurs, un peu roides dans leur fauteuil, ont l'air préoccupé comme s'ils redoutaient que l'avion ne puisse s'envoler, Charlie Longsong annonce :

— Je veux sortir d'ici.

Il ne veut plus monter dans les airs et flotter dans le vide bleu du ciel. Jean-René Goupil tente de le rassurer. Il ne veut pas que ses pieds se séparent du sol. Il était curieux de regarder un avion de près, il l'a vu, il est même entré dans son ventre. C'est assez. Les hommes n'ont pas été faits pour flotter comme l'âme des ancêtres dans les nuages. Les dieux ont donné des pieds aux hommes et non des ailes. Pourquoi risquerait-il de tomber du ciel et de s'écraser dans le désert comme un gros grêlon ? L'hôtesse a accouru. Personne ne le persuadera de rester calme dans son fauteuil. Il ne veut pas dormir, il veut sortir de là. Aucun sourire, aucune promesse n'apaisera sa terreur.

Alors, il faut descendre. Et louer une voiture. Et rouler vers le Canada. Pendant trois jours, Jean-René Goupil doit écouter le silence persistant de son père. Charlie Longsong ne desserre pas les lèvres. Il est absorbé dans un monologue sans mots avec lui-même. Il ne regarde rien. Ses yeux sont fixés sur un horizon très lointain. Est-ce le passé ? Est-ce l'avenir ? Son âme est ailleurs. Il ressemble à ces sculptures de bois représentant un vieil Indien penseur que l'on trouve encore à la porte de certaines boutiques d'artisanat. Charlie Longsong a accepté de venir visiter le pays de Blanche Larivière. Son âme aurait-elle refusé de quitter sa cabane en Arizona ? Aurait-elle entrepris un voyage nostalgique vers la rue Gît-le-cœur à Paris ?

Trois jours plus tard, ils arrivent à Québec. Ils entrent par la Grande Allée. Jean-René va lui montrer la maison où il est né, la maison de Blanche Larivière. Le mois d'octobre offre une tiède journée. Avant que la neige, la glace et la bise ne s'emparent de la ville, l'on déguste les derniers rayons de soleil avec la nostalgie d'un été déjà lointain qui ne reviendra que dans plusieurs mois. Ayant retiré chandail de laine, veston, blouson, les flâneurs s'attardent à une terrasse de restaurant devant une bière et du vin, à déguster cet instant d'éternité.

C'est à regret que le notaire a dû céder sa belle et noble maison aux entrepreneurs qui ont transformé la Grande Allée en cafétéria. Même à l'époque où, rebelle à motocyclette, il fonçait les yeux fermés dans le temps, il aimait les charmes bourgeois de la Grande Allée. Rien n'est jamais stable ; tout change, comme le savaient déjà les philosophes de l'Antiquité qu'on lui enseignait au Petit Séminaire. Aujourd'hui, les terrasses débordent de clients. Devant la maison de son enfance, Jean-René Goupil détourne le regard, mais il indique du doigt la *Pizzeria* où Blanche Larivière a égrené ses jours de femme honnête et dévouée : « le chapelet de ses jours », comme dit l'un de ses poèmes. Dans cette maison, la poétesse écrivit son œuvre. C'est là qu'elle trouva le courage de tracer les mots troublants de sa confession. Dans cette *Pizzeria*, elle rêva tous les jours à Petit Homme Tornade. L'Indien avait donné son bras à la guerre ; elle lui avait donné quelques nuits d'amour. Sans doute la poétesse était-elle amoureuse de son rêve, pense son fils, mais au lieu d'une cabane en Arizona, elle a préféré le confort d'une maison de notaire. Charlie Longsong ne regarde pas.

Jean-René veut retrouver le plus vite possible la quiétude de l'île d'Orléans.

L'automne peint encore les arbres. Accueillante et heureuse d'apercevoir enfin le père retrouvé de son compagnon, Isabelle s'élance pour l'embrasser. L'Indien la repousse comme si elle l'attaquait. L'Indien du désert marche avec précaution ; il craint de chuter sur le plancher verni.

— Il a besoin d'une douche, ton papa.

Son fils lui prête un kimono, elle lui prépare des serviettes.

— Comment ça marche ?

Il a l'habitude de se laver à la pluie quand il pleut. Jean-René lui fait une démonstration : les robinets, l'eau chaude, l'eau froide, le jet d'eau, le savon. Puis, descendu au rez-de-chaussée, il se verse un whisky et prépare un campari-soda pour Isabelle. C'est un moment mémorable. Rien ne sera plus comme auparavant. Ils ne soupçonnent pas ce que ce vieil homme va leur apporter. Ils devront s'ajuster, mais tout ira bien. Jean-René entreprend cette relation complexe et fondamentale entre un père et son fils alors qu'il est lui-même grand-père. Quelle expérience !

— Normalement, c'est beaucoup trop jeune qu'on force un fils à avoir un père ! blague-t-il.

Que sa mère serait heureuse si elle pouvait partager ce moment! Il est impossible que l'Indien et la poétesse n'aient pas souvent communiqué par la pensée, assure Isabelle. Ce n'est pas sans raison que la poétesse et l'Indien se sont rencontrés rue Gît-le-cœur à Paris. Le ciel a octroyé des dons spéciaux aux Indiens et aux poètes.

La douche de Charlie Longsong est une longue douche. Isabelle ne s'en plaint pas. Ils rafraîchissent leur verre. Un apéritif est une modeste célébration d'un grand événement. L'eau gargouille avec énergie dans les conduits. Ce pauvre homme n'a pas eu souvent l'occasion d'être propre. Jean-René et Isabelle ont la chaude impression de se retrouver comme après une très longue séparation. Il prend sa main. Ce vieil homme va leur apporter un bonheur dont ils veulent jouir totalement. Il sera un peu leur enfant.

— Je crois que je vais bien aimer ce bonhomme, si je parviens à l'apprivoiser. Tu sais, pendant qu'on montait vers le Canada, il a été trois jours sans me parler.

— Tu te comportes comme un vrai fils... tu demandes, tu exiges... As-tu pensé que tu bouleverses sa vieillesse? Toi, tu as encore des années et des années devant toi. Pour lui, il est déjà trop tard... Son âge est trop avancé. Il ne pourra jamais devenir un père... Toi, tu as du temps pour apprivoiser ton âme d'Indien.

— Imagine la sagesse qu'il a dû accumuler à songer entre le ciel et le sable, à parler avec les Anciens, à écouter les ancêtres...

— C'est un homme d'un autre siècle qui se réveille dans notre cauchemar moderne. Voilà pourquoi il parle peu.

— Isabelle, je t'aime!

— Nous sommes si chanceux! Notre amour s'ouvre, il s'agrandit. Celui de la plupart des gens se rétrécit comme une peau de chagrin.

— On doit notre bonheur à mon frère, Robert Martin; je lui téléphone.

L'historien répond comme s'il attendait ce coup de fil :

— Je suis heureux que ton père et toi soyez enfin réunis. Tout est bien qui finit bien, comme on dit. Il s'est passé des choses étonnantes sur la rue Gît-le-cœur à Paris.

— C'est la rue de ma mère.

— C'était aussi ma rue. Tu te souviens, je t'ai raconté, mon frère : la belle Brésilienne qui crayonnait des fleurs fantastiques... Je l'avais emmenée en Provence, à scooter, tu te souviens, je t'ai dit...

— La rue Gît-le-cœur est la rue de ma mère et de mon père...

— J'aimerais bien revoir Gabriella... Je me demande où elle est.

— Gabriella ?... Mon frère, as-tu mis sur le métier la biographie de Blanche Larivière ?

— J'ai commencé, mais j'ai dû retourner au fermier Dubois. Un club du livre, en France, a réservé un premier tirage de soixante-quinze mille exemplaires... Je n'ai pas le choix. Je dois finir le livre. Miss Camion n'accepte pas l'idée qu'on abandonne un projet qu'on a commencé... J'ai décidé de ne jamais retourner avec ma femme. Je vais perdre tout ce que j'avais, mais ma décision est prise. Miss Camion me dit qu'il ne faut jamais dire jamais. Quelle femme ! mon frère. Je lui ai parlé de Gabriella. Elle est prête à la chercher avec moi.

— Attends d'avoir trouvé Dubois. Et n'oublie pas Blanche Larivière... Mon père est enfin avec nous. Je te dois tout cela. Je voulais tout simplement te dire merci, mon frère !

— L'histoire, c'est comme le pétrole. Tous les deux naissent dans les sédiments du passé et remontent à la surface du temps pour faire tourner la machine du présent... Es-tu impressionné ?... Comment est-il, ton père, après ce long voyage ?

À cet instant, le plafond se déchire comme si le fleuve Saint-Laurent s'abattait sur Isabelle et Jean-René :

— Merde ! c'est le déluge.

Ils se précipitent à l'étage. Le plancher est inondé. Des livres, des chaussures flottent dans des flaques. Charlie Longsong se tient sous le jet d'eau, maigre, osseux, les yeux fermés. Il n'a pas tiré le rideau.

— Papa, il faut fermer le rideau de la douche.

— À la guerre, y avait pas de rideau dans les douches.

— La guerre est finie. Maintenant, on tire le rideau de la douche.

Son père vient-il de dire qu'il n'a pas pris une douche depuis la Seconde Guerre mondiale ?

Le lendemain, au petit déjeuner, Jean-René annonce le plan de la journée :

— D'abord nous irons au cimetière visiter le tombeau de Blanche Larivière.

Sans dire un mot, Charlie Longsong se lève brusquement comme s'il s'enfuyait. Il monte dans sa chambre. Le notaire, hébété, d'un regard questionne sa femme. Un sourire lui reproche de ne pas saisir l'évidence :

— Il ne veut pas aller au cimetière.

— S'il veut aller voir ma mère, c'est pas ailleurs qu'il va la trouver. C'est pas de ma faute si elle est au cimetière. Est-ce qu'il a peur que les croque-morts le gardent ?

Jean-René s'impatiente. Il est encore irrité par le fait que sa mère soit morte. Chaque fois qu'il pense qu'elle repose à jamais dans le sol, il ressent un pincement sec au cœur. Sa mère devrait être vivante...

— Sais-tu si c'est une coutume indienne de visiter les cimetières ? demande-t-il.

— Tu devrais savoir. De nous deux, c'est toi, l'Indien... Dans la pensée de ton père, Blanche Larivière doit être encore vivante. C'est pourquoi il déteste l'idée de la visiter au cimetière... Je ne sais pas. Comme toi, j'essaie de comprendre.

Plus tard, il réussit à convaincre son père de monter dans sa jeep. Il va lui acheter des vêtements. Quand il sort de la boutique où Jean-René a fait énergiquement comprendre aux vendeurs que son père devait être traité avec respect, Charlie Longsong a l'air d'un notaire dans son élégant costume foncé aux rayures distinguées.

Jean-René doit passer quelques minutes à son bureau. Il ne peut amener l'homme du désert dans son clapier à notaires. Le vieil homme va étouffer. Il va croire qu'on veut l'enfermer. Ne devrait-il pas plutôt le faire descendre à la terrasse du *Château Frontenac*? Là, il sera au grand air, il pourra contempler le fleuve, les bateaux; il aura la liberté de se promener. Ses souliers neufs ne devraient pas trop le faire souffrir.

— Attendez-moi ici. Marchez jusqu'au bout et revenez. Je repasserai vous prendre dans une demi-heure. Profitez du beau temps. Voici ma carte. Si vous avez un problème, téléphonez-moi au bureau. Le numéro est ici. Vous voyez? Je vous donne de la monnaie.

Lentement descendu de la voiture, le vieil Indien se dirige vers la terrasse du *Château Frontenac*. Son pas hésite comme s'il ne faisait pas confiance au trottoir.

Le notaire, à son bureau depuis quelques minutes, scrute attentivement un paragraphe codicillaire du testament de cette malheureuse vieille dame Tremblay qui cède tous ses biens à une église d'illuminés qui attendent les extraterrestres comme d'autres le Messie. Ce travail de révision s'avère plus long qu'il a prévu. Il doit le terminer. Il préférerait flâner avec son père dans la ville, ou s'entraîner au tir, ou se promener à motocyclette. Son père accepterait-il de monter avec lui sur son engin? Le téléphone l'interrompt. Il est vraiment très ennuyé. N'a-t-il pas expressément demandé à sa secrétaire de retenir ses appels?

— Natacha demande à vous parler; elle assure que c'est personnel.

— Je ne connais pas de Natacha. Envoyez-la au diable.

— C'est difficile, monsieur. Elle est avec votre père...

— Passez-moi Natacha... J'espère que la pauvre dame Tremblay va se retenir de mourir avant que j'aie terminé de réviser sa donation aux Martiens... Allô!

— Allô. Je m'appelle Natacha... Excusez-moi de vous déranger, monsieur le notaire. Je sais que les notaires sont des gens très occupés. Ce sont des clients qui sont toujours pressés.

— Quel genre de commerce exploitez-vous?

— C'est à ce sujet-là que je vous appelle. Je suis avec votre père. Moi, je me suis déshabillée comme une fille honnête et voilà que je m'aperçois que votre père n'a que de la monnaie dans ses poches.

— Voilà ce que j'ai oublié : lui donner de l'argent...

— Moi, je suis une professionnelle comme vous. Vous savez ce que coûtent les affaires de nos jours. J'ai des frais considérables. Le *Château Frontenac*, c'est pas bas de gamme. Votre père a l'air de penser que je distribue mes services gratuitement. Alors, j'ai commencé à gueuler. Votre père m'a donné votre carte. Il m'a dit d'appeler son fils. Ça m'étonne qu'il n'ait pas d'argent, votre père; il était habillé si chic...

— Natacha, écoutez-moi bien. Je suis un notaire très occupé. Je vous demande de passer une heure avec mon père. Natacha, êtes-vous capable de le rendre heureux? C'est un homme qui a connu de grands déboires. Dans une heure, je serai au bar du *Château*. Je vous dédommagerai bien. Et si mon père a vraiment l'air heureux, je vais ajouter un supplément.

— Votre père a l'air d'être un bon monsieur. Vous avez l'air d'être une bonne personne... Vous êtes un notaire... C'est pas que j'aie des richesses, mais je possède deux appartements et un petit chalet à la campagne. Comme personne ne connaît l'avenir, j'ai déjà pensé qu'il me faudrait un petit testament. Rien de trop sérieux... Je ne vais pas mourir demain, mais il faut penser... Il vaudrait mieux que j'aie un petit testament léger... Vous me comprenez... Pourriez-vous m'aider?

— Prenez d'abord soin de mon papa... Nous reparlerons de votre testament au bar du *Château*.

— Vous pourriez déduire de votre facture mes services à votre père. Ainsi, vous et moi, on déjouerait l'impôt. Moi je dis que nous, les contribuables, payons beaucoup trop d'impôt.

— Entre professionnels, nous devons nous aider, n'est-ce pas ?

— Votre papa a-t-il le cœur encore bien solide ?

— Il a le cœur solide comme du roc, Natacha, et son âme est sensible comme un pétale de rose...

— Merci et n'oubliez pas mon testament. Au revoir.

— Au revoir, Natacha.

— Monsieur, est-ce que je dois inscrire dans votre agenda une rencontre avec Mlle Natacha ? demande la secrétaire.

Jean-René et son père retournent à l'île d'Orléans dans l'après-midi. Le fils montre à son père sa collection d'armes à feu. Charlie Longsong n'est pas intéressé. Il n'effleure même pas du bout des doigts ces fusils si beaux qu'ils attirent la caresse. Il les regarde distraitement. Jean-René l'invite à tirer quelques balles. C'est comme s'il n'avait rien dit. Jean-René l'amène voir ses motocyclettes. Charlie Longsong ne démontre pas plus d'intérêt. Son fils pense : « Ou bien mon père ne peut s'arracher au souvenir de Natacha ou bien il n'aime pas ce que j'aime. »

— Allons visiter un village indien. Ce n'est pas loin. Ils sont des Hurons. Je connais bien le grand chef. Il est un client. C'est un vrai Indien... Comme nous deux... Il a une tresse... Comme les anciens Chinois...

— Je veux regarder la télévision.

On installe Charlie Longsong dans un fauteuil. On lui explique le fonctionnement de la télécommande. Durant le reste de l'après-midi, sans interruption, il fixe l'écran. Il ne bouge pas. Il ne se lève pas une seule fois. Il ne touche pas un bouton de la télécommande. Il ne bâille pas. Il ne dort pas. Son attention est si profonde qu'elle en est inquiétante. Il ressemble à un homme qui se regarderait tomber dans un trou sans fond.

— J'aimerais voir ce qu'il voit, dit Jean-René.

— Le pauvre homme doit regarder défiler le film de son passage sur la Terre.

— Qu'est-ce qu'on peut savoir, toi et moi ?

— Il a perdu son père si jeune. Comment pouvait-il comprendre à son âge ? Il a été blessé à la guerre et il a survécu sans jamais comprendre pourquoi il s'était battu. Il avait un fils, mais il ne le savait pas. Il était aimé par une femme qui a préféré écrire des poèmes plutôt que de le revoir.

— Peut-être est-il en train de voir tout ce qui aurait pu lui arriver...

— On dit que le désert enseigne des connaissances extraordinaires. En plus, les Indiens savent des secrets interdits aux Blancs. Il est peut-être capable d'entrevoir l'avenir... Il regarde ce qui va nous arriver.

Les yeux du vieillard ne quittent pas l'écran, mais il regarde ailleurs que l'image. Chacun de ses membres est totalement immobile. Aucun muscle ne se tend ni ne se détend dans son visage. Encore une fois, son fils trouve qu'il ressemble à ces sculptures de bois qui représentent un vieil Indien songeur à la devanture de certains établissements touristiques aux États-Unis.

— Est-ce qu'il respire encore ? s'inquiète-t-il.

— Ne le dérange pas. Laisse-le faire à sa manière. Apprends quelque chose de lui. Au lieu de toujours bouger, il serait bon que tu apprennes à méditer comme ton père... Ou bien il converse avec ses ancêtres, tes ancêtres. Il a garé son corps ici pendant que son âme voyage... Tu as beaucoup de choses à apprendre de ton père... Moi aussi, je veux apprendre.

— Attends. Je veux voir s'il va réagir quand je vais zapper.

— Pourquoi ? Laisse-le. Tu lui as imposé toute une révolution.

Jean-René s'approche de son père et, subrepticement, dans un geste gamin, il subtilise la télécommande. Il zappe. Une autre image, un autre décor, d'autres gens remplissent l'écran. Le vieil homme ne remarque pas le changement.

Jean-René presse encore le bouton. Le vieil homme ne réagit pas. Imperturbable comme si rien n'avait été modifié, il continue de contempler l'écran avec la même attention. Jean-René fait défiler plusieurs chaînes : informations, cuisine, météo, interview, *rock'n roll*, prêcheur évangélique, boxe. Charlie Longsong ne voit pas ces images. Pourtant, ses yeux sont ouverts. Il ne dort pas. Pour obtenir une réaction, un plissement des paupières, un cillement, Jean-René ferme l'appareil. Charlie Longsong continue de regarder l'écran noir. Son attention est si intense. Il voit au-delà de ce que les antennes savent capter.

— Cet homme-là n'est pas avec nous, s'impatiente le notaire.

— Ne l'ennuie plus. Laisse-lui sa liberté.

— Il vient visiter son fils pour la première fois et il est plus loin que s'il était resté en Arizona.

Plus tard, au début de la soirée, subitement, Charlie Longsong revient de son absence. Il s'est levé comme s'il bondissait. Étonné d'apercevoir ses hôtes, dans un moment d'hésitation, il a l'air de se demander qui sont ces étrangers. Puis, il comprend toute la situation, il s'apaise, sourit, rassuré :

— Fils, j'ai suivi le chemin de mes jours. Maintenant, je suis arrivé au bout. Il me reste sept jours à traverser. Je veux traverser mes sept jours dans mon désert. Je veux retourner. Blanche Larivière est morte. Je vais mourir. La rue Gît-le-cœur est trop loin.

— Il n'est pas question de vous laisser repartir. S'il vous reste sept jours, vous allez les passer avec nous. Voulez-vous mourir sans que nous ayons vraiment fait connaissance ? Je veux savoir qui vous êtes. Si vous tenez à mourir dans sept jours, aussi bien mourir ici, dans un bon lit... Pourquoi iriez-vous vous éteindre dans votre cabane de misère ?

— Dans notre tribu, les pères disent aux fils ce qu'ils doivent faire.

— Est-ce que ça n'est pas normal de vouloir connaître mon père ?

— Tu sais que tu as un père. Je sais que j'ai un fils...

— Est-ce que ça n'est pas normal qu'un fils veuille prendre soin de son père ?

— Je suis au bout de mon temps ; je veux retourner dans mon désert.

— Vous avez raison, tranche Isabelle. Jean-René va vous reconduire en Arizona.

— Alors, partons !

— Soyez patient.

— Est-ce que je peux partir avec mon costume neuf ?

— Partez avec ce que vous voulez, mais soyez un peu patient.

— Nous avons invité les enfants et les petit-enfants de Jean-René. Ils seront ici dans quelques minutes. Ils désirent tous vous connaître. Savez-vous que vous êtes même un arrière-grand-papa ? Vous avez sept arrière-petits-enfants.

— Des petits-enfants ? répète Charlie Longsong, sans comprendre.

— Les petits-enfants de Jean-René sont vos arrière-petits-enfants.

Il est hébété.

La porte est poussée et l'embrasure se remplit d'hommes, d'enfants, de femmes qui s'empressent et se bousculent. Un garçon brandit un arc et une flèche :

— Est-ce qu'on peut jouer à la police et aux Indiens ?

— Grand-papa, montre-moi comment tu lances une flèche.

Presque toute la famille de Jean-René est là : ses filles, ses fils et leurs enfants, leurs maris, leurs épouses, des ex-femmes et quelques ex-maris. Tous lui parlent en même temps. Charlie Longsong est submergé par ces gens qui parlent la langue de Blanche Larivière. Ils lui serrent la main, ils le touchent, ils le photographient. On s'empresse de lui raconter, comme à quelqu'un d'autre, sa propre histoire d'amour avec Blanche Larivière ; on l'interroge sur le désert ; on lui explique les méandres de la généalogie familiale. Il se réfugie dans le silence à la manière du lézard dans un interstice du rocher. Le voilà encore une fois ailleurs. Il a quitté les invités. Est-il dans son désert ? A-t-il rejoint Blanche Larivière ? Est-il avec elle, rue Gît-le-cœur ? Participe-t-il avec ses ancêtres à un *pow-wow* de sa tribu ? Comme il n'est plus avec eux, peu à peu les enfants et les adultes se retrouvent en famille. Charlie Longsong reste seul dans son fauteuil pendant que, dans l'autre pièce, on célèbre l'arrivée du père de Jean-René Goupil. On boit du champagne, on boit du jus de fruits. On est heureux comme si le défunt notaire René Goupil était revenu d'entre les morts...

— On est tous des Indiens !

— Et personne ne pourra dire que nous n'en sommes pas fiers !

Puis, quand tout le monde a pris place autour de la longue table, Jean-René va arracher son père à sa rêverie solitaire. Il l'amène se joindre à ses descendants, tous ces inconnus qui le surveillent avec leurs grands sourires de *Bohanas*. Les verres et les ustensiles alignés brillent. Il veut retourner à son rêve, à sa vision. Il veut retourner en Arizona. Son fils le retient :

— Papa, racontez-nous une histoire.

Le vieil Indien, sanglé dans son costume neuf, s'apaise et se rassied. Ainsi qu'il l'a souvent fait sur la *Mesa*, il entreprend de dérouler son récit :

— Il y avait, dans le désert de l'Arizona, un garçon qui s'appelait Petit Homme Tornade...

imprimerie gagné ltée

IMPRIMÉ AU CANADA